KB172596

중국사상문화술어사전

상

ㄱ~ㅅ

중국사상문화술어사전

편저 | 중국사상문화술어 편집위원회

번역 | 김택규 · 박희선 · 이새봄 · 조성윤 · 허수현

㊤

ㄱ ~ ㅅ

국학자료원

책머리에

'중국 사상문화술어'의 정의는 중국 민족이 주체적으로 창조 혹은 구축해낸, 중국의 철학사상과 인문정신 그리고 사유방식과 가치관념이 응축되어 단어나 구의 형식으로 굳어진 개념과 문화적 키워드이다. 이것들은 중국 민족이 수천 년간 자연과 사회에 관해 탐색하고 이성적으로 사유한 성과로서 중국 민족의 역사적 지혜가 침전돼 있으며 중국 민족의 가장 심오한 정신적 추구와 이성적 사유의 깊이와 너비가 반영되어 있다. 아울러 이것들에 깃든 인문사상, 사유방식, 가치관은 이미 일종의 '생명 유전자'로서 중국인들의 핏속에 깊이 녹아들고 중국 민족 공통의 성격과 믿음으로 내화되어, 이를 통해 수천 년에 달하는 중국의 학술 전통, 사상과 문화 그리고 정신세계를 지탱하고 있다. 또한 이것들은 오늘날 중국인이 중국 고대의 철학사상, 인문정신, 사유방식, 가치관의 변화, 나아가 문학예술과 역사 등 각 영역의 발전을 이해하기 위한 핵심이며 세계의 다른 나라와 민족이 오늘날의 중국과, 중국 민족 및 해외 화교의 정신세계를 이해하기 위한 열쇠이기도 하다.

현재 세계는 이미 문화의 다원화와 담론의 다극화 시대에 들어섰다.

세계의 다양한 지역과 다양한 국가, 다양한 민족의 문명이 어느 역사 시기보다 더 빠르고 더 광범위하게 유동하며 융합되는 중이다. 각 국가와 민족은 모두 자신만의 독특한 사상, 문화, 담론체계를 갖고서 마땅히 세계 문명과 세계 담론체계 속에서 각자의 자리를 차지한 채 온당한 지위와 존중을 얻어야 한다. 그리고 사상문화술어는 의심의 여지없이 한 국가와 민족의 담론 체계에서 가장 핵심적이고 가장 본질적인 부분으로서 그 국가와 민족이 가진 사상의 '골수'이고, 문화의 '뿌리'이고, 정신의 '혼'이고, 학술의 '핵'이다. 오늘날 점점 더 많은 지식인들이 중국의 사상과 문화에 오늘날 인류가 직면한 수많은 난제의 힌트가 담겨 있다는 것을 깨닫고 있다. 중국 민족이 창도한 '후덕재물厚德載物', '도법자연道法自然', '천인합일天人合一', '화이부동和而不同', '민유방본民惟邦本', '경세치용經世致用' 등의 사상과, 중국 민족이 추구한 '협화만방', '천하일가', 세계 '대동'은 현재 세계 문명의 발전 추세를 대표하며, 그래서 국제사회의 공감대를 얻었다. 점점 더 많은 외국 학자와 친구들이 중국의 사상, 문화와 그 술어들에 대해 깊은 흥미를 보이고 더 깊이, 전면적으로 이해하고 싶어 한다. 지금 우리가 중국 사상문화 술어를 정리하고, 풀이하고, 편역하고, 전파하는 목적은, 중국의 전통적인 사상과 문화에 입각해 전면적이고 체계적인 정리와 해석으로 그 속에서 중국의 철학사상, 인문정신, 사유방식, 가치관, 문화적 특징을 반영하면서도 시공간과 국경을 초월하는 의미와, 영원한 매력과 당대적 가치를 지닌 내용을 발굴하는 데 있다. 아울러 그것들을 영어 등의 외국어로 번역해 세계가 더 객관적이고 전면적으로 중국을 인식하고 중국 민족의 과거와 현재 그리고 중국인과 해외 화교의 정신계를 이해하게 함으로써 국가 간의 평등한 대화와 여러 문명들 사이의 교류를 촉진하고자 한다.

중국 사상문화술어의 정리와 해석 그리고 영어 번역은 중국 교육부, 중국국제출판그룹, 중앙편역국, 베이징대학, 중국인민대학, 우한대학, 베이징외국어대학 등의 도움을 받았고 예자잉葉嘉瑩, 리쉐친李學勤, 장치즈張豈之, 린우쑨林戊蓀 등 수많은 국내외 저명 학자들의 도움도 받았다. 그리고 이번에 처음 제시되는 '중국 사상문화술어'라는 이 개념의 함의와 외연은 향후 학계의 더 깊이 있는 연구가 요구된다. 사실 이처럼 대규모로 중국 사상문화술어의 정리, 해석, 편역이 이뤄진 것은 중국 내에서도 초유의 일이었다. 따라서 우리의 해석과 편역은 틀림없이 아직 더 가다듬을 부분이 있으므로 우리는 여러 독자들의 의견을 제때 수렴해 끊임없이 술어 해석과 편역의 수준을 높일 것이다.

2015. 4. 11

목차

ㄴ

ㄷ

ㄹ

ㅅ

ㄱ

가歌

편폭이 짧고 음송할 수 있는 운문 작품으로 문학, 음악 나아가 무용까지 하나로 결합하는 노래할 수 있는 문예 창작 형식이다. 고대 중국에서는 가歌와 시詩를 다음과 같이 구별하였다. '가'는 음악을 넣어 노래 부를 수 있고, '시'는 통상적으로 음악을 넣어 노래 부르지 않는다. 광의의 가는 동요, 민요를 포함하며 협의의 가는 요謠와 구별된다. 고정된 곡조와 음악의 반주에 맞춰 부르는 것이 가이고 고정된 곡조가 없는 반주 없이 부르는 노래가 요이다. 가의 대다수는 민간에서 창작한 민요로 한대漢代 악부 「장한가長歌行」, 북조北朝 민가 「칙륵가敕勒歌」 등이 있다. 일부 문인 등 개인이 창작한 작품도 존재하며 유방劉邦의 「대풍가大風歌」, 이백李白의 「자야오가子夜吳歌」 등이 있다. '가'는 중국 고대 시가 예술의 조기 형태에 속하며 고대에는 일반적으로 악부시에 포함되었다. 지금은 시와 합쳐서 '시가'로 불린다.

예)

곡조와 음악을 곁들이면 가이고 단지 노래만 있으면 요이다.

曲合樂曰歌, 徒歌曰謠. (『시경詩經 · 위풍魏風 · 원유도園有桃』모전毛傳)

가명假名

허망한 현상에 부여하는 이름. 불교의 일부 종파에서는 사물이 실재하지 않으나 각종 차이가 나타내는 까닭은 그것들을 개념적으로 지칭한 후 명칭이 가리키는 바를 진짜 존재하는 대상으로 착각하기 때문이라고 여긴다. 그러나 실제로는 일체의 사물은 여러 조건으로 인해 화합하여 이뤄지고, 개념과 사유의 관찰 작용 하에서 비로소 명칭을 얻게 되며 그 이름은 실체가 없어 '가명'이라 부른다.

예)

삼계의 사물에 대해 말하자면, 모두 가명일 뿐이다. '병瓶' 등의 관념을 없앤 후에, 사실은 '병' 등의 이름이 있었기에 비로소 그 사물이 있었음을 이해하는 것과 같다. 관찰에 능한 사람이 이 점을 안다면, 밧줄을 보기만 해도 뱀에 대한 두려움이 생겨나는 것을 해소할 수 있다.

如說三界, 但有假名. 瓶等粗覺既除遣已, 知從名言而有其事. 善觀察者能了知已, 卽于繩處蛇怖除遣. (진나陳那『장중론掌中論』)

가정맹어호苛政猛於虎

혹독하고 잔인한 정치는 호랑이보다 흉악하고 무섭다.『예기 · 단궁檀弓 하』에서 나왔다. 공자가 태산 기슭을 지날 때 어느 부녀가 묘 앞에서 슬프게 울고 있었다. 공자가 자로를 보내 자초지종을 묻자, 그 지역에 호랑이로 인한 피해가 심각하여 그녀의 가족 세 명이 모두 호랑이에 물려 죽었으나 그녀는 이곳에 학정이 없어 떠나고 싶지 않다고 대답했다. 이에 공자는 '가혹한 정치는 호랑이보다 사납구나' 하고 탄식했다. 이 말은 학정이 백성에게 미치는 피해를 반어적으로 비판하고 있으며, 통치자는 마땅히 노역과 세금을 가볍게 하고 백성을 아끼며 유가의 인정 사상을 실현해야 한다는 교훈을 주고 있다.

예)

공자께서 말씀하시길 "젊은이는 이것을 기억해야 한다. 가혹한 정치는 호랑이보다 사납고 무섭구나."

夫子曰: "小子識之, 苛政猛於虎也."(『예기 · 단궁 하』)

가행체歌行體

한위 육조 악부시에서 발전하여 유래된 시가 장르이다. 문체적 특징은 편폭이 비교적 길어 감정을 토로하고 경치를 묘사하는 데 유리하며, 문장 구조에 변화가 많고, 격률 상의 요구가 엄격하지 않으며, 형식은 오언, 칠언, 잡언의 고체를 채택하여 변화가 많다. 남조의 포조鮑照(414?~466)가 민가를 기초로 하여 가행체를 만들었고 당대의 이백李白(701~762), 백거이白居易(772~846) 등도 자주 가행체의 작품을 지었다.

예)

한껏 길게 늘이고, 문장 구조가 다양하며 격률에 제한을 받지 않는 것을 '가歌'라고 한다. 완급이 자유로우며 곡조가 조금 느리나 유창한 것을 '행行'이라 한다. 이 두 가지를 겸하여 있는 것을 '가행歌行'이라 한다.

放情長言, 雜而無方者曰歌; 步驟馳騁, 疏而不滯者曰行; 兼之者曰歌行. (서사증徐師曾, 『시체명변詩體明辨』)

가행은 한껏 길게 읊고, 고체시는 일정한 규칙을 따라야 한다. 그래서 이 둘의 문장 구조, 용어, 체제, 곡조는 다소 다른 점이 있다.

歌行則放情長言, 古詩則循守法度, 故其句語格調亦不能同也. (오눌吳訥, 『문장변체서설文章辨體序說』)

간艮

팔괘 중 하나로 ☶로 그린다. 간艮은 64괘 중 하나로 세 줄로 된 간을 두 번 그린 ䷳으로도 그린다. 팔괘 체계에서 간괘의 기본 상징은 산이다. 산은 조용함을 상징하며 이에 모든 것에는 결말이 있으며 만물의 뜻이 이뤄진다는 의미를 지닌다. 간괘는 하나의 양효陽爻 두 개의 음효陰爻로 구성되며 양괘陽卦에 속하고 인륜영역에서는 남성에 속한다. 간괘에서 양효가 상부에 위치하는데 이는 집에서 가장 어린 남자아이를 뜻한다.

예)
간艮은 중지中止라는 뜻을 지닌다.
艮, 止也. (『주역周易 · 설괘說卦』)

간艮은 두 산이 병립함을 상징하며 중지의 의미를 지닌다. 따라서 군자가 행하려는 뜻은 그의 분량과 사회적 지위를 벗어나지 않는다.
兼山, 艮.君子以思不出其位. (『주역周易 · 상하象下』)

간성干城

본래는 방패와 성을 가리켰으나 나중에 제후 내지는 국가 정권 및 이론적 주장의 수호자를 비유하게 되었다. '간'은 고대의 방어성 무기의 일종인 방패를 말하며 '성'은 성벽과 성곽, 즉 방어 기능을 갖춘 건축 시설을 말한다. '간성'을 제후에 비유하는 것은 '숭성崇城'(천자를 비유함)과 상대되는 개념이다. 천자를 '숭성'이라 칭하는 것은 천자의 지위가 높고 숭고함을 나타내며 제후를 '간성'이라 칭하는 것은 제후의 직책이 천자를 수호하는 것이므로 천자의 명령에 필히 복종해야 함을 나타낸다. 이 술어는 나중에는 충실하고 강력한 수호자를 널리 가리키게 되었는데 지위가 낮은 사람이 높은 사람을 수호하는 것뿐만 아니라 간혹 지위가 높은 사람이 낮은 사람을 수호하는 경우를 가리킬 때도 쓰인다.

예)

천자를 '숭성'이라 칭함은 천자가 숭고하고 존귀한 지위에 있다는 뜻이며, 제후를 '간성'이라 칭함은 제후가 감히 독자적으로 행동하지 못하고 반드시 천자의 명에 따라야 한다는 뜻이다.

天子曰 '崇城', 言崇高也; 諸侯曰 '干城', 言不敢自專, 御於天子也. (『초학기初學記』 권이십사의 『백호통白虎通』 인용 부분)

늠름한 무사들은 제후의 수호자다.

赳赳武夫, 公侯干城. (『시경 · 주남周南 · 토저兔罝』)

나라의 정치가 청명하면 제후는 능히 백성의 수호자가 될 수 있다.

天下有道, 則公侯能爲民干城. (『좌전 · 성공成公 십이년』)

감坎

'팔괘'의 하나로, '☵'로 그린다. '감'은 '64괘' 중 하나이기도 하며 이때는 세 줄짜리 '감'괘를 두 개 합쳐 '䷜'로 그린다. '팔괘' 체계에서 '감'괘는 기본적으로 물을 상징하며, 만물을 윤택하게 한다는 의미이다. 또한 물은 움푹 꺼진 곳에 머무르므로, 진창이나 위험에 빠진다는 뜻도 있다. '감'괘는 하나의 양효와 두 개의 음효로 구성되며 양괘에 속하고, 인륜의 영역에서는 남성을 상징한다. '감'괘 중의 양효는 중앙에 위치하기에 가족의 여러 아들들 중 중간에 있는 사람을 상징한다.

예)

감은 빠진다는 뜻이다.

坎, 陷也. (『주역 · 설괘說卦』)

물이 계속해서 이르면 거듭 빠지게 된다. 군자는 이로써 늘 덕을 행하고 교화하는 일을 익숙하게 해야 한다.

水洊至, 習坎. 君子以常德行, 習教事. (『주역 · 상상象上』)

감고지금監古知今

과거, 역사를 살펴 현재를 이해하고 미래를 예측할 수 있다. '감왕지래鑒往知來' 또는 '지고감금知故鑒今'라고도 한다. '감'은 거울이라는 원래 의미에서 확대되어 참고한다, 살펴본다, 고찰한다는 뜻이 있다. '감고', '감왕', '지고'는 역사 속 왕조, 나라의 흥망과 실패의 경험을 교훈으로 삼고 역사 인물의 언행과 사적 그리고 옳고 그름과 선악을 관찰하여 나라를 다스리고 개인의 도덕을 수양하는 일에 보탬이 되게 하는 것이다. '지금', '감금', '지래'는 현재를 이해하고 현재를 이해함으로써 미래를 예측하는 것이다. 고대 집정자는 자신이 시행하려는 정책이 나라와 백성의 사정에 부합하고 일정한 합리성을 갖추기 위해 역사의 경험과 교훈을 받아들여 실패를 반복하는 일을 피하고자 했다. 역사의 현실적 의의와 현실의 역사적 깊이를 동시의 내포하고 있다. '전사불망前事不忘, 후사지사後事之師(지난 일을 잊지 않으면 뒷일의 교훈이 된다)'와 의미가 비슷하다.

예)

이전 시기 정권의 흥망을 살펴보고 지금의 성공과 실패를 고찰하니 좋은 덕을 찬미하고 악행을 경계하며 옳은 것을 취하고 그른 것을 버린다.

監前世之興衰, 考當今之得失, 嘉善矜惡, 取是舍非. (사마광司馬光, 『진進「자치통감資治通鑒」표表』)

과거를 이해하여 현재의 거울로 삼으니 조조의 위나라와 손권의 오나라를 몰아내는 것은 보통 일이 아니다.

知往鑒今, 驅曹蕩吳, 非同小可也. (작자 미상, 『태평연太平宴』 제1절)

감물感物

사람이 외물外物의 자극을 받아 창작욕이 발생하고, 구상과 예술적 작업을 거쳐 문예작품을 만들다. '물物'은 직관적으로 느낄 수 있는 자연의 경물과 생활 속 풍경이다. 고대 사람들은 외부의 사물이 창작의 욕구를 불러일으키며, 문예작품은 외물과 주관이 서로 결합한 산물이라고 여겼다. 이 용어는 문예 창작이 생활에서 시작된다는 이념에 기초하고 있다.

예)
모든 음악은 사람의 속마음에서 일어난다. 마음의 움직임은 외부의 사물로부터 비롯된다. 외부의 사물로부터 감동을 받아 마음이 움직이고, 그러므로 소리가 되어 나오는 것이다.
凡音之起, 由人心生也. 人心之動, 物使之然也. 感於物而動, 故形於聲. (『예기 · 악기』)

사람은 희喜, 노怒, 애哀, 구懼, 애愛, 오惡, 욕慾 등 일곱 가지 감정이 있고, 외부 사물의 감응을 받으면 감정의 반응이 일어난다. 감정이 외물의 자극을 받으면 속마음의 감정과 생각을 읊게 되고, 이는 지극히 자연스러운 일이다.
人稟七情, 應物斯感, 感物吟志, 莫非自然. (유협劉勰『문심조룡文心雕龍 · 명시明詩』)

갑골문甲骨文

상주商周 시기 점복占卜으로 일을 기록한 후 거북이 등껍질 혹은 짐승의 뼈에 새기는 데 쓰인 문자로 계문契文, 갑골복사甲骨卜辭, 은허문자殷墟文字라고도 부르며 중국이 현재까지 발견한 것 중 가장 오래된 문자이고 그 역사가 3,000년 가량 되었다. 갑골문은 하남河南 안양安陽의 소둔촌小屯村 은허殷墟에서 처음 출토되었는데 일반적으로 만청晚晴 시기 금석학자 왕의영王懿榮(1845~1900)이 1899년 처음 발견한 것이라고 알려져 있다. 상주 시기 위로는 왕실과 귀족이 국가의 큰일을 다룰 때 아래로는 제사, 기후, 수확, 징벌, 사냥, 병환, 생육 등의 분야에 이르기까지 하늘에 점을 치지 않은 일이 없었고 점복의 결과로 나아갈지 멈출지를 결정했다. 점복은 국가의 정치 생활에서의 큰 일로 새겨진 갑골은 국가의 공문서로서 보존되었다. 현재 이미 출토된 갑골은 십만여점에 달하고 발견된 갑골문 단어는 약 4,500개에 달하며 이 중 인식이 가능한 자字는 약 1,700개이다. 갑골문은 엄밀한 체계를 지니고 있으며 한자의 육서六書의 조자법은 모두 갑골문에 구현되어 있고 대량의 형성자形聲字가 이미 갑골문에 생성되어 있다. 갑골복사는 또한 오늘날 상주 시기의 역사를 연구하는 귀중한 1차 자료이다.

예)

문자의 기원은 새기는 것에서 비롯되었다. 새기는 글자를 계契라 부르는데 허신許愼은 계契를 새기는 것이라 해석했다. 契는 栔와 동음가차자同音假借字 관계이다. 모전毛傳은 계契를 연다는 뜻으로 해석했는데 "열다"와 "새긴다"는 것은 의미가 같기 때문에 문자가 거북이 등껍질이나 짐승의 뼈에 새겨져 있는 경우도 있다는 것을 알 수 있다.

文字之興, 原始於書契.契之正字為"栔(qì)", 許君訓為"刻"……"契"者, 其同聲叚藉(jiǎjiè)字也. ……毛公詁"契"為"開". "開""刻"義同, 是知栔刻又有施之龜甲者. (『계문거례契文擧例 · 서叙』)

점복占卜의 글귀는 거북이 등껍질과 짐승의 뼈에 새기게 되는데, 새기는 정교함과 문자의 아름다움은 그 하나 하나가 몇 천년이 지난 후의 우리 세대도 황홀하게 만든다. 복사卜辭문자의 풍격은 사람마다 시기마다 다르지만 대체적으로 무정武丁 국왕 시기에는 문자 대다수가 웅장했으며 제을帝乙 국왕 시기에는 문자가 모두 수려했다.

卜辭契於龜骨, 其契之精而字之美, 每令吾輩數千載後人神往.文字作風且因人因世而異, 大抵武丁之世, 字多雄渾, 帝乙之世, 文咸秀麗. (곽말약郭沫若『은허수편殷墟粹編 · 서序』)

강산江山

본래 의미는 강과 산이며 국가의 정권과 영토를 대표한다('하산河山'

도 같은 뜻이다). 이 용법은 다음과 같은 관념을 품고 있다. 즉, 강과 산은 지형이 험준하여 국가의 안전과 정권의 안정을 수호하는 자연적인 보호 장벽이며 영토는 국가의 구성 요소라는 것이다.

예)

무력으로 한 지역을 차지해 정권을 수립하고 방대한 영토를 개척했다.

割據江山, 拓土萬里. (『삼국지三國志 · 오서吳書 · 하소전賀劭傳』)

강서시파江西詩派

중국 문학사에서 정식 명칭을 가진 시문파詩文派이다. 북송北宋 강서江西에 적籍을 둔 저명한 시인 황정견黃庭堅(1045~1105)의 점철성금点鐵成金 탈태환골奪胎換骨을 주요 창작 이념으로 삼았다. 이 유파는 시를 지을 때 시를 읊는 서재 생활을 위주로 했고 간결하고도 힘찬 풍격을 숭상했다. 앞선 세대 사람들 혹은 그 사람들의 말 혹은 뜻을 계승하는 것을 강조했다. 문자를 다듬는 기교를 중시했고 모든 자字에 출처가 있을 것을 추구했다. 이 창작 이념은 당나라 시가가 정취의 풍채를 추구하던 것과 확연히 달랐으며 이 이념의 영향력은 남송 시기 시단詩壇 전체에 퍼졌고 심지어 근대 시기에까지 영향을 미쳤다.

예)

시가의 발전은 황정견 시기에 이르러서야 그 양상이 웅대해졌으며 황정견은 시가 창작을 힘껏 진작시켰고 그를 따라 배우는 후세 사람들은 모두 흥성하고 서로 호응했으며 시가 창작의 천고의 비결이 모두 발굴되었다. 그들은 강서시파江西詩派로 명명되는데, 이 시파가 강서 예장豫章 사람 황정견으로부터 비롯되었기 때문이다.

歌詩至於豫章始大出而力振之, 後學者同作並和(hè), 盡發千古之秘, 亡(wú)餘蘊矣.錄其名字, 曰江西宗派, 其源流皆出豫章也. (여본중呂本中『강서시도종파도江西詩杜宗派圖』견見『운록만초雲麓漫抄』권십사卷十四)

강신수목講信修睦

신의를 숭상하고 화목을 추구하다. 『예기 · 예운禮運』에서 나왔다. 전국戰國부터 진한秦漢 교체 시기까지 유가의 학자들이 묘사한 '대동大同' 사회의 중요한 특징 중 하나이다. 유가에서는 천하가 모든 사람의 천하이고 사람과 사람, 국가와 국가 사이에 서로 신의로 협력하며 화목한 세상을 가장 이상적인 사회로 여겼다. 후에 '강신수목'은 유가에서 제창하는 윤리적 규범이 되었을 뿐 아니라, 중국 문화에서 인간관계와 국가관계를 다루는 중요한 원칙이 되었다.

예)

큰 도가 이뤄지는 시대에 천하는 공공의 것이다. 현인과 능력 있는 자를 뽑고, 신의를 중시하며 서로 화목하게 대한다.

大道之行也, 天下爲公, 選賢與能, 講信修睦.(『예기 · 예운』)

강유剛柔

사람과 사물이 지니고 있는 상반되는 두 속성 혹은 덕성을 말한다. 세 가지 중점적인 의미를 가지고 있다. 첫째, 자연물 혹은 기물에 대하여 '강'은 단단함을 뜻하며 '유'는 부드러움을 뜻한다. 둘째, 사람의 성품에 대하여 '강'은 굳세고 꿋꿋함을 뜻하며 '유'는 온유하고 겸손함을 뜻한다. 셋째, 정치에 임하고 법을 집행함에 있어서는 '강'은 엄격함을 뜻하고 '유'는 관대함을 뜻한다. '강유'는 '음양'의 구체적 표현 중 하나로 인식되어 왔다. '강'과 '유' 사이의 대립과 조화는 사물의 운동과 변화를 촉진시키는 근본적 원인이다. 구체적인 사물 혹은 행동 속에서 양자는 균형을 이루어야 하며, '강'과 '유' 중 어느 한쪽이 과도한 것은 모두 위험하고 좋지 못한 일이다.

예)

그러므로 하늘을 세우는 법칙은 음과 양이요, 땅을 세우는 법칙은 유와 강이며, 사람 세상을 세우는 법칙은 인과 의이다.

是以立天之道曰陰與陽, 立地之道曰柔與剛, 立人之道曰仁與義.. (『주역 · 설괘設卦』)

강과 유가 서로 바뀌며 전환되니 변화가 바로 그 안에 있다.

剛柔相推, 變在其中矣. (『주역 · 계사 하』)

강유상제剛柔相濟

강함과 부드러움이 서로 알맞게 어울린다. '강'과 '유'는 사람과 사물의 두 가지 상반된 속성이다. 집정자에 대해 말하자면 '강'은 강경하고 엄격함을 이르고 '유'는 부드럽고 관대함을 이른다. '강유상제'는 '은위병시恩威幷施'(인자할 때는 인자하고 엄할 때는 엄함)와 같다. '강유'는 '음양'의 구체적 실현으로 이해되기도 한다. '강'과 '유'의 대립과 조화는 사물의 운동과 변화를 일으키는 근본적인 원인이다. 구체적으로 정책이나 법령을 제정 및 실시하고 사회나 기업을 관리하는 경우에서도 강과 유를 균형 잡힌 상태로 유지할 필요가 있다.

예)

공자가 말하길 "예의 있게 행동하고 겸손한 태도를 보인다."라고 했다. 외유내강하고 강유상제하여 한쪽이 너무 강하지 않다면 만사에 성공하게 될 것이다.

孔子云, "禮以行之, 遜以出之." 外柔內剛, 剛柔相濟而不相勝者, 萬事之所以成也. (정선부鄭善夫, 『소도부答道夫』)

무릇 대장이 된 자라면 마땅히 강유상제해야지 자신의 용맹함만 믿어서는 안 된다.

凡爲將者, 當以剛柔相濟, 不可徒恃其勇. (나관중羅貫中, 『삼국연의三國演義』 71회)

강의剛毅

강건하고 결단력이 있다. '강剛'은 강건하고 굽히지 않음을 가리키고, '의毅'는 결단력이 있고 주저하지 않음을 가리킨다. 사람은 도의를 지키려 할 때 여러 가지 방해를 받게 된다. '강의'는 이런 방해를 타파할 것을 강조하는 것으로, 개인의 사욕에 영향을 받지도 않고, 폭력 또는 강제적인 협박에 굴복하지도 않으면서, 자신의 언행을 항상 도의가 요구하는 것에 부합하도록 하는 것이다. 유가에서 '강의'는 중요한 미덕으로, '인仁'이라는 덕행에 가까운 것으로 여겨진다.

예)

공자가 말했다. "강직하고 결단성이 있으며 꾸밈없고 말이 적은 품성이 인덕의 요구에 가까운 것이다."

子曰: "剛, 毅, 木, 訥, 近仁." (『논어 · 자로』)

유학자는 친밀할 수 있지만 위협하여 이용할 수 없고, 접근할 수 있으나 협박할 수 없고, 죽일 수 있으나 모욕할 수는 없다. 유학자가 사는 곳은 사치스럽지 않고, 음식의 맛은 다채롭지 않으며, 그의 잘못은 은근하게 지적하되 면전에 대고 야단칠 수 없다. 유학자의 '강의'는 이렇게 표현될 수 있다.

儒有可親而不可劫也, 可近而不可迫也, 可殺而不可辱也. 其居處不淫, 其飮食不溽, 其過失可微辨而不可面數也. 其剛毅有如此者. (『예기 · 유행』)

개물성무開物成務

사물의 진상을 밝히고 이로써 일을 이룬다는 뜻. '개물'은 사물의 진상을 드러내어 사물의 내재적 관련성과 규율을 분명히 밝힌다는 뜻이며 '성무'는 사물의 내재적 관련성과 규율에 근거해 적절한 방법을 확정해 일을 이룬다는 뜻이다. 이는 옛사람들이 『주역』의 변화 규칙 및 사회적 효용 속에서 깨우친, 세계를 인식하고 개조하며 자신을 위해 일하는 사상적 방법이자 행동강령으로 소박한 과학적 정신을 내포하고 있다.

예)
『주역』의 취지는 만물의 진상을 밝혀 일을 하는 원칙을 확정해 일을 이루어내고 천하 만물의 기본적 법칙을 개괄하는 데 있을 따름이다.
夫『易』, 開物成務, 冒天下之道, 如斯而已者也. (『주역 · 계사 상』)

개읍불개정改邑不改井

성읍城邑은 바꿔도 우물은 바꾸지 않는다. 정井은 우물로 고대 사회 조직의 단위를 가리키기도 하는데, 여덟 가구가 하나의 정이다. 인류의 생존은 물과 떨어질 수가 없으므로 모여 사는 곳에는 우물이 많이 있다. 그러나 우물은 수맥의 제한을 받아 쉽게 바꿀 수 없다. 그래서 인류의 거처가 어떻게 바뀌고 이동하든 상관없이 우물은 변치 않는 기준점이 되었다. 그중에 내포된 지혜는 여러 조건이 어떻게 변하든 상관없이 인류의 생존에 필수적인 기본적인 요소는 안정적으로 유지된다는 것이다.

예)
성읍은 항상 변화와 이동이 있었지만, 우물은 옮기지 못한다. 우물물은 사람들의 사용에 따라 고갈되거나 넘치지 않는다. 사람들이 매일 오가며 물을 길어도, 모두 필요에 따라 얻을 수 있다.
改邑不改井, 無喪無得. 往來井井. (『주역 · 정괘井卦』)

거안사위居安思危

평안한 환경에 처해 있으면서도 발생할 수 있는 위험과 재난을 생각해야 한다는 뜻. 큰 포부를 가지고 있던 역대 통치자들은 모두 나라가 오래도록 태평하고 생활이 안정되기를 바라며 늘 향락과 안일함에 빠지지 않도록 스스로를 일깨우고 부지런히 정사를 돌보며, 힘을 다해 나라를 다스려 사회 갈등을 적시에 해소하고 환난을 미연에 방지하였다. 이는 장기적이며 적극적인 위기의식이다. 이 술어는 역대의 유능한 통치계급이 항상 경계하며 스스로 깨달아 온 정치이념이며, 현대에는 기업 경영의 중요한 지도 원칙이자 일반 민중의 적극적이고 진취적인 정신적 가치 중 하나가 되었다.

예)

만약 어째서 위험이 생길지를 생각한다면 나라가 안전해질 것이요, 어째서 전란이 발생할지를 생각한다면 나라가 태평해질 것이며, 어째서 멸망할지를 생각한다면 나라가 보존될 것이다.

若能思其所以危則安矣, 思其所以亂則治矣, 思其所以亡則存矣. (오긍吳兢 『정관정요貞觀政要 · 형법刑法』)

거현용중擧賢容衆

재능과 덕이 있는 사람은 추천하고 평범한 사람도 포용한다. 나라를 잘 다스리려면 반드시 품덕과 재능이 있는 사람을 선발하고 임용해야 하지만 덕행과 자질이 평범한 사람도 마음을 열고 포용해야 한다. 이는 중국 전통 정치사상 중의 '상현尚賢'과 '인애仁愛' 정신의 유기적인 결합이다.

예)

광범위하게 배우고 멈추지 않으며 전심으로 도를 행하며 게으르지 않다. 은거하여 혼자 있을 때도 행위가 방탕하지 않고 벼슬길이 통달하여도 바른길을 가려 힘쓴다. 예절에 따라 행동하며 조화로움을 귀하게 여기고 충신으로 미덕을 삼으며 너그러움을 법칙으로 한다. 재능과 덕이 있는 사람을 추천하고 덕행과 자질이 평범한 사람도 포용할 수 있으며 필요할 때는 원칙을 버리고 대중을 따를 수 있다.

博學而不窮, 篤行而不倦; 幽居而不淫, 上通而不困; 禮之以和爲貴, 忠信之美, 優遊之法, 擧賢而容衆, 毁方而瓦合. (『예기 · 유행』)

건乾

'팔괘'의 하나로 세 개의 '양효'로 구성되어 '☰'와 같이 그린다. 또한 '육십사괘'의 하나로 여섯 개의 '양효'로 구성되어 '䷀'와 같이 그린다. 역학의 해석에 의하면 '건'괘는 전부 '양효'로 구성되어 있기 때문에 순수한 '양'의 성질을 가지고 있어 '양'의 성질을 가진 각종 사물 혹은 원칙을 상징하는 데 쓰인다. '건'괘의 기본적인 상징 의미는 하늘로 사회적 영역에서는 주로 남성, 아버지, 군주 등의 사회적 역할 및 강건하고 유위한 행동 원칙을 상징한다. '건'괘가 결합된 각종 상징 의미에서 '건'은 만물을 탄생시키고 통솔한다는 뜻을 가지고 있기도 하다.

예)
건은 강건하고 유위하다는 뜻이다.
乾, 健也. (『주역 · 설괘』)

건원은 위대하여 만물이 이에 기대어 탄생을 시작하니 건원은 하늘의 운행과 효용을 통솔한다.

大哉乾元, 萬物資始, 乃統天. (『주역 · 단상』)

건안풍골建安風骨

'한위풍골漢魏風骨'이라고도 부른다. 한나라 헌제 건안년간(서기 196~220년)부터 위魏나라 초기까지의 문학작품 중에 비분강개한 사상과 감정, 맑고 강건한 언어가 결합하여 이룬 시대정신과 종합적인 풍격을 가리킨다. 한나라 말기에는 정치가 어지러워 전란이 빈번했고, 사람들은 집을 잃고 떠돌았다. 이 시기의 대표작가는 '삼조三曹'(조조曹操, 조비曹丕, 조식曹植),' 칠자七子(공융孔融, 진림陳琳, 왕찬王粲, 서간徐幹, 완우阮瑀, 응양應瑒, 유정劉楨)와 여자시인 채염蔡琰 등이다. 이들은 한 악부 민가의 현실주의 전통을 계승하고 사회 동란을 직면한 작품을 많이 써서 민생의 질고와 개인의 감회를 반영했고, 공훈을 세우고 업적을 쌓으려는 이상과 적극적이고 진취적인 정신을 표출하고 강인하며 발전하려는 포부 및 호탕함과 비분강개한 정서를 표현했다. '건안문학'의 전체적인 풍격은 슬프고 처량하며 풍골이 힘있고 화려하면서 웅장하여 선명한 시대적 특징과 개인적인 특징을 갖고 있어 문학사상 독특한 '건안풍골'을 형성했으며, 이로써 후세 사람들에게 고전으로 추대되었고 그 중에서도 시가의 성과가 가장 뛰어나다.

예)

건안 초기에 이르러 오언시의 창작이 전에 없이 활발했는데 위나라 문제 조비와 진사왕 조식이 문단에서 활약했다. 왕찬王粲, 서간徐幹, 응양應瑒, 유정劉楨이 그 뒤에서 분발하며 앞을 다투었다. 그들은 모두 풍류와 아름다운 경치를 사랑했고 연못이나 정원을 유람하며 은총과 영예를 기술하고 거나하게 마시는 술자리를 묘사하며 한탄하며 격앙되게 영웅적 기세를 토로하며 시원하고 거리낌없이 재능을 펼쳤다.

暨建安之初, 五言騰踊, 文帝, 陳思, 縱轡以騁節; 王, 徐, 應, 劉, 望路而爭驅; 並憐風月, 狎池苑, 述恩榮, 敘酣宴, 慷慨以任氣, 磊落以使才. (유협劉勰, 『문심조룡文心雕龍 · 명시明詩』)

검儉

검소하고 소박함은 고대인이 제창한 미덕이다. 서로 다른 학파의 사상에서 '검'의 함의에는 차이가 있다. 유가에서 보는 '검'은 사치와 낭비를 극복하는 것이다. 유가에서는 예식이나 행위를 할 때 사치를 피해야 한다고 여겼다. 사치는 물질적 재산의 낭비를 초래하는 동시에 사람들이 경쟁적으로 물질적 부요를 추구하게 만들고, 예식 및 행위를 하는 초심과 본질은 그로 인해 사라지고 만다. 도가에서 보기에 '검'은 특히 통치자의 검소함을 가리킨다. 통치자는 자신의 욕구를 만족시키기 위해 백성의 재산을 낭비해서는 안 되며, 검박하게 행하여 백성의 생활에 부담을 주지 않도록 해야 한다.

예)

임방이 예의 근본에 대해 물었다. 공자가 말했다. "중대한 문제를 물었구나! 예는 사치하게 치르기보다 차라리 절약하고 검소하게 행하고, 상례는 예절을 두루 지키기보다 차라리 애통하고 슬퍼함이 낫다."

林放問禮之本. 子曰 "大哉問! 禮, 與其奢也, 寧儉. 喪, 與其易也, 寧戚." (『논어 · 팔일』)

내게는 세 보물이 있어, 지니고 지킨다. 첫째는 자애요, 둘째는 검소함이며, 셋째는 세상 사람들이 다 하지 않은 일에 감히 나서지 않는 것이다.

我有三寶, 持而保之. 一曰慈, 二曰儉, 三曰不敢爲天下先. (『노자 67장』)

격格

사람, 일, 사물에 대한 평가와 규명이다. 유가에서 제시한 정확한 인식을 얻고, 도덕과 양지良知를 기르는 수단으로 방법론적인 의미가 있다. '격'은 규범, 준칙을 의미한다. 인물 품평에 쓰이면 사람의 도덕수준과 사상 경지, 즉 인격을 가리킨다. 문예 비평에 쓰이면 세 가지 함의가 있다. 첫째, 시문 작문의 기본적인 요구사항과 방법을 가리킨다. 둘째, 작품의 지위와 품격과 경지를 가리킨다. 셋째, 작품의 형식, 구성 및 구조를 가리키며, 내용의 특색과 형식의 특징이 서로 통일되어 나타내는 전체적인 짜임새로 작품의 수준을 평가한다는 핵심적인 의미를 벗어나지는 않는다.

예)

참된 지식을 얻는 방법은 사실과 현상을 규명하는데 있다. 사물이 가진 여러 측면의 이치를 다 분석한 후에야 참된 지식을 얻을 수 있다.

致知在格物, 物格而後知至. (『예기禮記 · 대학大學』)

만당에 이르러 시인들은 이백과 두보의 시 같은 힘차고 웅대한 경지를 재현해내지 못했다. 그러나 구상의 정교함으로 우열을 가려야 했다.

唐之晩年, 詩人無復李杜豪放之格, 然亦務以精意相高. (구양수歐陽修, 『육일시화六一詩話』)

시를 짓는 관건은 '격格(구성)', '의意(함의)'와 '취趣(흥미)'에 있다. '격'은 그 풍격 스타일이 규범적인지 판단하고, '의'는 진심과 실제 감정을 표현했는지 살피고, '취'는 정묘한 경지에 이르렀는지를 가늠한다.

詩之要, 有曰格, 曰意, 曰趣而已. 格以辨其體, 意以達其情, 趣以臻其妙也. (고개高啓, 『독암집서獨庵集序』)

격隔 / 불격 不隔

격隔은 시문의 서정이 풍경을 묘사하는 것이 충분히 성실하거나 자연스럽지 않고 정경이 모호하며 독자들이 읽었을 때 위화감이 들어 작품에 몰입하기가 어렵게 한다는 것을 가리킨다. 불격不隔은 시문의 풍경을 묘사하는 것이 성실하고 자연스러우며 독자들에게 시문에서 묘사하는 그 곳에 직접 가 있는 것만 같은 심미적 감수성을 안겨다 준다는 것을 가리킨다. 왕국유王國維(1877~1927)가 『인간사화人間詞話』에서 이 표현을 처음 사용하였다. 그는 고대 문예가들이 자연을 아름다움으로 인식하고 글을 읽는 중의 느낌을 중요시하는 이념을 전승했으며 서양 예술의 직관주의로부터 영향을 받기도 하였다. 직관은 예술적 경향 및 마음의 습관과 관련되어 있으며 범주에 대한 토론과 연관이 있다. 또한 중국과 서양 문예 미학사상이 연결되기 시작했음을 보여준다.

예)

국화를 따려고 남산을 바라보니 여기저기 보이는 풍경과 유유자적한 마음이 서로 통하며 "남산을 바라봄"이라는 한 구절의 묘미가 깊다. 근 몇 년 간 통용되는 판각본에 모두 "남산을 바라보다"라는 글귀가 쓰여 있는데 그 시 전체의 신운이 다 사라져 버렸다.

因採菊而見山, 境與意會, 此句最有妙處.近歲俗本皆作"望南山", 則此一篇神氣都索然矣. (소식蘇軾『동파제발東坡題跋 · 제연명題淵明「음주飮酒」시후詩後』)

글은 함의 위주이며 언사言辭는 뜻을 표현할 수 있다면 그것으로 충분하다. 옛사람들의 글은 의미가 없는 수식修飾을 숭상하지 않았고 모두 내용에 근거해 단어를 고르고 문장을 지은 것으로 자신의 심중에서 드러내고 싶은 것을 표현했으며 가끔은 말로 다 표현하기 어려운 것도 있었으나 글로 표현해 낼 수 있었는데 이 또한 글짓기에서 최고의 경지에 다다른 것이 아니겠는가?

文以意為主, 辭以達意而已.古之文不尚虛飾, 因事遣辭, 形吾心之所欲言者耳, 間(jiàn)有心之所不能言者, 而能形之於文, 斯亦文之至乎?(조병문趙秉文『죽계선생문집竹溪先生文集』인引)

격물치지格物致知

사물과의 접촉을 통해 일상적인 인륜지도를 깊이 이해한다는 뜻. '격물'과 '치지'는 『예기禮記 · 대학大學』에 나오는데 성의誠意, 정심正心, 수신修身, 제가齊家, 치국治國, 평천하平天下와 함께 '팔조목八條目'으로 불린다. '격물'과 '치지'는 서로 밀접한 관련이 있어 간혹 '격치格致'로 병칭된다. 역대 학자들은 '격물치지'의 함의에 대해 몇 가지 다른 견해를 가지고 있었다. 혹자는 사물과 접촉하여 그 '이理'를 궁구할 것을 강조하였으며 혹자는 실천을 통해 각종 덕행과 기예를 숙달할 것을 강조하였고, 혹자는 마음이 존재하는 곳을 '물'이라 보고 나아가 마음을 바로잡는 것을 '격물'이라 하였다.

예)

사물에는 모두 이치가 있으니 그 이치를 궁구하는 것이 바로 '격물'이다.

事皆有理, 至其理, 乃格物也. (『이정외서二程外書』 권이)

‘격물’은 바로 『맹자』에서 말하는 ‘대인이 군주의 마음을 바로잡는다’의 바로잡는다는 뜻이다.

格物如『孟子』‘大人格君心’之‘格’. (『전습록傳習錄』 권상)

격의格義

중국 본토의 사상을 사용해 불교 교리를 중역하고 해석하는 방법. 불교 경전이 많이 번역되어 소개된 위진남북조魏晉南北朝 시대에 불교 사상은 중국어의 세계에서 너무 낯설어, 불법에 열중하던 당시 사람들은 불전의 뜻을 헤아리면서 도교의 노자와 장자 등 경전의 어휘와 개념을 빌려와 그 뜻을 비유하고 해석하였다. 이러한 방법을 ‘격의’라고 일렀다. ‘격’은 ‘측정하다, 헤아리다’라는 뜻이다. 그래서 이 시기는 불교 격의 시대라고도 불린다. 격의는 해석하는 방법의 일종으로 중국 본토 사상의 입장에서 불교를 해석하고 중국어의 세계 안에서 불교의 사상 체계를 정립하는 방법이며, 불교의 중국 현지화에 기초적인 역할을 했다.

예)

축법아竺法雅는 강법랑康法朗 등 사람과 함께 외래 서적에서 나오는 교리에 중국 전통 경전의 개념을 대응시키고 예시를 들어 사람들에게 교리를 이해시켰다. 이를 ‘격의’라고 한다. 비부毘浮, 상담相曇 등 또한 격의라는 방법으로 그들의 제자들을 가르쳤다.

雅乃與康法朗等, 以經中事數擬配外書, 爲生解之例, 謂之“格義”. 及毘浮, 相曇等, 亦辯格義以訓門徒. (『高僧傳 · 竺法雅』)

격이檄移

고대 문체의 명칭이다. ‘격’은 곧 격문으로, 전쟁 전에 출정을 선포하며 적을 토벌하겠다는 선언이다. ‘이’는 이문으로, 백성에게 불량한 풍속이나 부적절한 언행을 버리도록 권고하는 공고문으로 많이 쓰였다. 남조의 유협(465?~520)은 『문심조룡 · 격이』에서 격문의 기능에 대해 썼다. 격문은 적의 죄과를 성토하여 사기를 고무시키고 백성의 지지를 얻어 적의 투지를 꺾기 위한 글로써, 반드시 강한 기세로 논리적이고 명확하게 표현해야 하며 과장과 선동, 심지어 허위의 수법을 사용하기도 한다. 반면 이문은 내부에 존재하는 문제와 위험을 밝히고, 개선하기 위해 공개적으로 명령하는 글이다. 같은 편의 사람들을 대상으로 하기에 관용과 이해의 태도가 있어야 한다. 과장하지 말고 사실만을 다루어야 하며, 있는 그대로 서술하되 돌려서 말하거나 더욱이 속이고 숨겨서는 안 된다. 격문과 이문의 공통점은 악한 행동과 불량한 풍속을 비판할 때 모두 이치가 정당하고 엄정한 어조를 사용하며, 입장과 태도가 동일하다는 점이다.

예)

'격檄'은 밝고 희다는 뜻이다. 사건이나 문제 등을 밖으로 드러내 밝히 알게 한다.

檄者, 皦也, 宣露於外, 皦然明白也.(유협 『문심조룡 · 격이』)

무릇 격문의 주요한 특징은, 혹은 내 편의 훌륭함을 말하고 혹은 적의 가혹함을 열거한다. 하늘의 뜻을 지명하고 사람의 행위를 살피며, 양측의 힘의 강약을 비교하고 세력의 대소를 가늠한다. 이전의 경험으로 적의 패배를 점치고, 이미 이뤄진 사례를 들어 교훈으로 삼게 한다.

凡檄之大體, 或述此休明, 或叙彼苛虐. 指天時, 審人事, 算强弱, 角權勢. 標蓍龜於前驗, 懸盤監於已然. (유협 『문심조룡 · 격이』)

이移는 바꾼다는 뜻이다. 풍속을 바꾸는 것으로, 명령이 가면 백성들이 이를 따라 변화한다.

移者, 易也, 移風易俗, 令往而民隨者也. (유협 『문심조룡 · 격이』)

격조格調

시의 체제와 어조를 뜻하며 시적 사유와 음률의 형식을 다 포함한다. '격'은 시의 체제가 규범에 부합함을 가리키고 '조'는 시의 어조와 운율을 가리킨다. 당송 시기의 몇몇 시론가가 격조를 제창한 것은 바르고 우아한 시의 표준을 확립하기 위해서였으며 명청 이후의 격조설은 대체로 작품이 유가의 정통 사상에 부합해야 한다고 강조했다. 이는 시인의 감정 표현과 예술 창작에 영향을 주었다. '격조'는 나중에 다른 문예 영역에서도 사용되었다.

예)

고상하고 예스러운 것이 '격'이고 완곡하고 분명한 것이 '조'이다.

高古者格, 宛亮者調. (이몽양李夢陽, 「박하씨논문서駁何氏論文書」)

강기姜夔의 사는 청허함이 주된 특색인데 간혹 처량하고 적막한 데가 있기는 하지만 격조는 가장 높다.

白石詞以淸虛爲體, 而時有陰冷處, 格調最高. (진정작陳廷焯, 『백우재사화白雨齋詞話』 2권)

견리사의見利思義

이익을 대할 때 먼저 이익의 취득이 도의에 부합하는지 생각하고 판단하는 것이다. 유가에서 도의와 이익의 관계를 다루는 준칙이다. 이익의 추구와 도의를 지키는 일은 항상 충돌하게 된다. 사람들은 종종 개인의 이익을 좇다가 도의에 소홀하게 되어 도덕에 반하고 법을 위반하는 일을 저지른다. 이러한 상황을 두고 공자는 '견리사의'라는 주장을 제시하고 도의라는 원칙 안에서 이익을 추구해야 한다고 제창하였다. 도의를 이해하는 자는 군자이고 그저 이익을 추구하는 자는 소인이다.

예)

이익 앞에서 도의를 생각하고 위험을 마주쳤을 때 목숨을 내놓고자 하고 오래된 약속이라도 평소의 말을 잊지 않는다면 또한 완성된 사람이라 할 수 있다.

見利思義, 見危授命, 久要不忘平生之言, 亦可以爲成人矣. (『논어論語 · 헌문憲問』)

견문지지見聞之知

눈과 귀 등 감각기관과 외부 사물이 접촉하여 얻는 인식으로 '덕성지지德性之知'와 상대되는 말이다. 장재張載(1020~1077)가 처음으로 '견문지지'와 '덕성지지'를 구별하였다. 송대 유가에서는 생활 세계에 대한 인식이 두 가지 서로 다른 방식을 통해 실현된다고 여겼다. 눈과 귀가 보고 듣는 것을 통해 얻는 인식을 '견문지지'라고 했다. '견문지지'는 사람의 인식에 있어서 필수불가결한 요소이지만 사물을 완전히 인식하기에는 충분하지 않으며 사물의 실체나 본질에 대한 인식을 얻을 수가 없다.

예)

견문지지는 덕성지지가 아니다. 감각기관과 외부 사물이 접촉하여 얻게 되는 외부 세계에 대한 인식으로 마음에서 생겨나는 것이 아니다.

聞見之知, 非德性之知, 物交物則知之, 非內也. (『이정유서二程遺書』 권25)

견미지저見微知著

작은 기미를 발견함으로써 사물이 변화하는 추세 혹은 전체적인 상태를 가늠할 수 있음. 미微는 은밀하고 불명확한 것으로 사물이 아직 쉽게 발견되기 어려운 잠재적 상태에 있음을 가리킨다. 저著는 현저함, 분명함으로 사물의 본질이 이미 충분히 드러났거나 사물이 발전이 이미 충분히 전개된 상태를 가리킨다. 모든 사물은 은밀하다가 분명해지고 작다가 커지는 과정을 거치는데 그 사이에 여타 연쇄 반응을 일으킬 수 있다. 어떤 일을 행하든지 깊이 인식하고 정통하여 사물의 변화에 있어서의 내재적 규칙을 파악해야 하고 전체적인 상황을 고려하며 세밀한 부분도 관심을 기울여 향후 발생할 수 있는 오류, 문제를 미연에 방지하고 행동이 순리적으로 진행되도록 해야 한다. 여기에는 과학적 인식에 대한 필요를 은연중에 내포한다.

예)

상商나라 주왕紂王이 상아로 된 젓가락을 만들었는데 기자箕子는 이를 두려워했다. 성인聖人은 작은 일을 보고서 사물의 징조를 알며 일의 시작을 보고 결국을 미리 알 수 있어서 상아로 만든 젓가락을 보고 두려워했고 온 천하의 동쪽과 서쪽이 상나라 주왕의 탐욕을 만족시킬 수 없을 것을 알았다.

紂為像箸, 箕子怖……聖人見微以知萌, 見端以知末, 故見象箸而怖, 知天下不足也. (『한비자韓非子 · 설림상說林上』)

따라서 성인聖人은 작은 징조를 보고서도 사물이 변하는 추세 혹은 전체적인 상황을 알 수 있다. 사물의 초기 상황을 보고 마지막에 어떤 결말이 있을지 알 수 있다.

故聖人見微知著, 睹始知終. (원강袁康『월절서越絕書』권십사卷十四)

견소포박見素抱樸

소박한 상태를 보고 지키다. 『노자』에서 나온 말이다. '소'는 원래 염색을 거치지 않은 실을, '박'은 가공하지 않은 목재를 뜻한다. 노자는 사람이나 사물이 외부 세계의 간섭을 받지 않았을 때의 자연적인 상태를 '소, 박'으로 지칭했다. 그는 집정자가 사람이나 사물의 자연적 본성을 거스르는 각종 주장과 요구를 배제하고, 백성을 소박한 자연의 상태로 이끌어야 한다고 생각했다. 후에 '견소포박'은 외부 사물의 영향을 받지 않은 채 본연의 순박한 천성을 유지함을 형용하는 말로 쓰이게 되었다.

예)

일체의 총명과 지혜를 버리면 백성은 백 배의 이익을 얻는다. 인의를 버리면 백성은 효와 자애하는 천성을 회복한다. 속임수와 이익을 버리면 도적이 사라진다. 이 세 가지는 모두 인위적인 겉치레이며 부족한 부분이 있다. 그러므로 사람들에게 속하는 바가 있게 하여야 한다. 소박한 상태를 보고 지키며, 사욕을 줄이도록 해야 한다.

絕聖棄智, 民利百倍; 絕仁棄義, 民復孝慈; 絕巧棄利, 盜賊無有. 此三者, 以爲文不足, 故令有所屬, 見素抱朴, 少私寡慾.(『노자 · 19장』)

견의용위見義勇爲

도의에 맞는 일을 보면 용감하게 나가 행한다. 도의를 지키려는 의지와 용기 있게 희생을 감수하는 정신이 유기적으로 통일된, 자고이래 중국 민족이 숭상해 온 우수한 성품이자 행위이다. 오늘날 견의용위는 법률의 보호를 받는다. 관련 조항의 규정에 따르면, 공민이 국가이익과 사회공공이익 또는 타인의 인신과 재산의 안전을 보호하기 위해 개인의 안위를 제쳐두고 용감하게 나서 현재 진행되고 있는 위법한 범죄행위에 맞서 싸우거나, 응급조치를 취하고 재난을 막거나 생명을 살리는 등의 행위를 가리킨다. 고금을 막론하고 견의용위는 매우 훌륭한 사회도덕의 풍조이며, 사회문명의 진보를 가늠하는 중요한 표지이다.

예)

도의에 맞는 일을 보고도 행하지 않으면 용기가 없는 것이다.

見義不爲, 無勇也. (『논어 · 위정』)

죽음을 두려워하지 않으나 도의에 합하지 않으면 용감한 것이 아니다.

死而不義, 非勇也. (『좌전 · 문공文公 2년』)

대장부는 의를 보면 용감하게 행하고 자신의 화복을 생각하지 않아야 한다.

丈夫見義勇爲, 禍福無預於己. (『원사元史 · 염희헌전廉希憲傳』)

견현사제見賢思齊

재덕이 있는 사람을 만나면 그를 본받겠다는 생각을 해야 한다. '현'은 재덕을 겸비한 사람을 가리킨다. '제'는 본받는다, 똑같은 수준에 도달한다는 뜻이다. '견현사제'는 공자가 자기 제자들에게 내린 가르침으로 나중에는 도덕을 수양하고 재능을 키울 때 흔히 좌우명으로 삼는 말이 되었다. 남의 장점을 찾아내고 분발하여 도덕, 학문, 기술이 자기보다 뛰어난 사람을 본받아 공부하며 끊임없이 실력을 키우라고 격려하는 말이다.

예)

공자가 말했다. "어진 사람을 보면 그를 본받겠다는 생각을 하고 어질지 못한 사람을 보면 안으로 자신을 반성해 보아야 한다."

子曰, "見賢思齊焉, 見不賢而內自省也." (『논어論語 · 이인里仁』)

군자가 폭넓게 배우고 매일 자신을 반성한다면 지혜로워지며 잘못된 행실을 하지 않게 될 것이다.

君子博學而日參省乎己, 則知明而行無過矣. (『순자荀子 · 권학勸學』)

결구結構

처음에는 가옥의 구조를 가리키는 용어였다가 나중에 문예 작품의 배치와 각 부분의 구성과 배열을 의미하게 되었다. 서예 이론에서 '결구'는 한 글자 내의 결체結體(역주: 한자의 필획 구조)를 가리키며 작품 전체의 구성과 배치를 가리키기도 한다. 그중에서 필획의 길이, 굵기, 부앙俯仰 등은 각 글자의 형태를 결정하므로 결체는 서법 예술의 기본적인 기준이다. 시문 이론에서 '결구'는 시구의 기승전결 등 측면의 배치를 가리키거나 문장을 평가할 때 사용된다. 희곡, 소설 이론에서 '결구'라는 용어의 사용은 더욱 광범위하다. 명말 청초의 희곡 작가이자 곡론가曲論家가인 이어李漁(1611~1680)는 『한정우기寒情偶寄』에서 '결구'는 인물 형상을 만드는 것과 같아서 먼저 윤곽이 있고 그다음에 피와 살이 붙고 마지막으로 오관과 신체가 갖추어진다고 말했다. 이어의 결구론은 '입주뇌立主腦', '탈과구脫窠臼', '밀침선密針線', '감두서減頭緒' 등 내용을 포함하며 희곡이 종합적인 구성이 필요한 예술임을 강조했다. 문예 작품에서 부분이 전체를 구성하는 조직과 배치를 설명할 때 '결구'는 가장 적합한 용어이다.

예)

각 글자의 형태 결구를 써내고자 한다면 근거 없이 마음대로 써서는 안 된다. 반드시 어떤 사물을 닮아야 한다. 예를 들어 새의 형상을 닮거나 벌레가 나무를 먹는 모습을 닮거나 산이나 나무, 구름이나 안개를 닮아야 한다. 필획이 가로획이 되거나 세로획이 되는 근거가 있어야 하고 필획의 운용은 법도에 맞아야 한다. 그래야 서법이라 불릴 수 있다.

凡欲結構字體, 未可虛發, 皆須象其一物, 若鳥之形, 若蟲食木, 若山若樹, 若雲若霧, 縱橫有托, 運用合度, 可謂之書. (채희종蔡希綜, 『법서론法書論』)

'결구' 두 글자는 성률에 앞서 고려되어야 하며 운율을 맞추고 붓을 대고 글을 쓰는 일의 시작이다.

至於結構二字, 則在引商刻羽之先, 拈韻抽毫之始. (이어李漁『한정우기閑情偶寄 · 사곡부詞曲部』)

「귀뚜라미(실솔蟋蟀)」이라는 시의 8구는 도입, 발전, 전개, 결말 각 요소가 모두 갖추어져 있어 이 작품을 통해 시 창작의 결구 방법을 터득할 수 있다.

八句中起承轉合悉具, 可悟詩家結構之法. (우운진牛運震, 『시지詩志』)

겸애兼愛

차등을 두지 않고 서로 관심을 가지고 사랑한다는 뜻. '겸애'라는 설은 묵가의 기본 주장으로, 유가에서 제창하는 사랑이 차등을 두는 것에

견주어 제시된 것이다. '겸애'는 모든 이가 자기 자신을 사랑하는 것과 같이 타인을 사랑하고 자기 가족과 자기 나라 사람을 사랑하는 것과 같이 남의 가족과 남의 나라 사람을 사랑해야 한다고 강조하며 이를 실천한다면 사람들이 서로를 사랑하게 될 것이라고 주장한다. 서로간의 이러한 사랑은 친하고 소원함과 멀고 가까움, 귀하고 천함과 지위의 높고 낮음을 구분하지 않는 평등하고 차별 없는 사랑이다. 겸애를 실천할 수 있다면 사람과 사람 사이, 가정과 가정 사이, 나라와 나라 사이의 공벌攻伐과 침해를 피하고 나아가 상호 이익을 실현할 수 있다.

예)
천하의 사람들이 서로 사랑하면 사회가 안정되고 질서가 갖추어지며, 서로 미워하면 사회가 혼잡해지고 불안해진다.
天下兼相愛則治, 交相惡則亂. (『묵자 · 겸애 상』)

겸청兼听

널리 각종 의견을 듣고 취하는 것. 겸兼은 모두, '동시에'라는 뜻을 지닌다. 지도자는 정책을 결정하기 전에 반드시 널리 각종 의견을 듣고 그중에서 합리적인 부분을 종합하고 채택해야 한다. 겸청은 현명한 지도자의 기본 특징 중 하나였다. 이 자질은 지도자가 공정한 입장에 서서 편견도 사욕도 없이 대단히 겸허할 것을 요구한다. 사람들이 하고 싶은 말을 시원하게 다 하고 합리적으로 건의하면 지도자는 생각들을 모아 이익과 손해 사이에서 저울질을 함으로써 정책 결정의 정확함과 정책 시행의 막힘없음을 보장한다.

예)
널리 의견을 듣고 취하며 민첩하고 현명하므로 천하의 사람들이 그를 추대한다.

兼聽齊明, 則天下歸之. (『순자荀子 · 군도君道』)

당태종이 위정魏征에게 물었다. “어떤 것이 군주를 현명하게 하며 어떤 것이 군주를 아둔하게 하는가?” 위정이 대답했다. “널리 각종 의견을 듣고 취하는 자는 현명하게 되고 치우쳐 듣고 치우쳐 믿는 자는 아둔하게 됩니다.”

上問魏徵曰: “人主何為而明, 何為而暗?”對曰: “兼聽則明, 偏信則暗.”(『자치통감資治通鑑 · 당기팔唐紀八 · 태종정관이년太宗貞觀二年』)

군주는 널리 각종 의견을 듣고 취하는 것을 미덕으로 여기며 반드시 가장 공정한 입장에 근거해야 한다.

人主以兼聽為美, 必本至公. (『송사宋史 · 진준경전陳俊卿傳』)

경經, 권權

중국 철학사에서 ‘도’를 말할 때 사용하는 ‘통상적으로 변하지 않는 것’과 ‘임시로 변형하는 것’의 철학적 범주이다. ‘경’은 인륜과 일상에서 통상적으로 드러나는 ‘도’로, 마땅히 따라 지켜야 하는 보편적인 도리로써 규범적인 기능 및 의미를 지닌다. ‘권’은 임기응변이라는 뜻이다. 어떤 특수한 상황에서 ‘경’의 규범에 따라 행동하면 ‘도’를 저버리는 결과가 나올 때는 융통성 있는 방법을 취해야 하며, 이것이 곧 ‘권’이다. 권은 종종 ‘도’에 어긋난 것처럼 보이지만 실제로는 임시변통의 방식으로 ‘도’를 따르는 것이다. 서로 다른 상황에서 ‘경’과 ‘권’의 적절한 선택 및 운용은 ‘도’에 대해 깊이 이해하고 파악하는 정도에 따라 결정된다.

예)

공자께서 말씀하셨다. “함께 학습할 수 있는 사람이 꼭 함께 도로 나아갈 수 있는 사람은 아니다. 함께 도로 나아갈 수 있는 사람이 꼭 함께 뜻을 세울 수 있는 사람은 아니다. 함께 뜻을 세울 수 있는 사람이 꼭 함께 융통을 발휘할 수 있는 사람은 아니다.”

子:, “可與共學, 未可與適道; 可與適道, 未可與立; 可與立, 未可與權.”(『논어 · 자한子罕』)

경은 도의 일반적인 표현이요, 권은 도에 대한 변통과 응용이다. 도는 하나의 통일체이니 경과 권을 꿰뚫는다.

經者, 道之常; 權者, 道之變也. 道是個統體, 貫乎經與權.(『주자어류朱子語類』 37권)

경건勁健

강하고도 굳세고 힘이 있음. 문예 비평에 쓰이는 표현으로 주로 작품이 드러내는 강한 생명의 긴장감, 굳세고 강한 언어와 씩씩하고 힘찬 문장 속 사상 그리고 자유분방한 기세와 독자의 마음을 흔드는 감화력을 가리킨다. 경건勁健은 저자의 마음이 맑고 투명하며 호연지기浩然之氣가 충만하고 고상한 이상을 품을 것을 요구하며 문장 속 사상을 종횡하여 막힘이 없고 언어가 풍부하고 다채로우며 강대한 정신적 힘이 작품 전체를 꿰뚫는다.

예)

시인의 정신은 하늘 위로 비상하는 것과도 같고 작품의 기세는 긴 무지개가 가로로 드리우는 것과도 같다. 매우 높은 무협巫峽 양안兩岸에 몸을 두는 것을 방불케 하며 질풍을 따라 구름이 날아간다. 진기眞氣를 함양하고 강인함을 길러내며 질박함을 쌓아올리고 정직함을 사수한다. 하늘의 도가 영원히 쉬지 않는 강건함의 법칙을 깨닫는 것이야말로 시가가 힘을 축적해야 하는 이치이다.

行神如空, 行氣如虹.巫峽千尋, 走雲連風.飮眞茹強, 蓄素守中.喩彼行健, 是謂存雄. (사공도司空圖『이십사시품二十四詩品 · 경건勁健』)

석연년石延年은 호방불기豪放不羈하며 절기를 숭상하였고 책을 읽을 때에는 그 뜻을 대강 파악할 뿐이었다. 그럼에도 그의 문장의 기세는 강건하였고 시가에 가장 능했으며 서예에도 능했다.

延年爲人跌宕, 任氣節 , 讀書通大略 , 爲文勁健 , 於詩最工而善書. (『송사宋史 · 석연년전石延年傳』)

경京(경사京師)

나라의 수도. 천자가 거주하며 정사를 처리하는 도시. '경'은 본래 높고 큰 산이나 언덕을 가리키며 파생되어 크다는 뜻을 가진다. '사'는 '중衆', 즉 인구가 많다는 뜻이다. 천자가 거주하며 정사를 처리하는 곳을 '경' 혹은 '경사'라 부르는 것은 천자의 도시가 규모가 큼을 가리키며 천자에 대한 존경을 나타내기도 한다.

예)

'경사'란 무엇인가? 천자가 거주하는 곳이다. '경'은 무엇인가? [규모가] 크다는 것이다. '사'는 무엇인가? [인구가] 많다는 것이다. 천자가 거주하는 도시는 반드시 '많다' '크다'와 같은 말로 형용해야 한다.

京師者何? 天子之居也. 京者何? 大也. 師者何? 衆也. 天子之居, 必以衆大之辭言之. (『공양전公羊傳 · 환공桓公 구년』)

경계境界

'경계'는 본래 국가의 경계나 토지의 경계를 가리켰으나 나중에 불경을 번역하는 과정에서 정신적인 영역에 사용되어 사람이 물질세계의 미혹을 타파하고 도달하는 정신적인 수준 혹은 수양의 경지를 가리키게 되었다. 문학예술 술어로서는 주로 문예작품에 표현된 심미적 수준과 경지를 뜻하는데 작가의 창조력과 이해력, 심미능력이 정신적인 방면에서 종합적으로 표현된 것을 말한다. 경지를 지닌 작품은 작가의 진실한 인격을 드러내고 있으며 범속을 초월한 의미를 가지고 있어 독자로 하여금 더욱 잘 공감하게 하고 독자의 상상력을 촉발시키며 심지어 독자의 감상을 제고하기도 한다. '의경意境'이라는 술어는 비교적 일찍 형성되었으나 '경계'는 주로 중당中唐 이후에 불교사상의 영향을 받아 형성되었다. 근대의 학자 왕궈웨이는 『인간사화人間詞話』에서 경계에 대해 매우 상세히 설명하였다. 왕궈웨이는 '의경'과 '경계'의 개념을 자주 통용하였으며 서양 미학과 중국 고전 미학을 융합시키는 '경계론'을 수립하였다. 그러나 일반적으로 의경은 주로 작가의 주관적 우의와 작품 형상을 원만하게 융합시키는 것에 중점을 두어 감상을 통해 상상이 발휘되게 하는 것이고, 반면 경계는 정신적인 깨달음이 예술적 형상을 승화시키는 것에 주목해 정신세계와 작품 수준을 제고시킬 것을 강조한다.

예)

기질과 기품을 평가기준으로 삼기보다는 경계로써 평가하는 것이 낫다. 경계는 근본이요 기질과 기품은 지엽적인 것이다. 경계를 갖추었다면 기질과 기품은 반드시 저절로 따라온다.

言氣質, 言神韻, 不如言境界. 有境界, 本也; 氣質, 神韻, 末也. 有境界而二者隨之矣. (왕궈웨이 『「인간사화」 산고刪稿』)

산수화를 그릴 때의 요소는 곧 붓과 먹으로 정경을 묘사하는 것이다. 정과 경이 혼연일체가 된 것이 바로 경계다.

山水不出筆墨情景, 情景者境界也. (포안도布顏圖 『화학심법문답畵學心法問答』)

경릉파竟陵派

명나라 후기의 문학 유파流派이다. 대표적 인물인 종성鐘惺(1574~1624), 담원춘譚元春(1586~1637) 모두가 경릉(오늘날 호북 천문) 사람이어서 경릉파라고 불리기도 하며 종담파鐘譚派라고 불리기도 한다. 경릉파는 작가 개인의 성정이 드러나는 것을 중시하였으며 옛것을 모방하는 것에 반대하였다는 점에서는 공안파公安派와 일치하였다. 하지만 그들은 원굉도袁宏道(1568~1610) 등이 대표되는 공안파의 작품이 속되고 천박하다고 여겼고 깊고도 고독한 품격을 제창했으며 문학 창작은

"내재된 자신"을 표현해야 한다고 주장했다. 경릉파가 추구한 "내적 자아"는 사실 신기함과 심오함 그리고 평범하지 않은 것을 추구하는 것이어서 자구를 윤색할 때 진력하고 고심했으며 심원하고도 사람과 잘 어울리지 않고 이해하기 어려우며 명확하지 않은 시가 풍격을 만들어 내는데 힘썼다. 경릉파는 명나라 말 고문古文 모방에 대한 반대의 움직임과 소품문의 다작이 이뤄지도록 추진하는 데 있어서 공功이 있지만 창작 제재의 폭이 좁고 언어가 난삽했던 점이 이 유파의 발전에 걸림돌이 되었다.

예)

나 그리고 우리 동네 사람 담원춘譚元春은 이러한 상황을 매우 우려하고 있고 마음속으로 반성하고 있으며 옛 문학을 좇을지 아니할지 아직도 주저하고 있다. 우리는 옛사람들의 시에 서린 "참됨"이 어디에 있는 것인지 찾을 뿐이다. 참된 시는 마음이 움직인 결과물이어야 한다. 이러한 마음의 활동을 고찰하면 그 활동이 옛사람들의 외떨어져 있고 고독한 마음이 드러난 것이며 떠들썩하고 복잡한 세상 속에서 지켜나가는 고요한 홀로 걷기임을 발견할 것이다. 참된 시는 일종의 허심함과 정력定力을 지니고 있어 옛사람들로 하여금 창공 위로 자유로이 거닐 수 있도록 해 주었다.

惺與同邑譚子元春憂之, 內省諸心, 不敢先有所謂"學古""不學古"者, 而第求古人真詩所在.真詩者, 精神所為也.察其幽情單緒, 孤行靜寄於喧雜之中, 而乃以其虛懷定力, 獨往冥遊於寥廓之外.(종성鐘惺『시귀詩歸 · 서序』)

경생상외境生象外

시문의 심미적 의경은 보통 물질적 형상의 바깥에 있으므로 감상하는 이가 그 정신적인 아름다움을 깨달아야 한다는 뜻. '경'은 작품이 창조해낸 심미적 의경을 말하며 '상'은 작품이 표현하는 구체적인 형상을 말한다. 시는 언어와 문자로 쓰이며 이로써 묘사하는 것은 모두 하나하나의 형상인데, 구체적인 형상 외에도 전체적인 심미적 정경을 형성할 수 있다. 당나라 때의 시인인 유우석劉禹錫이 처음으로 이 명제를 제시하여 시의 의취意趣에 대한 사고를 표현하였는데, 문자와 형상은 명확한 것이지만 심미적 정경은 미묘하며 말로 표현하기 어려운 것임을 강조하였다. '경생상외'는 고전 시가 이론인 의경설意境設의 형성 과정 가운데 중요한 발전 단계라 할 수 있다.

예)

'경'과 '상'은 같은 것이 아니며 '허'와 '실' 역시 분명히 구분하기 어렵다. 경치와 같이 볼 수는 있으나 취하여 쓸 수는 없는 것이 있고, 바람과 같이 들을 수는 있으나 볼 수는 없는 것이 있으며, 생각과 같이 나의 형체와 관련이 있으나 그 신묘한 응용에는 형태의 제한을 받지 않는 것이 있고, 색채와 같이 그 이치가 만물을 관통하고 있으나 그 자신은 고정된 형질이 없는 것도 있다. 이 모든 것은 '허사虛寫'에 내포되어 있을 수도 있고 '실사實寫'에 내포되어 있을 수도 있다.

夫境象非一, 虛實難明, 有可睹而不可取, 景也; 可聞而不可見, 風也; 雖繫乎我形, 而妙用無體, 心也; 義貫衆象, 而無定質, 色也. 凡此等, 可以偶虛, 亦可以偶實. (교연『시의』)

시란 대단히 간결한 글이 아닌가? 글에 내포된 뜻이 있으나 많은 말을 필요로 하지 않으니 매우 미묘하여 쓰기 어렵다. 시의 아름다운 경지는 종종 시가 묘사한 형상의 바깥에서 생겨나므로 매우 정교하고 아름다워 이를 완벽하게 할 수 있는 이는 아주 적다.

詩者文章之蘊耶? 義得而言喪, 故微而難能. 境生於象外, 故精而寡和. (유우석『동씨무릉집기董氏武陵集紀』)

경세치용經世致用

학술은 국가와 사회를 다스리는 데 실제적인 효용을 발휘해야 한다는 뜻. '경세'는 국가와 사회의 사무를 관리한다는 뜻이며 '치용'은 실제적인 효용을 발휘한다는 뜻이다. 17세기 초의 사상가인 고염무顧炎武, 왕부지王夫之, 황종희黃宗羲, 이옹李顒 등은 학술 연구는 현실에 주목하여 고대의 경서에 대한 해석을 통해 자신이 처한 사회의 정치적 견해를 설명하고 사회의 실제적인 문제를 해결해야 한다고 보았으며, 이로써 국가의 통치와 민생안정, 사회개량을 증진해야 한다고 주장하였다. 이 사상은 지식의 정치적 가치와 지식인의 현실 담당 능력을 강조한 것으로 중국 전통 지식인들의 효용과 실용을 강조하는 사상적 특징 및 '천하를 자신의 소임으로 삼는다以天下爲己任'는 정서를 표현한 것이다.

예)
무릇 '육경'의 본 취지 및 당세의 중요한 일과 무관한 문장은 일체 짓지 않는다.
凡文之不關於'六經'之指當世之務者, 一切不爲. (고염무『여인서與人書 · 삼』)

학자는 시무를 잘 아는 것이 중요하다. 신하가 황상에게 올리는 상주서는 모두 당시의 시무에 밝은 글이다. ……도는 공허히 말만 하고 실행하지 않으면 안 되며 학문은 실효성을 강조해야 한다. 학문이 사물의 진상을 분명히 밝히지 못하고 사무를 처리하는 방법을 확실히 정하지 못하여 시국을 구제하기 어렵다면 이불을 둘둘 말아 덮어쓴 아녀자에 불과할 뿐이니 참으로 부끄러운 노릇이 아니겠는가!
學人貴識時務, 奏議皆識一時之務者也. ……道不虛談, 學貴實效. 學而不足以開物成務, 康濟時艱, 眞擁衾之婦女耳, 亦可羞已! (이옹『이곡집二曲集』권칠)

[선친은] 더욱 분발하고 노력하여 이理로부터 경세치용에 대한 책까지 전부 상세히 읽고 연구하셨다.
[先君]益自奮勵, 自理學及經世致用書, 靡不究覽. (최술崔述『선부군행술先府君行述』)

경업락군敬業樂群

자신의 소임에 진지하고 임하고 사람들과 어울리는 것을 즐긴다. '업'은 원래 학업을 가리키며 자신이 종사하는 직업, 작업, 소임이라고 이해될 수 있다. '군'은 원래 학우, 친구를 가리키며 단체, 회사로 이해될 수 있다. '경업'은 일의 측면을 강조하고 '낙군'은 사회성의 측면을 강조한다. 이 두 가지 자질은 교육을 받는 사람이나 일반적인 직업인에게 기본적으로 요구되는 사항이다. 이는 건강한 사회를 구성하는 기본 조건이기도 하다.

예)

첫 해에는 경전의 문장을 끊어 읽고 경전을 이해할 수 있는지 보고, 셋째 해에는 학업에 전념하며 학우들과 우애를 다지는지 보고, 다섯째 해에는 학문이 넓고 선생님을 친애하는지 보고, 일곱째 해에는 학문적으로 독립된 견해가 있고 좋은 친구를 선택하는지 본다. 이를 소성小成이라 한다.

一年視離經辨志, 三年視敬業樂群, 五年視博習親師, 七年視論學取友, 謂之小成. (『예기禮記·학기學記』)

경제經濟

세상사를 관리하고 백성들을 돕는다는 뜻. '경세제민經世濟民'의 약어이다. '경세'는 국가와 사회의 사무를 조리 있게 처리한다는 뜻이며 '제민'은 백성을 도와 곤란한 일이 없도록 한다는 뜻이다. '경제'는 중국의 전통 지식인들이 학문을 닦아 세상에 나서는 목표이자 규범으로, 배운 것을 생활에 활용하고 국가에 공헌하여 백성의 행복을 실현하고자 하는 그들의 민본정신을 표현한 것이다. 근대 이래로 '경제'는 의미가 전환되어 가치를 창조하고 변화시키고 실현하여 사람들의 물질문화 생활에 필요한 사회활동 등을 만족시킨다는 뜻으로 쓰이고 있다.

예)

조정에서는 시와 부만을 보고 진사를 선발하고 경서에 의거해서만 다른 과목의 선비를 선발하니 모두 가장 중요한 것을 버리고 작은 기술만을 좇습니다. 이렇게 선발한 인재가 가득하나 진정 재능과 식견이 있는 이를 찾으려 하면 열 명에 한두 명도 되지 않습니다. 하물며 천하의 형세가 위급한데 인재가 이렇게 부족하니 어떻게 백성들을 구하겠습니까? 글 읽는 이들에게 경세제민의 이치를 가르치고 이러한 재능을 인재를 선발하는 기준으로 삼아야만 인재가 부족한 문제를 해결할 수 있을 것입니다.

而國家乃專以辭賦取進士, 以墨義取諸科士, 皆舍大方而趨小道, 雖濟濟盈庭, 求有才有識者十無一二, 況天下危困, 乏人如此, 將何以救之乎? 敎以經濟之業, 取以經濟之才, 庶可救其不逮. (범중엄范仲淹 『상인종답소조진십사上仁宗答詔條陳十事』)

자고이래로 치국안민하는 인재는 어찌하여 이렇게 드문가?

古來經濟才, 何事獨罕有? (두보杜甫 『상수견회上水遣懷』)

경학經學

유가의 경전을 연구하는 학문. '경학'은 '육예지학六藝之學'라고도 하며, 『시경』, 『상서』, 『예기』, 『악기, 』『주역』, 『춘추』 등 유가 경전을 탐구하는 학문으로, 경전의 훈고와 주석, 의미 해석과 경전 원본의 전승, 학파 원류 등의 문제에 대한 논의를 포함한다. '경학'의 핵심은 경전의 의미에 대한 끊임없는 해석을 통해 실제 세계의 질서와 가치에 대한 해석자의 근본적인 이해를 표현하는 데 있다.

예)

한고조가 항우를 죽이고 병사를 이끌어 노나라를 포위했을 때, 노나라의 유생들은 아직 예의를 강의하고 송독하며 연구하고 있었고 거문고에 맞춘 노랫소리가 끊이지 않았다. 이 어찌 성인이 내린 교화를 받아 학문에 힘쓰는 나라가 아니겠는가? 이로부터 뭇 유생들이 경학을 공부하기 시작했고 대사大射(활쏘기)와 향음주鄉飮酒의 예를 강습했다. 숙손통叔孫通이 한대의 예의를 제정했으니, 이로 인해 종묘예의를 주관하는 봉상奉嘗이 되었다. 함께 예의를 제정하는 데 참여한 제자들은 모두 우선 발탁되어, 이후 경학이 빠르게 발전하였다.

及高皇帝誅項籍, 引兵圍魯, 魯中諸儒尙講誦習禮, 絃歌之音不絕, 豈非聖人遺化好學之國哉? 於是諸儒始得修其經學, 講習大射鄕飮之禮. 叔孫通作漢禮儀, 因爲奉嘗, 諸弟子共定者, 咸爲選首, 然後喟然興於學. (『한서漢書 · 유림전儒林傳』)

고苦 Duhkha

번뇌와 고통. 불교에서 '고'의 함의는 광범위하다. 구체적인 사건 속에서 느끼는 심신의 고통, 기쁨과 즐거움이 사라짐에 따른 고통 그리고 모든 것이 무상하고 변화하는 데서 오는 고통을 가리킨다. 이 세 가지 고통을 '삼고三苦'('고고苦苦', '환고環苦', '행고行苦')라고 부른다. '고'에 대한 이해는 불교 교의를 실천하는 출발점이다. 삶이 고통이라는 사실을 인식해야만 고통의 원인을 분석해서 그것을 이해하고자 결심하게 된다. 그런 다음 유효한 방법을 통해 그 원인을 제거하여 번뇌에서 벗어나며 나아가 윤회에서 벗어난다. 이것이 바로 고苦, 집集, 도道, 멸滅의 '사제四諦'이다.

예)

무엇을 '고'라고 하는가? 생로병사에 따른 고통과 걱정, 슬픔, 번외에 따른 고통, 원망하거나 증오하는 사람과 만나서 생기는 고통, 사랑하는 사람과 헤어져서 생기는 고통, 희망하는 바를 얻을 수 없어서 생기는 고통이다. 요약하자면 오온五蘊에 의해 생기는 생명 현상은 모두 고이다.

何謂爲苦? 謂生, 老苦, 病苦, 憂, 悲, 惱苦, 怨憎會苦, 所愛別苦, 求不得苦, 要從五陰受盛爲苦. (『불설전법륜경佛說轉法輪經』)

고고高古

높고 심원하며 예스럽고 소박하고, 고아하며 간결하고 옛스러움. 문예 비평에 쓰이는 표현으로 주로 문예작품 속에서 드러나는 함의가 높고 심원하며 예스럽고 소박하고 정서가 고아하다는 것을 가리킨다. 엄숙하고도 역사적인 느낌이 깊이 우러나는 예술 품격이다. 고高는 공간의 초월을 드러내며 구체적인 사물에 매이지 않고 사상, 감정 그리고 소원이 시사時事 그리고 세속에 초연하다. 고古는 시간의 초월을 드러내며 먼 옛날의 역사를 그리워하며 소박하고 고아하며 엄숙하다는 함의를 지닌다. 고高와 고古는 전문용어로 합성되어 시대의 인기 그리고 현실의 흔적으로부터 멀리 떨어져 있고 그로부터 초월해 있으며 고금古今의 연계를 추구하고 사람들로 하여금 아쉬워하게 하고 뜻을 이루기 어려운 정서를 뜻한다. 때로는 명인 혹은 풍아한 선비가 홀로 지니고 있는 인격적 경지를 가리키기도 한다.

예)

세속 사람들과 다른 이 사람은 기를 제어하고 손에 연꽃을 들고 천계로 올라간다. 그는 쓰디쓴 세상살이를 떠나 자취를 감춘다. 달은 동쪽에서 떠오르고 맑은 바람은 이를 따라 비행한다. 화산華山은 초목이 짙푸르게 무성한 듯한 빛깔을 띠고 사람들은 청월한 종소리를 듣는다. 마음은 청허淸虛하고 깨끗하며 복잡한 세상에 초연해 있다. 순박한 태고太古 시대를 흠모하여 그는 도가의 심오한 강령을 소탈하게 지켜낸다.

畸(qí)人乘真, 手把芙蓉.泛彼浩劫, 窅(yǎo)然空縱(踪).月出東鬥, 好風相從.太華夜碧, 人聞清鐘.虛佇神素, 脫然畦封.黃唐在獨, 落落玄宗. (사공도司空圖『이십사시품二十四詩品 · 고고高古』)

완적阮籍의 작품 『詠懷』만이 고원고박高遠古朴한 특색을 극도로 드러내고 있으며 건안시가建安詩家의 풍채와 웅건한 필력을 지니고 있다.

惟阮籍 ≪詠懷≫之作, 極為高古, 有建安風骨. (엄우嚴羽『창랑시화滄浪詩話 · 시평詩評』)

한나라 사람들의 시문 중 지금까지 전해 내려온 것은 높고 심원하며 예스럽고 소박하며 질박하지 않은 것이 없다.

漢人詩文, 存於今者, 無不高古渾樸. (장학성章學誠『문사통의文史通儀 · 내편오內篇五 · 부학편서후婦學篇書後』)

고담枯淡

시문 작품에 나타나 소박하고 건조하며 평온하고 담백한 예술 풍격이다. 고담은 무미건조하거나 평범하고 얕은 것이 아니라 겉에서 볼 때는 건조하고 평범해 보이나 내면은 진하고 풍부한 표현 수법이다. 소박하고 평범한 언어와 묘사로 풍부하고 심오한 사상내용을 표현하며 함축적이면서 깊이 있고 두텁고 심원한 의경意境을 창조하는 데 목적을 둔다. 북송초기에는 화려하고 아름다운 문풍이 성행했다. 매효신, 구양수 등이 시문혁신을 주장했고 평범하면서 심오한 풍격을 높이 샀으며 시가의 근본은 성품과 감정에 있어서 노력할 필요가 없다고 여겼다. 소식은 도연명, 유종원의 시가를 모범으로 삼고 더 나아가 '담' 개념을 제시했다. '고담'은 '평담平淡', '담백淡泊', '충담沖淡' 등의 개념과 뜻이 비슷하며 도가의 온화함과 유가의 우아함을 합친 것이다.

예)

내가 고담을 중시하는 것은 메마른 듯하나 내면은 비옥하고, 평범한 듯하나 실제로는 매우 아름답기 때문이다. 도연명陶淵明, 유종원柳子厚 등의 시가가 그러하다. 만약 안과 밖이 모두 메말랐다면 칭찬할 것이 무엇이겠는가?

所貴乎枯淡者, 謂其外枯而中膏, 似淡而實美, 淵明, 子厚之流是也. 若中邊皆枯淡, 亦何足道. (소식蘇軾, 『평한유시評韓柳詩』)

그래서 세상에서 가장 소박한 듯 보이지만 실제로는 세상에서 가장 화려한 것이다. 세상에서 가장 건조한 듯 보이지만 실제로는 세상에서 가장 비옥한 것이다. 도연명 일파의 시는 매우 자연스러워서 이러한 경지에 거의 도달했지만 완전히 부합하진 않는다.

故觀之雖若天下之至質, 而實天下之至華; 雖若天下之至枯, 而實天下之至腴. 如彭澤一派, 來自天稷者, 尚庶幾焉, 而亦豈能全合哉! (포회包恢, 『답전당가론시答傅當可論詩』)

고문운동古文運動

당 중엽에서 북송시기에 고문으로 창작할 것을 주장한 문학 혁신 운동을 가리킨다. 육조 이래로의 변려문 창작에 반대하며 사상운동과 사회운동의 성질을 함께 갖고 있는 것이 특징이다. 운동의 대표 인물은 당대의 한유, 유종원 및 송대의 구양수, 소순蘇洵, 왕안석王安石, 증공曾鞏, 소식, 소철 등이다. '고문'을 '변려문'에 비하여 말하면, 이 개념은 가장 먼저 한유가 제시했으며 선진, 양한의 산문을 가리킨다. 특징은 문장의 길이에 제한이 없고 성율과 대구를 추구하지 않으며 내용면에서 사상의 표현과 현실생활의 반영을 중시한 것이다. '변려문'은 육조 이래로 대구, 문장 수식, 성율, 전고를 중시한 문체이다. 변려문 중에도 우수한 작품이 있으나 대부분 형식이 경직되고 내용이 공허하다. 한유는 양한의 문학전통 "글은 도를 밝혀야 한다"(文以明道) 주창했고, 유종원 등의 강력한 지지를 받아 기세 등등한 '고문운동'을 일으켰다. 한유가 주장한 고문의 실질은 문풍을 개혁하고 유학도통儒学道统(유학의 도를 전하는 계통)의 부흥과 결합시켜 글쓰기의 방향을 정치적 교화를 위해 봉사하도록 이끄는 것이었다. 그러나 변려문이 결코 이로 인해 사라진 것은 아니어서 만당 이후에도 계속 유행했다. 북송 구양수는 그의 정치적인 지위에 기대어 고문을 강력하게 주장했고 그의 동년배인 소순과 제자인 왕안석王安石, 증공, 소식, 소철과 소식 문하의 황정견黃庭堅, 진사도陳師道, 장뢰張耒, 진관秦觀, 조보지晁補之 등이 모두 고문의 대가로 각자의 기풍을 이루어서 나중에는 송대 고문운동의 기세와 규모가 매우 커지게 되었다.

예)

나는 자주 세상사에 응대하기 위해 평범한 문장을 쓰곤 했지만 글을 쓸 때 마다 부끄러웠다. ...... 고문이 오늘날 실상 무슨 쓸모가 있는지 모르겠다. 그저 이해할 만한 사람이 문장을 감상해주기를 기다리는 수 밖에.

時時應事作俗下文字, 下筆令人慚. ......不知古文, 真何用於今世也, 然以俟知者知耳. (한유韓愈, 『여풍숙론문서與馮宿論文書』)

소식이 말했다. "두보의 시와 한유의 문장, 안진경의 서예는 모두 각자의 장점을 규합하여 최고의 성취에 도달했다."

蘇子瞻曰: "子美之詩, 退之之文, 魯公之書, 皆集大成者也." (진사도陳師道, 『후산시화後山詩話』의 인용부분)

고음苦吟

당대唐代의 시인 가도賈島(779~843)가 시를 지을 때 고민하고 깊이 생각하며 반복해서 읊던 창작의 방법이다. 고음을 하는 시인은 고달프고 뜻을 이루지 못한 경우가 많았기 때문에, 고음은 시인이 시를 빌려 근심을 푸는 방식으로도 여겨졌다. 종종 문예 창작을 할 때 이미 훌륭한데도 더욱 높은 수준에 도달하고자 애쓰는 창작 태도를 가리키기도 한다.

예)
두 구절 좋은 시를 삼 년 만에 써내고, 한 번 읊으니 두 줄기 눈물 흐르네.
兩句三年得, 一吟雙淚流. (가도『제시후題詩後』)

맞는 글자 하나를 읊는데, 수염은 몇 가닥이나 비틀어 끊었네.
吟安一個字, 捻斷數莖須.(노연양盧延讓『고음』)

곡曲

곡은 시와 사 다음으로 이어서 유행한 문학 형식으로, 일반적으로 송·금 이래의 북곡(음악에 주로 북방의 곡조를 쓰고 노래나 대사에 북방말을 씀)과 남곡(음악에 주로 남방의 곡조를 쓰고 노래나 대사에 남방말을 씀)을 가리킨다. 원대에 홍성하였기 때문에 원곡元曲이라고도 부른다. '곡'은 형식이 사와 유사하나 구법이 사보다 유연하며 구어를 많이 쓰고 운율의 사용도 구어에 근접하다. 곡은 크게 두 가지 유형으로 나뉜다. 하나는 잡극雜劇, 전기傳奇에 들어가는 가사로 희곡戲曲(극곡劇曲이라고도 함)에 속한다. 다른 하나는 산곡散曲으로 시나 사처럼 서정, 풍경 묘사, 서사가 이루어지며 노래도 가능하지만, 대사나 인물의 동작과 표정 등에 대한 제시어가 없으며 '청곡淸曲'이라고도 한다. 전반적으로 볼 때 고대 희곡의 성과와 영향은 산곡을 크게 뛰어넘는다. 원대는 중국 희곡사의 황금기로 당시 기록으로 남은 희곡 작가만 해도 80여 명이 있다. 관한경關漢卿, 백박白朴, 마치원馬致遠, 정광조鄭光祖 네 명의 희곡 작가는 원대의 다른 시기, 다른 유파를 대표하여 후대에 '원곡사대가'로 불렸다. 원곡은 주제와 예술적 성과 두 측면에 모두 독특한 개성을 보이며 당시, 송사, 명 · 청 소설처럼 중국문학사의 중요한 이정표가 되었다.

예)
세상 사람들이 원대 희곡의 고수를 칭할 때 반드시 관한경, 백박, 마치원, 정광조 네 사람을 언급한다.
世稱曲手, 必曰關鄭白馬. (왕기덕王驥德, 『곡률曲律 · 잡론雜論』)

곤坤

'팔괘'의 하나로 세 개의 '음효'로 구성되어 '☷'와 같이 그린다. 또한 '육십사괘'의 하나로 여섯 개의 '음효'로 구성되어 '䷁'와 같이 그린다. 역학의 해석에 의하면 '곤'괘는 전부 '음효'로 구성되어 있기 때문에 순수한 '음'의 성질을 가지고 있어 '음'의 성질을 가진 각종 사물 혹은 원칙을 상징하는 데 쓰인다. '곤'괘의 기본적인 상징 의미는 땅으로 사회적 영역에서는 주로 여성, 어머니, 신하와 백성 등의 사회적 역할 및 유순하고 너그러운 행동 원칙을 상징한다. '곤'괘가 결합된 각종 상징 의미에서 '곤'은 만물을 탄생시키고 길러낸다는 뜻을 가지고 있기도 하다.

예)
곤은 유순하다는 뜻이다.
坤, 順也. (『주역 · 설괘』)

곤원坤元은 위대하여 만물이 이에 기대어 생성되니 곤원은 하늘의 도를 받들어 따른다.

至哉坤元, 萬物資生, 乃順承天. (『주역 · 단상』)

골骨, 육肉

중국 고대의 서화 이론 또는 문학 비평 중에 운필과 풍격 상의 굳세고 강건한 것과 원숙하고 매끄러운 아름다움을 지칭하는 한 쌍의 술어이다. 진한秦漢 시기에는 관상술이 유행하여 '골骨'은 인체의 골격을 가리키고 '육肉'은 피부와 살을 가리켰다. 한위漢魏 육조 시기에는 문예 비평 용어로 사용되었다. 서화書畫 영역에서 '골'은 필력이 곧고 딱딱하며 굳세고 우뚝함을 가리키고, '육'은 먹의 사용 또는 색이 짙고 원숙하며 매끄러움을 가리킨다. 문학 창작 영역에서의 '골'은 풍격의 굳세고 강건함을 가리키고, '육'은 어휘의 아름다움을 가리키는 데 치중된다. 이 한 쌍의 용어는 문학작품의 격식 및 뼈대(사상과 내용, 풍격과 특징)와 표현상의 아름다움 간의 관계를 비유하며 문학작품의 사상 및 정서와 형식적인 아름다움 간의 결합이라는 뜻도 내포하고 있다.

예)

구조는 힘이 있고 필획은 매끄러워야 정교한 경지에 도달하여 신령과 통할 수 있다.

骨豐肉潤, 入妙通靈. (왕승건王僧虔, 『필의찬筆意贊』)

반드시 사상과 감정을 문장의 영혼으로 삼고, 사실과 합리성을 문장의 골수로 삼고, 다채로운 글과 수식을 문장의 피부로 삼고, 음률과 조화되게 함으로써 문장의 운치와 기세를 강화해야 한다.

必以情志爲神明, 事義爲骨髓, 辭采爲肌膚, 宮商爲聲氣. (유협劉勰, 『문심조룡文心雕龍 · 부회附會』)

공空 Śūnyatā

원뜻은 부재, 비어있음으로 사물에 불변의 본질이 없거나 사물이 허망하여 실체가 없는 상태를 가리킨다. 독립적으로 보유하고 있는 본질을 '자성自性'(svabhāva)이라고 한다. 불교에서는 이러한 본질의 존재를 부정하며, 세상의 모든 현상은 인연에 의한 이합집산이고 '자성'은 단지 개념적 사유가 현상 세계를 고착화한 결과일 뿐이라고 여긴다. '무자성無自性'(nihsvabhāva) 즉 '공'의 관점은 특히 대승 불교에서 두드러지며 이러한 관점은 언어로 표현되는 영속성을 철저히 부정한다. 심지어 불교 교의 그 자체도 그 대상에 포함된다.

예)

여러 조건이 갖추어지면 사물이 생겨나고 그 사물은 여러 조건(인연)에 의존해 존재하므로 독립적인 자성이 없다. 자성이 없으므로 '공'이라 하며 '공'이라고 하는 것 자체도 실재하지 않으나 중생을 인도하기 위해 가명을 빌려와 말할 따름이다.

眾緣具足和合而物生, 是物屬眾因緣故無自性. 無自性故空, 空亦復空, 但爲引導眾生故, 以假名說. (『중론中論』 권4)

공공사사公公私私

공적인 것을 공적으로 대하고 사적인 것은 사적으로 대한다. 공공의 물건은 공공의 소유로 여기고, 개인의 물건은 개인의 소유로 여긴다. 열자列子는 공공의 물건은 자연적으로 생성된 천지 만물처럼 유기적인 총체이므로 함부로 나누어 개인의 것으로 삼을 수 없다고 여겼다. 공은 공이고 사는 사로, 공사가 분명해야 비로소 천지 속성의 바른 도에 부합하는 것이다. 이것은 도가道家의 '무위無爲' 이념이 발휘된 것이며 국가 통치의 원칙이자 개인적 수양의 경지이기도 하다.

예)

천지 만물은 모두 서로 떼어놓을 수 없다. 그것들을 임의적으로 자기의 것으로 삼는 것은 모두 어리석은 것이다. …… 공공의 물건은 공공의 소유로 여기며, 개인의 물건은 개인의 소유로 여긴다. 이는 천지의 자연스런 덕성에 부합하는 것이다.

天地萬物不相離也. 仞而有之, 皆惑也. ……公公私私, 天地之德. (『열자 · 천서天瑞』)

공령空靈

문학 작품에서 나타나는 자유롭고 가벼운 예술적 경지와 풍격. '충실充實'과 상대되는 개념이다. 공령은 공허한 것과는 다르며 구체적 사물의 묘사를 배제하지 않는다. 제한된 형상으로 무한한 의경을 만드는 일종의 형상 밖의 의미, 그림 밖의 정취로 독자 혹은 감상자에게 상상할 수 있는 공간을 남긴다. 가령 시문에서 인위적인 꾸밈이 없고 수식이나 비유를 절제하고 회화의 경우 강렬한 묘사를 하지 않는다. 공령은 간결하고 세련되며 신운을 담아내는 것을 중시했다. 공령이라는 특징이 있는 작품은 맑고 투명하며 자유롭고 가벼운 분위기가 있어 감상자가 자유로움이라는 심미적 희열을 체험할 수 있게 한다.

예)

옛사람의 그림은 실제 사물이 가득 채워진 곳일수록 공령하게 표현한다. 요즘 사람들은 한 부분만을 그렸는데도 이미 잡다하고 번잡하다. 비어있는 곳은 사실대로 묘사하니 전체 작품이 가볍고 민첩하다. 그려진 대상이 많을수록 질리지 않는다.

古人用筆極塞實處愈見空靈, 今人布置一角已見繁縟. 虛處實則通體皆靈, 愈多而愈不厭. (운수평惲壽平, 『남전화발南田畫跋』)

어떤 문장은 견실하고 어떤 문장은 공령하다. 각자 장점이 있으나 한쪽으로 치우치는 것을 면치 못한다. 한유의 문장을 보면 견실한 부분은 공령하지 못하고 공령한 부분은 견실하지 못하다.

文或結實, 或空靈, 雖各有所長, 皆不免著於一偏. 試觀韓文, 結實處何嘗不空靈, 空靈處何嘗不

結實. (유희재劉熙載, 『예개藝概 · 문개文概』)

공명共名

같은 종류의 사물을 개괄하는 데 쓰이는 명칭. '공명'은 순자(기원전 313?~기원전 238)가 사용한 명칭의 종류로 '별명'과 대응된다. 이름은 실체를 가리키는 데 쓰인다. 같은 속성을 가진 같은 종류의 사물은 '공명'으로 개괄할 수 있다. 다른 '공명'을 가진 사물 유형들 사이에 만약 같은 속성이 있다면, 더 높은 차원의 '공명'을 사용하여 개괄할 수 있다. 이런 방식으로 계속하여, 가장 높은 차원의 '공명'을 '대공명大共名'이라 부른다.

예)

그러므로 만물이 비록 다양하나 그것을 전면적으로 개괄하고자 할 때는 그것을 '물物'이라 부른다. '물'은 가장 큰 '공명'이다. 추론하여 '공명'을 찾는데, '공명'의 위에는 더 높은 차원의 '공명'이 있으며, 더 높은 차원의 '공명'을 추론해내지 못할 때까지 계속한다.

故萬物雖衆, 有時而欲遍擧之, 故謂之物. 物也者, 大共名也. 推而共之, 共則有共, 至於無共然後止. (『순자 · 정명正名』)

공사公私

상대적인 두 생활영역 혹은 일을 행하는 원칙이다. 공公과 사私는 대체적으로 두 가지 함의를 포함한다. 첫째, 생활 영역에 있어서 사는 개인의 혹은 개인이 속한 집단 내에서의 생활영역을 가리키며 공은 사의 경계선 밖의 공공영역이다. 서로 다른 생활영역에 서로 다른 질서와 원칙이 존재하며 상호 간에 충돌이 자주 존재한다. 둘째, 일을 행하는 원칙이라는 의미상 사私는 개인 혹은 개인이 속한 집단의 이익을 근본 목표로 하며 공은 자기 자신의 원칙을 초월해 천하의 공의를 구현한다.

예)

공과 사의 경계는 분명하며 소인小人은 현자를 질시하지 않고 현명하지 않은 사람은 훌륭한 업적을 거둔 자를 질시하지 않는다. 이에 요순堯舜이 천하를 다스릴 때 사욕을 채우기 위해 자신의 위치로 말미암아 생기는 이익을 취하지 않았고 천하의 사람들을 위해 천하를 다스렸다. 어질고 능한 사람을 선택해 천자의 위치를 전승할 때 아들을 소외시키면서 아무런 상관이 없는 사람을 가까이하지는 않았고, 대신 혼란을 다스리는 도리를 잘 알고 있었다.

公私之分明, 則小人不疾賢, 而不肖者不妒功.故堯舜之位天下也, 非私天下之利也, 為天下位天下也, 論賢舉能而傳焉, 非疏父子親越人也, 明於治亂之道也. (『상군서商君書 · 수권修權』)

공생명公生明, 염생위廉生威

일 처리가 공정해야 옳고 그름을 분명히 가릴 수 있고, 사람됨이 청렴결백해야 명망을 쌓을 수 있다. 명 · 청 시기의 정직하고 청렴한 관리들이 스스로 경계하기 위해 좌우명으로 쓴 말이다. '공'은 공정하고 사욕이 없다는 뜻이다. '명'은 옳고 그름을 분명히 가릴 만큼 분별력과 판단력이 강하다는 뜻이다. '렴'은 청렴결백이다. '위'는 위엄과 명망으로 사람들이 믿고 따를 만한 공신력을 가리킨다. 오늘날에도 집정자가 지켜야 하는 가장 중요한 원칙 중 하나로 여겨진다. 집정은 공평하고 공정해야 하며 나라의 법률과 규정된 절차라는 틀 안에서 이루어져야 한다. 그리고 관직자는 솔선수범하고 청렴하며 공익에 봉사해야 하며 권력을 이용해 사적인 이익을 취해서는 안 된다.

예)

관리들은 나의 엄격함을 두려워하지 않고 나의 청렴함을 두려워하며, 백성은 나의 재능을 보고 믿고 따르는 것이 아니라 나의 공정함을 보고 믿고 따른다. 일 처리가 공정해야 옳고 그름을 분명히 가릴 수 있고, 사람됨이 청렴결백해야 명망을 쌓을 수 있다.

吏不畏吾嚴而畏吾廉, 民不服吾能而服吾公. 公則民不敢慢, 廉則吏不敢欺. 公生明, 廉生威. (연부年富, 『관함官箴』 각석)

공안지악孔顔之樂

공자孔子(기원전 551~기원전 479)와 안회顔回(기원전 521~기원전 490)의 스스로 만족하는 즐거움. '공안지락'은 유가 특히 성리학자들이 받들던 정신적 경지이다. 보통 사람은 종종 빈곤한 생활을 견디지 못하지만 공자와 안회는 비루한 물질 조건에 속박되지 않고 유쾌한 정신적 경지를 유지할 수 있었다. '공안지락'은 물질적 욕구에 대한 초월을 나타내며 하늘의 이치와 인륜에 대한 심오한 체득이자 그것을 추구하던 중에 획득한 일종의 내재적인 즐거움과 행복이다.

예)

공자가 말했다. "거친 곡식을 먹고 물을 마시며 팔을 베개 삼아도 그중에서 즐거움을 느낄 수 있다. 정당하지 못한 방법으로 부귀를 얻는 것은 내가 보기에는 떠다니는 구름과 같다."

子曰: "飯疏食, 飮水, 曲肱而枕之, 樂亦在其中矣. 不義而富且貴, 於我如浮雲." (『논어 · 술이述而』)

공자가 말했다. "안회는 정말 어진 덕성을 가졌다! 광주리의 밥을 먹고 표주박의 물을 마시며 비루한 골목에 살면 다른 사람들은 모두 이런 괴로움을 견뎌내지 못하지만 안회는 여전히 즐거워한다. 안회는 정말 어진 덕성을 가진 사람이다!"

子曰: "賢哉, 回也! 一簞食, 一瓢飮, 在陋巷, 人不堪其憂, 回也不改其樂. 賢哉回也!" (『논어 · 옹야雍也』)

공안파公安派

명대 후기 호북湖北 공안公安의 작가 원종도袁宗道(1560~1600), 원굉도袁宏道(1568~1610), 원중도袁中道(1570~1626) 삼형제를 대표로 하는 문학 유파이다. 그중에서 원굉도의 명성과 명예가 가장 높고 성취가 가장 크며, 다음은 원중도이고, 원종도는 그다음이다. 그들은 '정신을 펼쳐 보인다(독서성령獨抒性靈)'를 제창했고 명대 전기의 문사들이 옛 기풍을 답습하는 것에 반대하여 '홍미趣'를 문학작품의 비평 표준으로 삼아 문장을 지을 때는 마음속의 진정한 감정으로부터 우러나오고 가슴에서부터 자연스럽게 흘러나와야 하지 특정한 법칙을 고집할 필요가 없다고 주장했다. 그들의 문학적 성취는 주로 산문, 시가 쪽에서 드러나는데 한가한 심정과 안일한 정취의 서술에 뛰어났다. 공안파는 민간 문학에 포용과 긍정적인 태도를 보이고 통속 문학 중에서 영양분을 흡수할 것을 주장했다. 이 유파의 문학적 주장은 명대 중기에 흥성한 시민 계층의 심미적 취향을 어느 정도 반영하고 있다.

예)

처음에는 왕세정王世貞과 이몽양李夢陽 등의 시학이 흥성했으나 원씨 형제만은 그렇지 않았다. 원종도는 글방에서 가르칠 때, 동료인 황휘黃輝와 함께 왕세정, 이몽양의 학문을 힘써 반대했다. 그들은 당대 백거이, 송대 소동파의 문학 창작을 추존했다. 원종도는 '백소白蘇'로 자기의 서재를 이름 지을 정도였다. 원굉도에 이르러 참신하고 경쾌한 문풍으로 고인을 모방하는 기풍을 교정하기 시작하여, 시문을 배우는 사람들이 대부분 왕세정과 이몽양을 버리고 '삼원三袁'을 따르기 시작하며 '공안체公安體'라고 불렀다.

先是, 王, 李之學盛行, 袁氏兄弟獨心非之. 宗道在館中, 與同館黃輝力排其說. 於唐好白樂天, 於宋好蘇軾, 名其齋曰"白蘇". 至宏道, 益矯以清新輕俊, 學者多舍王, 李而從之, 目爲公安體. (『명사明史 · 문원전文苑傳 · 원굉도』)

공욕선기사工欲善其事, 필선리기기必先利其器

공장이 일을 잘 끝마치고자 한다면 반드시 먼저 도구를 예리하고 잘 들도록 준비해야 한다. 이 용어는 『논어 · 위령공』에 기록된 공자(B.C. 551~479)의 말이다. 공자의 본뜻은 상층사회에서 재능과 인덕이 있는 사람은 인덕의 이상을 실현하는 '날카로운 도구利器'라는 것이었다. 그들을 위해 일하고 그들과 친구가 되어야만 그 이상을 실현할 기회를 얻게 되고, 국가와 사회에 도움이 된다. 이후 이 말은 한 가지 일을 잘 하려면 일과 그 일의 수단, 방법을 준비하는 것이 매우 중요함을 비유하기 위해 주로 쓰였다. 그 안에는 목적이 수단을 선택하고, 수단은 목적의 실현 여부를 결정짓는다는 이치가 숨겨져 있다.

예)

공자가 말했다. "공장이 일을 잘 해내고자 한다면 반드시 먼저 도구를 날카롭게 갈아 잘 들도록 해야 한다. 한 나라에 살면 대부들 중 현명한 자를 위해 섬기고, 인덕 있는 선비들을 벗삼아야 한다."

子曰, '工欲善其事, 必先利其器. 居是邦也, 事其大夫之賢者, 友其士之仁者.' (『논어 · 위령공』)

옛사람이 말하기를 '공장이 그 일을 잘 끝내려면 먼저 도구를 예리하게 하여야 한다'고 했다. 사병은 공장과 같고, 병기는 도구와 같다. 도구가 잘 들면 일이 잘 이루어지고, 병기가 절륜하면 전쟁에서 우세를 점할 수 있다. 이는 당연한 이치이다.

古稱 '工欲善其事, 必先利其器.' 蓋士卒猶工也, 兵械猶器也. 器利而工善, 兵精而事强, 勢則然矣. (증공량曾公亮, 정도丁度 『무경총요武經總要 전집』 13권)

공정公正

공평하고 정의로움 또는 공평하고 정직함. '공'은 '사私'와 반대되며 치우치지 않고 문제를 고려할 때 개인 중심적이지 않는 것이다. '정'은 '곡曲'과 반대되며 두 가지 함의가 있다. 첫째, 정의를 기초로 하는 공통의 규범이다. 둘째, 이로써 자기와 타인의 일체의 행위를 바르게 하여 치우치거나 굽게 하지 않는다. '공정'은 주로 국가와 사회에 공통적인 도의와 규범이 있는 것으로 구현되며 모든 사람이 이것으로써 자기를 구속하고 타인의 행위의 옳고 그름을 판단할 수 있다. 현대 사회에서 공정은 주로 제도의 공정, 법률의 공정, 사회 부와 공공자원 분배의 공정 및 양심의 공정 등의 측면에서 구현되며, 훌륭한 품성을 기르고 아름다운 사회를 건설하는 데 핵심 가치 중의 하나로 여겨진다.

예)

자기의 좋고 싫음으로 공평과 정의를 훼손하지 말라. 백성이 싫어하는 방법을 살피고 그것을 경계해야 한다.

毋以私好惡害公正, 察民所惡, 以自爲戒. (『관자管子 · 환공문桓公問』)

당 태종이 말했다. "옛사람들이 말하던 지극한 공정이란 아마도 마음이 공정하여 너그러이 용서하고 결코 사심에 치우치지 않음을 의미할 것이다."

太宗曰: "古稱至公者, 蓋謂平恕無私". (오긍吳兢, 『정관정요貞觀政要 · 공평公平』)

천하에서 공평이 실현되는 것은 국정이 공평할 때뿐이다. 국정에 공평이 실현되는 것은 집권한 사람이 공평할 때뿐이다. 집권자가 공평할 수 있는 것은 그의 내면이 공평하기 때문이다.

天下所以平者, 政平也; 政所以平者, 人平也; 人所以平者, 心平也. (『예문유취藝文類聚』 22권 인용)

과거科擧

과목을 나눠 시험을 치러서 관리를 뽑던 제도. 수 문제는 중국을 통일한 후, 문벌과 등급 위주로 관리를 뽑던 제도를 폐지했다. 그리고 수 양제 대업大業 원년(서기 605년)에 정식으로 과거가 열렸다. 역대의 과거는 시험 과목, 내용, 임용 규칙에 다 변화가 있었다. 각 과목 중 진사과進士科가 가장 어려웠고 또 가장 사인들의 중시를 받았다. 원, 명 이후에 시험 문제는 『사서』, 『오경』의 문구에서 출제되었으며 답은 팔고문八股文 형식의 글로 『사서집주』 등을 근거로 삼아 써야 했다. 그러다가 1905년 광서제光緖帝가 조서를 내려 과거를 폐지했다. 과거제는 귀족정치에서 관료정치로의 전환을 촉진하였고 교육, 관리 선발, 시험, 사회 계층화, 문화 전승 등의 여러 기능을 담당했다. 수나라 이후 1300년간 중국의 가장 중요한 관리 선출 방식으로 쓰이면서 중국 사회에 대단히 큰 영향을 끼쳤다.

예)

태종이 즉위한 뒤 묻혀 있는 인재에게 기회를 제공하기 위해 곁의 대신에게 말하길, “짐은 과거 시험을 통해 뛰어난 인재를 뽑으려 하는데, 열 명 중 다섯 명을 뽑는 것은 바라지 않는다. 한두 명만 뽑아도 과거 시험을 훌륭한 정치를 실현하는 수단으로 삼을 수 있을 것이다.”라고 했다.

太宗卽位, 思振淹滯, 謂侍臣曰: “朕欲博求俊彦於場中, 非敢望撥十得五, 止得一二, 亦可爲致治之具矣.” (『송사宋史 · 선거지일選擧志一』)

과거는 반드시 학교를 통해 실행돼야 하지만 학교가 추천하는 인재는 과거 시험을 안 봐도 된다.

科擧必由學校, 而學校起家, 可不由科擧. (『명사 · 선거지일選擧志一』)

과식夸飾

문학작품에서 사용하는 과장과 수식의 창작 방법이다. 예술적인 감동을 증대시켜 독자의 관심을 끄는 데 목적이 있다. 과식을 잘 운용하면 리얼리티가 보여줄 수 없는 예술적 효과를 낼 수 있다. 그러나 과도하게 사용하면 화려하되 진실하지 못한 부작용이 일어난다. 그래서 고대 사람들은 ‘과장하되 절제하라夸而有節’는 관점을 제시하며, 과식은 적절한 수준을 유지해야 한다고 주장했다.

예)

그래서 천지만물이 생긴 이래로 먼저 각종 소리와 형태가 있었고, 글로써 묘사하려고 하기만 하면 과장과 수식의 방법은 계속해서 존재해 왔다.

故自天地以降, 豫入聲貌, 文辭所被, 夸飾恒存.(유협 『문심조룡 · 과식夸飾』)

과장하되 절제하고, 수식하되 거짓이 없으면 또한 아름답다고 할 수 있다.

夸而有節, 飾而不誣, 亦可謂之懿也.(유협『문심조룡 · 과식』)

과욕寡慾

외부의 사물에 대한 과도한 욕구를 줄인다. '욕慾'은 주로 사람이 바깥 사물에 감화하여 생겨난 욕구이다. 사람은 외부의 사물을 과도하게 추구하기 쉬우며 이로 인해 자신의 생명에 손상을 초래하기도 하고 사람과 사람 간의 분쟁, 사회 질서의 혼란을 가져오기도 한다. 그래서 유가와 도가는 모두 '과욕'을 주장한다. 유가는 도덕을 수양하여 욕망을 절제해야 하고, '과욕'이 내재적 덕성을 확립하는 중요한 수단이라고 여겼다. 도가에서는 '과욕'이 인간이 '자연'적인 상태로 돌아가는 데 도움이 된다고 강조했다.

예)

맹자가 말했다. "심성을 수양하는데 과욕보다 더 좋은 방식은 없다. 어떤 사람이 만약 욕망이 적다면 그에게 좋은 성품이 다소 부족하더라도 그 부족함은 조금이고, 어떤 사람이 만약 욕심이 많다면 비록 그의 좋은 성품이 남아 있더라도 남은 정도는 적을 것이다."

孟子曰: "養心莫善於寡慾. 其爲人也寡慾, 雖有不存焉者, 寡矣; 其爲人也多欲, 雖有存焉者, 寡矣." (『맹자 · 진심하盡心下』)

총명과 지혜를 버리면 백성은 백배의 이익을 얻을 수 있고, 인의와 도덕을 버리면 민중은 자연스러운 효심과 자애를 회복할 수 있으며, 교활한 속임수와 이득 취함을 버리면 도적은 사라진다. 총명, 인의, 교묘함과 이득은 모두 불필요한 겉치레이고 천하를 다스리는 데는 적합하지 않다. 그러므로 백성들을 회복시켜 순박함을 유지하고 사욕을 줄여야 한다.

絕聖棄智, 民利百倍; 絕仁棄義, 民復孝慈; 絕巧棄利, 盜賊無有. 此三者, 以爲文不足, 故令有所屬, 見素抱樸, 少私寡慾. (『노자老子 · 19장』)

과유불급過猶不及

사물이 일정한 기준을 넘어서는 것도 그에 도달하지 못하는 것도 똑같이 좋지 못하다는 뜻. 유가에서는 '예'를 사람의 언행 및 이와 천지 만물의 관계를 판단하는 척도로 삼았으며 '예'가 요구하는 것에 근거해 언행의 '과'와 '불급'을 판단하였다. 공자는 자신의 두 제자를 각각 '과'와 '불급'이라는 말로 평했는데 두 제자 모두 '예'가 요구하는 바에 이르지 못했다는 점에서는 똑같다고 보았다. '예'가 요구하는 바에 따라 과하지도 모자라지도 않은 중도에 이를 수 있다면 이것이 바로 '중용'의 미덕을 구비한 것이다.

예)

자공이 공자에게 물었다. "자장과 자하 중에 누가 더 낫습니까?" 공자가 대답했다. "자장은 언행이 과하고, 자하는 모자라다." 자공이 물었다. "그럼 자장이 더 낫다는 것입니까?" 공자가 대답했다. "지나친 것과 모자란 것은 똑같이 좋지 못하다."

子貢問: "師與商也孰賢?" 子曰: "師也過, 商也不及." 曰: "然則師愈與?" 子曰: "過猶不及." (『논어 · 선진先進』)

관례冠禮

가관加冠(역주: 관을 쓰다)의 예, 즉 성인례는 고대의 인륜 생활에 있어서 중요한 예식 중 하나였다. 고대 예법의 규정에 따르면 남자는 20세가 되면 '관례'를 치른다. 의식을 진행하는 과정에서 남자는 순서대로 관모를 수여받고 착용해야 하기 때문에 '관례'라는 이름으로 불리게 되었다. 관례는 성인의 상징이다. 성인은 성숙한 신체뿐만 아니라 도덕적 인격의 확립을 의미한다. 관례의 완성은 의식을 치르는 사람이 독립적인 신분으로 윤리적인 생활 속에서 각종 책임을 지기 시작한다는 공표이며, 그 사람은 각종 중요한 의례 활동에 참여할 수 있는 자격을 갖추게 된다.

예)

관례은 모든 예의 시작이며 가례 중 가장 중요한 것이다.

冠者, 禮之始也, 嘉事之重者也. (『예기禮記 · 관의冠義』)

첫 번째 가관 때 축사는 다음과 같다. "이같이 경사스러운 날, 그대에게 첫 번째 관을 씌웁니다. 그대가 어린아이와 같은 마음을 버리고 성인의 미덕에 순응하기를 바랍니다. 그리하면 장수하고 유복하며 끝없이 행복을 넓힐 것입니다."

始加, 祝曰 "令月吉日, 始加元服. 棄爾幼志, 順爾成德. 壽考惟祺, 介爾景福." (『의례儀禮 · 사관례士冠禮』)

관상觀象

물상 혹은 괘상卦象을 관찰하다. '상'은 눈에 보이지만 고정된 형태가 없는 사물의 형상을 가리킨다. 천상, 기상과 같은 '상'의 자연적 표출은 사람과 사물에 내재된 특질 및 그 변화의 규칙을 보여준다. 고대인 역시 '괘상' 등과 같은 각종 '상'의 체계를 창조하여 자연의 물상을 모사했다. '관상'은 곧 '상'에 대한 관찰을 통해, 자연과 사회의 운행 및 발전의 규칙을 파악하는 것이다.

예)

옛날 복희씨가 천하를 다스릴 때 머리를 들어 천상을 관찰하고, 몸을 구부려 대지의 법칙을 관찰하고, 새와 동물의 무늬와 땅의 마땅함을 관찰했다. 가까이에서는 자기 몸에서, 멀리서는 사물에서 취하여 처음으로 팔괘를 만들었으니, 이로써 신묘하고 선명한 사물의 속성에 통하고, 만물이 존재하는 양상을 분류했다.

古者包犧氏之王天下也, 仰則觀象於天, 俯則觀法於地, 觀鳥獸之文與地之宜, 近取諸身, 遠取諸物, 於是始作八卦, 以通神明之德, 以類萬物之情. (『주역 · 계사 하』)

성인이 괘를 만들어 그 모양을 관찰하고, 사辭를 그 괘효의 아래에 달아 길흉을 알게 하니, 단단함과 부드러움이 서로 밀어내며 변화가 생겨난다.

聖人設卦觀象, 系辭焉而明吉凶, 剛柔相推而生變化. (『주역 · 계사 상』)

광견狂狷

격앙되고 진취적이며 융통성 없고 고집스러움. 공자는 '광狂'과 '견狷'으로 두 부류의 사람의 처세와 태도를 가리켰다. 공자는 이상적인 처세 방식은 치우치지 않고 과하지도 부족하지도 않은 것이라 여겼다. '광'과 '견'은 모두 한편으로 치우친 것으로, '광'은 격앙되고 진취적이며 도의를 퍼뜨리고 타협하지 않는 것이며, '견'은 고지식한 것으로 신중하게 사양하며 절개를 버리지 않는 것이다. 이 둘은 비록 치우침이 있으나 도의에 맞으며 취할 만한 점이 있다.

예)

공자가 말했다. "중용中庸의 도를 실천하는 사람과 사귀지 못한다면 반드시 열광적인 사람이나 고지식한 사람을 사귀어야 한다. 열광적인 사람은 진취적이고 고지식한 사람은 도의에 어긋난 일을 하지 않는다."

子曰: "不得中行而與之, 必也狂狷乎? 狂者進取, 狷者有所不爲也." (『논어論語 · 자로子路』)

광달曠達

시가 작품에서 나타나는 사물에 갇혀 있지 않고 활달하고 막힘없이 트인 마음과 풍격이다. 작가의 초연한 인생관과 평안한 마음 상태와 작품의 형상이 결합한 것이다. 활달한 성정의 작가가 인생이 순탄하지 못하거나 사회의 혼란으로 실의에 빠지거나 은거할 때 글로 속마음을 풀어내어 시가 작품 속에 담았다. 거기에는 세속을 초월한 인생의 깨달음도 있고 세상의 불합리함에 대한 분개, 세상에 굴하지 않는 꿋꿋함이 절절하게 드러난다. 이 용어의 기원은 유가의 능력과 도가의 자연을 따르는 사상 그리고 위진 명사들의 탈속적이고 달관한 인생관까지 거슬러 올라간다. 당대唐代 사공도司空圖는 이를 시학, 미학 용어로 확장하고 작품의 풍격과 작가의 심리 및 인생관이 일관성을 가질 것을 강조했다. 이로써 초연하고 활달한 인생관과 심미적 태도를 제창하고자 하였다.

예)

사람이 살아야 백 년이 안 되는데 수명이 다르다 해도 얼마나 차이가 날까. 즐겁고 기쁜 시간은 짧고 근심과 걱정은 참으로 많다. 술 한잔 들고 매일 안개 낀 깊은 숲속에 가 노는 일 만한 게 있을까. 꽃이 처마를 덮고 가랑비가 가볍게 지나간다. 술잔을 다 비우고 지팡이 짚고 걸으며 노래 부른다. 누구인들 죽는 그 날이 없겠는가. 남산만 오래오래 높이 솟아있다.

生者百歲, 相去幾何. 歡樂苦短, 憂愁實多. 何如尊酒, 日往煙蘿. 花覆茅簷, 疏雨相過. 倒酒既盡, 杖藜行歌. 孰不有古, 南山峨峨. (사공도, 『이십사시품二十四詩品 · 광달』)

광이불요光而不耀

밝게 빛나도 눈이 부시지 않다. 노자는 '광이불요'를 통해 통치자의 백성에 대한 영향을 설명했다. 통치자는 현격히 높은 지위에 있으며, 백성의 생활에 영향을 미치기 충분한 권력과 자원이 있다. 이런 의미에서 통치자의 백성에 대한 영향은 빛이 비치는 것과 같이 매우 명백하며 피할 수 없다. 그러나 그와 동시에 노자는 통치자가 자기의 뜻을 백성에게 강요하지 말아야 하며, 백성들이 자연스러운 상태를 유지할 수 있도록 해야 한다고 강조했다. 밝은 빛 속에 있어도 눈이 부시지 않는 것처럼, 백성은 영향을 받되 피해를 받지 않아야 한다. '광이불요'는 강자가 타인을 대하는 방법을 설명할 때도 적용할 수 있다.

예)

그래서 성인은 행동이 반듯하되 타인에게 해를 끼치지 않고, 청렴하지만 남에게 상처 주지 않으며, 솔직하지만 방자하지 않고, 빛나지만 눈이 부시지 않다.

是以聖人方而不割, 廉而不害, 直而不肆, 光而不耀.(『노자 · 58장』)

괘효卦爻

'괘'는 '—'와 '--'가 배열되어 조합된 부호 체계로 '—'는 '양효', '--'는 '음효'라 한다. 세 개의 '효'로 하나의 '괘'를 이루면 '팔괘'를 얻을 수 있다. 여섯 개의 '효'로 하나의 '괘'를 이루면 '육십사괘'를 얻을 수 있다. '괘효'의 탄생은 점치는 것과 관련이 있다. 옛사람들은 가시풀을 나누고 취하여 그 변화의 수를 연산했는데 이 과정에서 괘효를 정하여 길흉을 예측하였다. 후세 사람들은 괘효에 각종 상징적인 의미를 부여하고 이를 통해 인간사를 포함한 천지 만물의 운행과 변화 및 그 법칙을 이해하고 설명하였다.

예)

팔괘가 생성되고 나눠지니 만물의 상징이 그 속에 있고, 팔괘에 근거해 다시 육십사괘가 생겨나니 모든 효가 그 속에 있다.

八卦成列, 象在其中矣; 因而重之, 爻在其中矣. (『주역 · 계사 하』)

성인이 천하 만물의 운행과 변화를 보고 그 속의 회합하고 관통하는 부분을 관찰하여 이로써 제도와 의식을 시행한다. '효' 아래에 묶인 글로써 길흉을 판단하므로 이를 '효'라 한다.

聖人有以見天下之動, 而觀其會通, 以行其典禮, 繫辭焉以斷其吉凶, 是故謂之爻. (『주역 · 계사 상』)

괘효사卦爻辭

괘와 효마다 아래에 덧붙여진 글귀. '괘효사'는 점을 치던 기록에서 유래했고, 나중에는 편자의 손을 거쳐 64괘의 괘와 효마다 아래에 쓰여

졌다. '괘효사'는 대체로 두 종류의 내용을 포함한다. 첫째는 길흉을 판정하는 문장이고, 둘째는 이야기를 서술하는 문장이다. 이러한 문장들은 고대 사회와 생활의 다양한 상황을 기록한 동시에 천제와 신령 및 생활 세계에 대해 고대인이 가졌던 모종의 인식을 반영하고 있다.

예)

성인이 괘를 만들어 그 모양을 관찰하고, 사辭를 그 괘효의 아래에 달아 길흉을 알게 하니, 단단함과 부드러움이 서로 밀어내며 변화가 생겨난다.

聖人設卦觀象, 系辭焉而明吉凶, 剛柔相推而生變化. (『주역周易 · 계사系辭 상』)

공자가 말했다. "성인은 상을 세워 그 뜻을 다하고, 괘를 만들어 참과 거짓을 다하고, 사를 이어 그 말을 다하고, 변화시키고 통하게 하여 그 이익을 다하고, 격려하여 신묘함을 다한다."

子曰, "聖人立象以盡意, 設卦以盡情僞, 系辭焉以盡其言, 變而通之以盡利, 鼓之舞之以盡神." (『주역 · 계사 상』)

교졸巧拙

교巧는 민첩하고 총명함을, 재주가 숙련되고 능수능란함을 뜻한다. 졸拙은 민첩하지 못하고 생각이 굼뜨며 재주가 서툶을 뜻한다. 예술 영역에서 교는 문장, 구상, 기법 등의 영역에서 교묘함을 가리키며 예술 형식이 꾸밈이 많은 것을 뜻한다. 이론가들은 다수가 졸을 중시하고, 고심하며 섬세한 것을 반대한다. 진정한 졸은 투박하고 저급한 것이 아니라 자연스럽게 형성된 것이며 교는 극치의 혼연 상태에 이르면 다듬은 흔적이 보이지 않는다. 하지만 졸은 응당 자연스럽게 달성된 것이어야 하며 의식적으로 졸을 추구하면 그와 상반된 결과를 낳을 가능성이 크다. 교와 졸은 상보상생 관계로 자연스러운 것을 추구하려면 인위적인 것을 금해야 한다. 그렇게 해야 높은 예술적 경지에 다다를 수 있다.

예)

가장 곧은 것은 오히려 굽은 것과 같고 가장 정교한 것은 오히려 서툰 것과 같으며 가장 뛰어난 언변은 언변이 서툰 것과도 같다.

大直若屈, 大巧若拙, 大辯若訥. (『노자老子 · 사십오장四十五章』)

섬세한 것보다 서툰 것이 낫고 화려한 것보다 소박한 것이 낫고 천박하고 야한 것보다 거칠고 호방한 것이 낫고 속된 것보다 생소한 것이 나으며 시를 지을 때는 항상 이러한 이치를 따라야 한다.

寧拙毋巧, 寧樸毋華, 寧粗毋弱, 寧僻毋俗, 詩文皆然. (진사도陳師道『후산시화後山詩話』)

문장은 기교를 부려 쓰는 것이 어려운 것이 아니라 서툴게 하는 것이 어렵고 복잡하게 쓰는 것이 어려운 것이 아니라 곧게 쓰는 것이 어렵고 자질구레하게 쓰는 것보다 거칠고 호방하게 쓰는 것이 어려우며 화려하게 쓰는 것보다 소박하게 쓰는 것이 어렵다. 이러한 이치는 총명한 사람에게는 이야기해도 되지만 속된 사람에게는 말해주기 어렵다.

文章不難於巧而難於拙, 不難於曲而難於直, 不難於細而難於粗, 不難於華而難於質. 可為智者道, 難與俗人言也. (『이기경李耆卿 · 문장정의文章精義』)

교학상장教學相長

가르침과 배움은 서로를 향상시키며 교사와 학생은 서로를 발전시킨다. 중국의 옛사람들은 일찍이 가르치고 배우는 과정이 교사가 학생에게 영향을 주는 일방적인 과정일 뿐만 아니라 스승과 학생이 서로 영향을 주고받는 쌍방향의 과정임을 깨달았다. 이 과정 중 가르치고 배우는 양쪽은 모두 진보와 향상을 끊임없이 얻게 된다. 이 중에는 가르치고 배우는 양쪽이 서로에게 주체이자 객체가 된다는 관점을 포함하고 있어 현대적인 교육과 매우 유사한 지혜를 갖추고 있다.

예)

배워본 뒤에야 자기의 지식이 부족함을 알게 된다. 가르쳐 본 뒤에야 자기가 정통하지 못했음을 알게 된다. 자기의 지식이 부족한 것을 알아야 비로소 스스로 반성하며 자신에게 엄격하게 요구하게 된다. 자기가 정통하지 못함을 알고 나서야 비로소 스스로 분발하여 발전에 힘쓰게 된다. 그래서 가르치고 배우면서 서로를 발전시킨다고 한다.

學然後知不足, 教然後知困. 知不足, 然後能自反也; 知困, 然後能自強也. 故曰: 教學相長也. (『예기 · 학기學記』)

교화敎化

교육과 감화를 가리킨다. 고대 중국에서 중요한 정치 이념이자 치국의 방법이었다. 당국은 보통 행정 명령, 도덕 교육, 환경적인 영향력, 통속적 읽을거리의 전파, 과거 시험 등 유무형의 여러 수단을 종합적으로 운용하여 주류적 가치관을 은연중에 백성에게 보급하고 또 그것을 백성의 일상생활에 깊이 파고들게 함으로써 정치와 풍속의 결합을 실현하였다.

예)

그래서 백성에 대한 예의 교화 작용은 은밀하여, 안 좋은 것이 모습을 드러내기 전에 그것을 제거한다.

故禮之敎化也微, 其止邪也於未形. (『예기 · 경해經解』)

구동존이求同存異

공통점을 찾고 차이점을 남기다. 전국 시기 학자 혜시(B.C. 370?~B.C. 310?), 장자(B.C. 369?~B.C. 286) 등은 모든 사물의 차이와 대립은 상대적인 것이며, 차별성 가운데 동일성을 내포하고 있다고 여겼다. 변증적인 관점에서 보면 모든 사물 간의 차이는 상대적인 것으로, 서로 전환될 가능성이 존재한다. 공자(B.C. 551~B.C. 479)를 대표로 하는 유가 문화는 인간관계 및 국가 간의 관계를 다룰 때 서로 간의 차이를 인정한다는 전제하에 협조를 통해 화이부동의 상태에 다다르는 것이 중요하다고 강조했다. 차이를 인정하거나 그 상태를 유지하고, 문화와 가치관의 다원성을 포용하며 절대적인 일치와 동의를 추구하지 않으면, 가능한 한 상대편의 입장에서 문제를 보고 공통점을 찾으려는 노력을 통해 결국 최대한의 합의에 도달할 수 있다. 이 사상은 후에 중국이 대외관계를 처리하는 중요한 이념이 되었다.

예)

대부분 같고 조금 다른 것과, 일부만 같고 대부분 다른 것은 차이가 있다. 이 차이를 '소동이小同異'라고 한다. 만물은 완전히 같고, 완전히 다르다. 이것을 '대동이大同異'라 한다.

大同而與小同異, 此之謂 "小同異"; 萬物畢同畢異, 此之謂 "大同異".(『장자 · 천하』)

군자는 타인과 화합하지만, 구체적인 문제에 대한 의견은 타인에 영합하지 않는다. 소인은 이익을 위해 타인에게 동조하지만 잘 화합하지 않는다.

君子和而不同, 小人同而不和.(『논어 · 자로子路』)

구리국가苟利國家, 불구부귀不求富貴

국가에 이로운 것만을 추구하고, 개인의 부귀를 도모하지 않는다. 이는 중국 전통 정치사상 중에 관리와 통치자에 대한 기본적인 요구 사항으로, 사리를 도모하지 않고 전심으로 대중을 위하며 용감하게 감당하고 기꺼이 봉헌하고 더 나아가 자아를 희생하는 정신에까지 이르는 것이 핵심이다.

예)

오직 임금의 포부가 실현되도록 돕고, 나라를 이롭게 하며 자신의 부귀를 탐하지 않아야 한다.

君得其志, 苟利國家, 不求富貴. (『예기 · 유행』)

구방심求放心

잃어버린 마음을 찾는다. '구방심'은 맹자가 제시한 도덕 수양의 방법이다. 맹자는 모든 사람은 타고난 선량한 마음 즉 '사단四端'이 있는데 이는 천부적인 덕성으로 사람이 선하게 되는 근원이라고 생각했다. 하지만 사람이 성장하는 과정에서 외부 사물과 환경의 영향으로 고유한 선한 마음이 약해지거나 가려져 도덕에 반하는 언행을 하게 될 수 있다. 따라서 도덕을 수양할 때 자기가 원래 가지고 있던 선한 마음을 찾으려고 노력해야 한다.

예)

사람이 닭이나 개를 잃어버리면 그것을 찾을 줄을 아는데 마음을 잃어버리면 그것을 찾을 줄 모른다. 학문의 도에 별다른 것이 없고 자기가 잃어버린 마음을 찾으면 된다.

人有雞犬放, 則知求之, 有放心, 而不知求. 學問之道無他, 求其放心而已矣. (『맹자孟子 · 고자告子 상』)

구주九州

중국의 별칭. 『상서 · 우공禹貢』에서 중국을 기주冀州, 연주兗州, 청주靑州, 서주徐州, 양주揚州, 형주荊州, 예주豫州, 량주梁州, 옹주雍州, 이렇게 아홉 지역으로 나눴다. 동시대 또는 얼마 후의 자료인 『주례周禮』, 『이아爾雅』, 『여씨춘추呂氏春秋』 등에 나온 '구주' 관련 내용도 대동소이하다. '구주'는 역사에서 실제 행정 구역으로 실현된 적은 없지만 춘추시대 말기 이후 중국인이 생활했던 대체적인 지리적 범위를 반영한다.

예)

구주에 생기가 넘치는 것은 바람과 벼락 덕분인데, 모두가 침묵하고 있는 것이 슬프도다. 하늘이 꼭 다시 기운을 내서 아무것에도 구애받지 않고 인재를 내려 보내기를 권하노라.

九州生氣恃風雷, 萬馬齊喑究可哀. 我勸天公重抖擻, 不拘一格降人才. (공자진龔自珍, 『기해잡시己亥雜詩』)

나는 중국의 화가 중국 밖에 있지 않고 중국 안에 있는 것이 두렵다.

吾恐中國之禍, 不在四海之外, 而在九州之內矣. (장지동張之洞, 『권학편勸學篇 · 서序』)

국가國家

고대에 제후와 대부의 영지를 가리키던 말. 고대에 제후의 봉지는 '국'이라 했으며 대부의 봉지는 '가'라 했다. '국가'는 '국'과 '가'를 아울러 이르는 말이다. 고대 중국에서 가정, 가족, 국가는 모두 혈연과 종법 관계에 근거해 성립된 것으로 그 조직 구조상 공통성을 가지고 있었다. 이것이 소위 '가국동구家國同構' 사상이다. 나중에 뜻이 변화해 한 나라의 모든 영토를 가리키게 되었다. 근대 이래로 '국가'는 일정한 국토와 국민 및 정권 기구가 공통적으로 구성하는 정체적 실체를 가리키게 되었다.

예)

군자는 안거하면서도 위험을 잊지 않고, 생존하면서도 멸망을 잊지 않고, 천하가 태평할 때에도 변란을 잊지 않으니 이로써 자신이 안전할 수 있고 국가를 보전할 수 있다.

君子安而不忘危, 存而不忘亡, 治而不忘亂, 是以身安而國家可保也. (『주역 · 계사 하』)

사람들이 항시 '천하국가'라 한다. '천하'의 근본은 '국'에 있고, '국'의 근본은 '가'에 있다.

人有恒言, 皆曰 '天下國家'. 天下之本在國, 國之本在家. (『맹자 · 이루離婁 상』)

국무원민왈강국國無怨民曰強國

국내에 정권에 원한을 품은 백성들이 없으면 이러한 나라야말로 강한 나라라고 한다. 이는 법가法家의 '강국'에 대한 정의이다. 법가는 비록 구체적인 사업의 수행에 힘쓰고, 농경과 전쟁, 부국강병을 중시했지만, 결코 하드 파워만으로 국가가 강대한지를 평가하지는 않았고 소프트 파워로써 국가의 강대함을 설명했는데 소프트 파워의 핵심 내용은 백성이 정권에 대해 원한이 없는 것이다. 백성이 원한이 없는 전제 조건은 국가의 상과 벌이 분명하고 공평하고 합리적인 것으로, 원한이 없는 결과는 위와 아래가 한마음이 되어 뜻을 모아 큰 일을 달성하는 것이다. 이는 '백성이 나라의 근본(민유방본民惟邦本)'이란 이념의 법가적인 표현방식이다.

예)

나라 안에 정권에 대해 원한을 품은 백성들이 없다면 이러한 나라를 강국이라 부른다. 만약 군대를 일으켜 다른 나라를 공격하면, 공훈의 많고 적음에 따라 작위와 관직을 수여한다. 이렇게 하면 반드시 승리할 수 있다. 만약 군대의 진군을 멈추고 기회를 엿보며 농경에 종사하면, 양식을 납부한 것이 많고 적음에 따라 작위와 관직을 수여하면 국가는 반드시 부유하게 된다. 출병하면 적군을 이길 수 있고, 휴전하면 국가의 재산을 늘린다. 이런 사람은 반드시 왕업을 달성할 수 있다.

國無怨民曰強國. 興兵而伐, 則武爵武任, 必勝. 按兵而農, 粟爵粟任, 則國富. 兵起而勝敵, 按兵而國富者王. (『상군서 · 거강去強』)

국이의위리國以義爲利

국가는 도의를 근본적인 이익으로 삼아야 한다. '의리에 대한 변론義利之辨'은 중국 사상사에서 시간이 지날수록 빛나는 의제로, "의리를 중시하면 이익이 된다"라는 선현들이 확립한 기본적인 이념이다. 작게는 한 개인에서 크게는 한 나라까지 모두 이익이 없으면 생존할 수 없다. 그러나 옛날 사람들은 이익과 의의 통일을 중시했고, 이익의 본질은 바로 의와의 결합이라고 여겼다. 이익과 의의 조화로운 통일을 실현해야 이익 때문에 의가 상하여 큰 판국을 망치지 않게 된다. 이 이념에 따르면 국가 대 백성일 때는 국가는 백성과 이익을 다투지 않는다. 국가 대 국가일 때는, 한쪽만 이롭게 하지 않는다. 상대방을 고려하고 함께 얻으며 서로 균형을 맞춰 양쪽이 다 이득을 얻도록 노력해야 한다.

예)

이익이란, 의와의 조화로운 결합이다.

利者, 義之和也. (『주역 · 문언文言』)

국가는 재물 상의 이득을 이익으로 삼아선 안 되고, 도의를 이익으로 삼아야 한다.

國不以利爲利, 以義爲利也. (『예기 · 대학大學』)

국체國體

서로 다른 세 가지 함의를 가지고 있다. 첫째, 국왕을 보좌하는 중요한 대신을 뜻한다. 이는 비유적 표현으로 국가를 사람의 몸에 비유하고 국왕을 보좌하는 대신을 이 몸의 중요한 구성 부분으로 본 것이다. 둘째, 국가의 법령과 제도를 뜻한다. 셋째, 국가의 체통과 존엄을 뜻한다.

예)

국왕을 보좌해 집정하는 대신은 사람의 다리와 팔과 같으니 '국체'라 한다.

君之卿佐, 是謂股肱, 故曰國體. (『곡량전 · 소공昭公 십오년』 범녕 집해范寧集解)

국가의 전장제도가 완비되어 있으면 정책과 법령의 운행이 문란하지 않다.

國體具存, 紀綱不紊. (요영姚瑩『여육제군서與陸制軍書』)

국태민안國泰民安

국가가 평온하고 백성은 평온하게 살며 일에 만족한다. '천하태평天下太平'의 의미와 가깝다. 이것은 예로부터 모든 정상적인 통치자들이 열심히 추구하던 통치 목표이자 상태이며 모든 일반 백성들이 바라는 생활상이다. 중점은 '태泰'와 안'安'에 있는데 즉, 안정과 평화이다. 이것은 국가와 백성의 공통된 행복이라고 여겨지며, 중국인들이 추종하는 평화와 안정이라는 '인문' 정신을 구현했다.

예)
매년 바닷물이 흘러 넘쳐 성으로 향한다. 매년 봄과 가을에 제사 의식을 거행하여 황제가 학사원에 명령을 내려 기도문을 쓰게 하여 국태민안을 기원한다.
每歲海潮大溢, 衝激州城. 春秋醮祭, 詔命學士院撰青詞, 以祈國泰民安. (오자목吳自牧, 『몽양록夢粱錄』 40권, '산천신山川神')

군君

본래는 천자, 제후, 경, 대부 등 지위가 높으며 일정한 토지와 백성을 통치하는 통치자를 가리켰으나 나중에 뜻이 바뀌어 제후국의 국왕과 제왕을 가리키게 되었다. '군君'이라는 글자는 '윤尹'과 '구口'로 구성되어 있는데 '윤'은 다스린다는 뜻으로 나라를 관리하고 백성을 통치하는 것을 말하며 '구'는 명령을 내린다는 뜻이다. 옛사람들은 '군'의 자리에 오른 이는 반드시 네 가지 조건을 갖추어야 한다고 보았다. 첫째로 '덕', 즉 비범한 덕행과 재능을 갖추어야 하며 둘째로 '명', 즉 '천명'(하늘의 뜻)을 받들어야 하고, 셋째로 '지', 즉 자기의 토지 혹은 영지를 가지고 있어야 하며 넷째로 '군', 즉 '군하群下'(군신, 민중)를 관리하여 이들이 진심으로 따르게 해야 한다.

예)
천자, 제후, 경, 대부 등 무릇 자기의 영지를 가진 이는 모두 '군'이라 칭한다.
天子, 諸侯及卿大夫有地者皆曰'君'. (『의례儀禮 · 상복전喪服傳』 정현鄭玄 주)

군君은 즉 군群이다. 즉 군신과 민중이 진심으로 따르는 이를 말한다.
君, 群也, 下之所歸心. (『백호통의白虎通義 · 삼강육기三綱六紀』)

군자고궁君子固窮

군자는 곤궁에 처해도 도의를 지킨다. '군자'는 원래 귀족 남성과 통치자를 가리켰고, 후에는 교양과 덕행이 있는 사람을 넓게 이르는 말이 되었다. '고궁固窮'은 곤궁하거나 뜻을 펼치지 못한 상황에도 여전히 자신의 이상과 가치, 원칙을 지킨다는 뜻이다. 고대 사람들은 곤경이 '군자'에 대한 시험과 단련이라고 여겼고, '군자'는 곤경 앞에서도 본마음이 흔들리지 않아야 하며 더욱이 한계선을 넘어서는 안 된다고 생각했다. '군자고궁'은 특히 '안빈낙도安貧樂道', '궁불실의窮不失義'와 같은 말로, 정치문화 엘리트의 도의정신 및 사회지도적 역할에 대한 책임의식을 강조한다.

예)
공자께서 말씀하셨다. "군자는 곤궁에도 도의를 지키나, 소인은 어려운 상황에 처하면 수단 방법을 가리지 않는다."
子曰, "君子固窮, 小人窮斯濫矣."(『논어 · 위령공衛靈公』)

군자君子

'군자'는 처음에는 사람의 사회적 신분과 지위를 지칭하는 데 쓰였는데 일반적으로 통치자와 귀족 남자를 가리켰다. 그러나 공자가 '군자'

라는 말에 도덕적인 의미를 부여하기 시작하여 덕행이 출중한 이를 '군자'라고 부르며 그와 반대되는 이를 '소인小人'이라 부르게 되었다. 유가 전통에서 '군자'는 사士와 성현聖賢의 사이에 위치한 인격적 이상체가 되었으며 도덕과 인격이 확립되었다는 표지로 쓰였다. '군자'는 이상적 가치로서의 '도'를 추구하고 실천하는 데 뜻을 두며 권력이나 이익 등이 아닌 '도'를 삶의 근본적인 의미로 여긴다.

예)
군자는 의義를 알고 따르며 소인은 이익을 알고 좇는다.
君子喩於義, 小人喩於利. (『논어 · 이인里仁』)

군자란 도덕을 성취한 이를 칭하는 말이다.
君子, 成德之名. (주희朱熹 『논어집주論語集註』)

군자모도불모식君子謨道不謨食

군자가 구하는 것은 대도大道의 확립과 실천으로, 개인의 생계를 구하지 않는다. 군자君子는 본래 통치자 와 귀족 남자를 가리켰는데 후에 재주와 덕이 출중한 사람을 널리 가리키게 되었다. 도道는 근본적인 원칙, 도리 등을 가리킨다. 식食은 음식으로, 일반적으로 기본적인 생존 자원을 가리킨다. 군자는 사회의 엘리트로서 도의 확립과 실천을 자신의 책임으로 여겨야 한다. 이는 군자에 대한 지나친 요구사항이 아니며 군자가 먼저 떠올려야 하는 것은 개인의 생계가 아니라 자신의 사회 대중에 대한 인도적 사명이다.

예)
공자가 말했다. "군자君子가 구하는 것은 대도大道의 확립과 실천이지 개인의 생계가 아니다. 밭을 갈고 씨를 뿌리면 굶을 수도 있다. 학문을 하고 도를 구하면 봉록을 받을 수 있다. 군자는 대도가 확립되지 못하거나 이행되지 못할 것을 염려하지 스스로 빈궁해질까 염려하지 않는다.

子曰: "君子謀道不謀食.耕也, 餒(něi)在其中矣; 學也, 祿在其中矣.君子憂道不憂貧. (『논어論語 · 위령공衛靈公』)

군자불기君子不器

군자는 어떤 기물과 같이 특정한 형태와 기능에 제한되어서는 안 된다. 『논어 · 위정』에 나온다. 공자(B.C. 551~B.C. 479)의 본래 발언은 두 가지 뜻을 갖고 있다. 첫째, 모든 기물은 그 나름의 특정한 형태와 기능을 갖고 있다. 그러나 군자의 목표는 구체적인 기물의 형태에 구애받거나 어떤 한 측면의 기능에 제한되어서는 안 된다. 도리어 그 기본 원리를 통달하여 가능한 여러 방면에 능통해야 한다. 둘째, 군자는 기물을 만드는 것과 같은 한 가지 재주에 만족해서는 안 된다. 사물의 기본 규칙을 탐구하는 데 힘을 쏟아, 유형의 기물을 뛰어넘어 무형의 '도'를 파악해야 한다. 후세의 학자들은 주로 후자의 의미를 강조하였다. '군자불기'는 지금까지도 적용되는 의미가 있는데, 군자는 본직의 사무 처리에만 급급할 것이 아니라 전체적인 관점에서 기본 원칙과 보편적인 규칙을 이해하고 지키기 위해 힘써야 한다는 것이다.

예)

자하가 말했다. "여러 업종의 공장들은 작업장 안에서 그 일을 이루나, 군자는 배움으로써 그 보편적인 도에 이른다."

子夏曰, "百工居肆以成其事, 君子學以致其道." (『논어 · 자장子張』)

군자가 말했다. "덕행이 높은 사람은 한 관직을 맡는 데 얽매이지 않고, 보편적인 도리는 한 가지 사물에만 적용되지 않는다. 큰 믿음은 약속에 한정되지 않으며, 천시天時의 변화도 획일하게 같지 않다." 이 네 가지를 살피는 사람은 근본적인 규칙을 파악하는 데 뜻을 둘 수 있다.

君子曰 "大德不官, 大道不器, 大信不約, 大時不齊." 察於此四者, 可以有志於學[本]矣. (『예기 · 학기學記』)

농사꾼은 밭을 가는 데 정통하나 농업을 관리하는 관원이 될 수는 없고, 상인은 장사에 정통하나 시장을 관리하는 관원이 될 수는 없다. 공장은 기물을 만드는 데 정통하나 제조업을 관리하는 관원이 될 수 없다……어떤 구체적인 사물에 정통한 사람은 그 사물만 다룰 수 있을 뿐이지만, 보편적인 규율에 정통한 사람은 모든 사물을 다룰 수 있다.

農精於田而不可以爲田師, 賈精於市而不可以爲市師, 工精於器而不可以爲器師…… 精於物者以物物, 精於道者兼物物. (『순자 · 해폐解蔽』)

군자선군君者善群

'군君'의 함의는 곧 능숙하게 사람들을 결집하여 무리를 이루게 함을 가리킨다. '군君'의 원래 군주를 가리키며 넓은 의미로 지도자를 가리킨다. '군群'은 사람들이 모여 이루어진 사회를 가리킨다. 순자荀子(B.C. 313?~B.C. 238)는 무리를 이루어 사는 것이 사람의 본성이며 이러한 본성을 거스르면 생존할 수 없다고 생각했다. 그리고 사람들을 조직하여 단체 혹은 사회를 만드는 일에 지도자의 근본적인 효용과 본질이 있다고 보았다. 이 용어는 '군君'과 '군群'의 관계를 제시할 뿐만 아니라 사회와 국가의 구성 원리를 내포하고 하고 있다.

예)

군자란 사람들을 잘 결집시켜 무리를 이루게 하는 데 능한 자이다. 무리를 조직하는 원칙이 합당하면 만물이 모두 제자리에 알맞게 놓일 수 있다.

君者, 善群也. 群道當, 則萬物皆得其宜. (『순자荀子 · 왕제王制』)

군자의이위질君子義以爲質

군자는 의를 일을 할 때의 근본적 원칙으로 삼는다. '군자'는 지위가 존귀하거나 재덕이 출중한 사람을 가리킨다. '의義'는 도의, 정의 및 그에서 파생된 사회 규범과 책임이다. '질質'은 근본, 본질이다. 이 말은 엘리트 계층의 근본은 도의를 담당하고 사회적 책임을 지는 것임을 나타낸다.

예)

공자가 말했다. "군자는 의로써 행동의 근본원칙으로 삼으며 예법에 따라 도의를 실천하고 겸손으로 도의를 표현하며 신의로써 도의를 완성한다. 이런 사람이 바로 군자이다!"

子曰: "君子義以爲質, 禮以行之, 孫以出之, 信以成之. 君子哉!" (『논어 · 위령공衛靈公』)

군자지교君子之交

군자의 사귐. '소인지교小人之交'와 대응된다. '군자'는 인품과 덕성이 고상한 사람으로 그들 사이의 사귐은 지향하는 바가 같아서 담백한 듯하나 실제로는 친분이 두텁다. '소인'은 인품과 덕성이 저속한 사람으로 소인들의 사귐은 사사로운 이익을 도모하기 위함으로 표면적으로는 친밀해 보이나 실제로는 이익이 다하면 인연이 끊어진다. 중국인들은 예로부터 '군자지교'를 숭상했다. 이는 '의리에 대한 변론義利之辨'과 '군자와 소인에 대한 변론君子小人之辨'이 인간관계 영역에서 드러난 것으로 도의를 중시하고 사사로운 이익을 경시하며 군자를 높이고 소인을 폄하하는 건강한 가치관을 내포하고 있다.

예)

군자의 사귐은 담백하기가 물과 같고 소인의 사귐은 달콤한 술처럼 달다. 군자 사이는 담백하나 친밀하고 소인 사이는 달지만 이익이 다하면 인연이 끊긴다.

君子之交淡若水, 小人之交甘若醴. 君子淡以親, 小人甘以絕. (『장자莊子 · 산목山木』)

군자의 사귐은 담백하기가 맑은 물과 같고, 소인의 사귐은 단술처럼 감미롭다. 군자는 사사로운 이익을 도모하지 않아 담백하지만 서로를 성공하게 하나, 소인은 사사로운 이익을 탐하여 즐거우나 서로를 망하게 한다.

君子之接如水, 小人之接如醴. 君子淡以成, 小人甘以壞. (『예기 · 표기表記』)

군자의 사귐은 도의가 같아 함께 가며 의기투합하여 친밀하므로 함께 지내도 담백하지만 서로에게 이롭다. 소인의 사귐은 권세와 재물로 인해 교제하고 정답고 허물이 없어 친밀하지만 사이가 좋아도 서로를 망가뜨린다.

君子之交也, 以道義合, 以志契親, 故淡而成焉. 小人之接也, 以勢利結, 以狎慢密, 故甘而敗焉. (갈홍葛洪, 『포박자抱朴子 · 질류疾謬』)

군현郡縣

춘추 말년부터 진대까지 점차 형성된, 군이 현을 통치하는 2계층의 지방행정제도. 춘추전국 시기에 일부 제후국들이 새로 병합한 지역에 군 또는 현을 설치했는데, 당시 군현 간에는 종속관계가 없었다. 진시황(B.C. 259~B.C. 210)이 중국을 통일한 후 종법제와 그에 연결된 봉건제(분봉제라고도 함)를 폐지하고 전국을 범위로 중앙부터 지방까지 직접 관리하는 군현제를 실시했다. 중앙은 군을, 군은 현을 통치하는 형태로써, 군현의 주요 관원은 중앙에서 직접 임면하였다. 군의 장은 '수守'(한경제 때 '태수太守'로 변경) 현의 장은 '령令' 또는 '장長'이라 칭했다. 한 초기에는 봉건제와 군현제를 병행 실시하였고 그 후 군현은 상시제도가 되었다. 이후의 주현제州縣制는 사실상 군현제에서 변형된 것이다. 이러한 행정제도는 전제군주제를 강화하는 한편 중앙집권체제의 유기적 구성요소가 되었다.

예)

후세의 문인들은…… 봉건제를 폐하고 군현제를 확립한 것이 모두 진시황의 사적으로 안다. 내가 보기에는 그렇지 않다.

後之文人…… 以爲廢除封建, 立郡縣, 皆始皇之所爲也. 以余觀之, 殆不然. (고염무顧炎武『

일지록日知錄』 22권 '군현')

굴송屈宋

전국戰國 시기 초나라의 시인 굴원屈原(기원전BC 240?~기원전 278)과 송옥宋玉. 굴원은 '초사문학楚辭文學'의 창립자이고 위대한 낭만주의 시인으로 대표작은 『이소離騷』이다. 송옥은 굴원의 학생이라고 전해지며 굴원 다음가는 초나라의 저명한 사부辭賦 작가로 대표작은 『구변九辨』등이 있다. 이로 인해 후대에 '굴송'이라고 합쳐서 불려졌으나 송옥의 명망과 성취는 굴원에 훨씬 못 미친다.

예)
『초사楚辭』 중 왕포王褒의 『구회九懷』 이하의 각 작품은 바쁘게 굴원과 송옥의 발걸음을 뒤쫓고 있지만 굴송의 초탈한 경지에는 누구도 도달하지 못했다.
自『九懷』以下, 遽躡其跡; 而屈宋逸步, 莫之能追. (유협, 『문심조룡 · 변소辨騷』)

사마상여司馬相如는 독서를 좋아하고 굴원과 송옥의 작품을 학습하여 문사가 과장되고 화려하여 사부辭賦의 대가라는 칭호를 얻었다.
相如好書, 師範屈宋, 洞入誇豔, 致名辭宗. (유협, 『문심조룡 · 재략才略』)

궁리진성窮理盡性

인간과 사물의 원리를 철저히 탐구하여 인간과 사물의 본성을 충분히 발휘하다. '궁리窮理'는 근원을 찾는다는 뜻으로 인간 혹은 사물과 관련된 모든 원리와 법칙을 철저히 파헤치는 것이다. '진성盡性'은 확실하게 이해한다는 뜻으로 인간과 사물의 고유한 천성과 본질을 충분히 발휘하는 것이다. 송대 이학자들은 이것을 세계를 인식하고 도덕을 수양하고 생명에 통달하는 근본적인 방법으로 삼았다. 왕양명王陽明(1472~

1529)은 '이理'와 '성性'이 별개의 것이 아니며 '궁리'가 바로 '진성'이라고 생각했다. 중국의 옛사람들은 세계에 대한 인식과 자아에 대한 인식 그리고 세계를 바꾸는 것과 자아를 끌어올리는 것이 동시에 상호작용을 통해 이루어지는 유기적인 과정이라고 여겼다. 이러한 노력의 과정을 통해서만 인간과 자연이 조화와 균형을 이루고 주체와 객체가 하나로 융합되는 이상적인 경지에 다다를 수 있다.

예)

인간과 사물에 관한 모든 원리와 법칙을 철저히 탐구하고 인간과 사물의 천성을 충분히 발휘하여 천명과의 합일에 이른다.

窮理盡性, 以至於命. (『주역周易 · 설괘說卦』)

왕정王霆이 일찍이 후배들을 가르치며 "궁리진성이 학문의 근본이다."라고 말했다.

(王霆)嘗訓其子弟曰 "窮理盡性, 學之本也."(『송사宋史 · 왕정전王霆傳』)

궁조宮調

중국 전통 악학에서 음계와 음높이를 결합하고 음악유형을 구분하여 이름을 붙이고 그 특성을 묘사한 기본적인 이론이다. 궁, 상, 각, 변치, 치, 우 변궁 등의 7성 또는 그 중의 5성, 6성 음계 중 임의의 한 성을 으뜸음으로 삼아 다른 음과 일정한 음정관계(음도에 약간의 간격을 두고)에 따라 같이 조직하면 모두 하나의 음계를 구성할 수 있다. 그중에서 궁성이 주가 되는 음계를 '궁'이라 부르고, 다른 각 성을 으뜸음으로 하는 것을 '조'라고 부른다. 7가지의 음계는 황종, 대려 등 12율과 서로 배합되며 이론적으로는 12궁 72조의 조합을 얻어 총 84궁조가 된다. 그러나 실제 음악에서는 다 사용하지는 않는다. 예를 들면, 당송 연악은 7궁만 사용하는데 각 궁은 4조로 총 28궁조가 있다. 남송 사곡의 음악은 7궁 12조를 쓰고 원대의 북곡北曲은 6궁 11조를 쓰고 남곡南曲은 5궁 4조를 쓴다. 명청 이래로 가장 자주 쓰인 것은 5궁 4조를 넘지 않는다. 어떤 음악 이론가들은 서로 다른 궁조가 표현하는 감정 특성과 적용 상황에 대해 규정을 내렸다. 궁조 이론은 사곡, 희극, 음악의 창작에 안내 및 샘플로서의 기능도 지니고 있어 고대 악보 번역에 운용이 가능하며 중국예술 연구의 중요한 과제 중 하나이다.

예)

12율의 각 1율은 모두 7성이고, 7성 중 임의의 한 성으로 으뜸음을 삼아 한 음계를 만든다. 그러면 7조 12율이 생겨 총 84개의 궁조를 얻으며, 으뜸음이 어떻게 변하든지 상관없이 음계는 어느 율과 조합해도 연주한 음악은 모두 조화롭고 듣기 좋다.

律有七音, 音立一調, 故成七調十二律, 合八十四調, 旋轉相交, 盡皆和合. (『수서隋書 · 음악지音樂志』)

사곡의 작문요령은 먼저는 궁조를 엄격하게 지키는 것이고, 다음으로 음운에 주의해야 하며 마지막으로 사패詞曲牌와 곡패曲牌의 글자 사용 규칙을 주의해야 한다.

從來詞曲之旨, 首嚴宮調, 次及聲音, 次及字格. (이어李漁, 『한정우기閒情偶寄 · 사곡부詞曲部』)

사를 지을 때는 3가지 어려움이 있다. 첫째는 전체적인 구조로, 내용이 많고 복잡하고 간단함을 적절히 하기 어렵다. 둘째는 궁조로, 느리고 빠른 것이 적당하면서도 박자에 맞추기가 어렵다. 셋째는 어휘 선택으로, 미려한 내용을 갖추면서도 인물의 진실된 감정에 부합해야 하는 것이 어렵다.

詞有三難: 一, 佈局, 繁簡合宜難; 二, 宮調, 緩急中拍難; 三, 修詞, 文質入情難. (정요항丁耀亢, 『소대우저사례수칙嘯臺偶著詞例數則』)

궁즉변窮則變, 변즉통變則通, 통즉구通則久

사물이 극도의 한계에 다다르면 변화가 일어나고, 변화가 일어나면 통하고, 통하면 곧 오랫동안 이어진다. 『주역 · 계사 하』편에 나오며,

사물이 변화하는 규칙에 대한 인식법이다. 『계사』에 따르면 사물은 끊임없는 변화 가운데 있으며 극한에 이르렀을 때 반대 방향을 향해 전환된다. 사람은 마땅히 주역이 제시한 이 규칙을 파악하여, 한계에 이르렀을 때 변화의 계기를 찾고 사물의 개선을 촉진해서 순조로우면서도 오래가는 발전을 이루어야 한다.

예)

역易이란, 사물이 한계에 다다라 변화가 일어나고, 변화가 일어나 통하고, 통하자 오래가는 것이다. 그러므로 '하늘이 도움을 내리니 길하여 이롭지 않은 곳이 없다'.

『易』窮則變, 變則通, 通則久, 是以 "自天祐之, 吉無不利". (『주역 · 계사 하』)

권백풍일勸百風一

사치스러운 생활의 묘사가 주요 지면을 차지하며 충고하는데 쓰이는 문장은 작은 비중을 차지한다. 문장 구상 시 본래 집정자들에게 경고하는 것이 목적이었으나 그 결과는 상반되었음을 형용한다. 서한西漢 시기 문학가 양웅揚雄은 사마상여司馬相如(기원전 179?~기원전 118)가 지은 사부辭賦가 비록 말미에는 충고하는 것으로 귀결되었으나 사부에서 한무제漢武帝(기원전 156~기원전 87)의 사치스러운 생활을 묘사, 과장하는 데 힘을 쏟다 보니 독자가 사부 속에서 묘사되는 제국의 대업에 주의가 쏠려 제왕의 사치스러운 심리를 조장하고 경고하거나 풍유하는 효과가 전혀 이상적이지 않았다고 여겼다. 따라서 양웅은 사마상여의 사부를 비평하였다.

예)

사마상여司馬相如의 사부辭賦는 비록 과시하는 문장과 과장된 표현이 많지만, 구상에서는 절약하는 것에 초점을 맞추었는데, 이것이 시경詩經에서의 풍자와 무엇이 다르겠는가? 양웅은 사마상여의 화려한 사부에서 사치스러운 생활을 묘사한 문장이 주요

지면을 차지하며 절약을 권하는 데에 쓰인 문장은 백분의 일에 불과하다고 하였다. 이는 한 악단이 줄곧 음탕하고 사치스러운 음악을 연주하다가 곡이 끝날 때에만 장엄한 아악雅樂을 연주하는 것과 같다. 이것이 장난치는 것이 아니고 무엇인가?

相如雖多虛辭濫說, 然要其歸引之於節儉, 此亦≪詩≫之風(fěng)諫何異?揚雄以為靡麗之賦, 勸百而風一, 猶騁鄭衛之聲, 曲終而奏雅, 不已戲乎? (『한서漢書 · 사마상여전司馬相如傳』)

극기복례克己復禮

자기의 언행을 절제하여 예禮에 부합하게 한다. 『논어論語』에서 나왔으며 공자가 제시한 인덕仁德을 실현하는 기본적인 방법이다. 공자는 인덕의 함양은 예를 기준으로 해야 한다고 여겼다. 개인의 언행은 외부의 예에 부합되어야 한다. 그러나 자신의 사욕을 절제하여 보고 듣는 것과 언어와 행위를 모두 예절의 요구에 맞게 하는 것이 더욱 중요하다. '극기복례'를 실현 할 수 있다면 이는 곧 인덕을 달성한 것이다.

예)

안연이 무엇을 인이라 하는지 물었다. 공자가 대답했다. "자기의 언행을 예절의 요건에 맞게 절제하는 것이 바로 어짊이다. 자기의 언행을 예의 요구에 맞게 절제할 수 있다면 천하가 모두 그대의 인덕을 칭찬할 것이다. 스스로 인덕을 실현할 수 있다면, 남에게 의지할 필요가 있겠는가?"

顔淵問仁. 子曰: "克己復禮爲仁. 一日克己復禮, 天下歸仁焉. 爲仁由己, 而由人乎哉?" (『논어論語 · 안연顔淵』)

금문金文

금문은 상주商周시기 청동기에 주조하여 새긴 명문銘文으로 갑골문을 기초로 하여 발전해 온 문자이다. 고대 청동기는 종류가 매우 다양했는데 일반적으로 예기禮器와 악기樂器 두 가지로 크게 나뉘었다. 악기는 종鐘이 대표적이고 예기는 정鼎이 대표적이어서 옛 사람들은 종과 정을 고대 청동기의 총칭으로 여겼고 이에 금문은 종정문鍾鼎文이라고도 불린다. 금문이 응용되던 연대는 상商나라 시기부터이고 주周나라 때 홍왕했으며 진秦나라가 멸망하고 육국六國에 이르기까지 계속 쓰여 총 800여 년 동안 사용되었다. 통계에 의하면 금문은 3,700여 자가 있으며 그중 인식 가능한 자는 2,420개로 갑골문보다 그 수가 많다. 금문의 내용은 대다수가 당시의 제사예의祀典, 하명賜名, 조서詔書, 전쟁 출정征戰, 사냥圍獵, 맹약盟約 등의 활동 혹은 사건의 기록을 기재한 것으로 당시의 사회생활을 반영한다.

예)

각 고을郡과 제후국 또한 종종 산속과 강변에서 종정鍾鼎 청동 이기彝器를 발굴해 내는데, 표면에 주조하여 새긴 명문銘文이 전대前代의 고문古文이며 글자의 모양이 모두 서로 닮아있고 문자의 변천을 분별해 낼 수는 없지만 조자造字의 상세내용은 대략적으로 설명할 수 있다.

郡國亦往往於山川得鼎彝, 其銘即前代之古文, 皆自相似, 雖叵復見源流, 其詳可得略說也. (허신許愼『설문해자說文解字 · 서序』)

정鼎 표면에 주조하여 새긴 명문銘文이 많은데 명銘은 역사에 이름을 남긴다는 뜻이다. 이름을 남긴다는 것은 조상을 드높이는 미덕으로 당당하게 후세에 이름을 전하는 것이다.

夫鼎有銘, 銘者, 自名也. 自名, 以稱揚其先祖之美, 而明著之後世者也. (『예기禮記 · 제통祭統』)

기골氣骨

작품의 기세와 기개를 가리킨다. 흔히 문학과 예술 작품에서 드러나는 굳건한 정신의 도량과 힘에서 오는 아름다움을 형용할 때 쓰이는 말이다. '기골'이라는 표현은 남조 시기에 등장한다. 그 당시의 인물을 품평하는 분위기와 호응하여 시문, 서법, 화화 등 문학과 예술 작품 속 굳건한 기개와 내재하는 기개를 형용하는 말로 쓰였다. '풍골'과 함의가 유사하며 '풍자風姿'(작품의 외형적 풍모, 자세)와 상대된다.

예)

기골을 논하자면 건안 시기의 작품과 비견할 수 있고, 운율을 논하자면 태강 시기의 작품을 뛰어넘는다.

言氣骨則建安爲儔, 論宮商則太康不逮. (은번殷璠, 『河嶽英靈集 · 集論』)

안진경顏真卿의 이 법첩을 보니 독특하면서 아름다움이 뛰어나 위진과 수당 이래의 풍류와 기골이다.

觀魯公此帖, 奇偉秀拔, 奄有魏晉隋唐以來風流氣骨. (황정견黃庭堅, 『제안노공첩題顏魯公帖』)

기器

물건인 기물 혹은 구체적 관직, 신분 등을 가리킨다. '기'는 형태가 있거나 구체적으로 묘사 가능한 것이다. 모든 '기'는 각각 특정한 형태, 쓰임새 혹은 능력이 있다. 따라서 '기'와 '기' 사이에는 분명한 경계와 차이가 있다. 하지만 서로 다른 '기'에는 공통된 '도'가 내재되어 있다.

'기'의 존재는 '도'에서 기원하며 '도'에 의지한다. 사람의 일에 대해 말하자면 개인이 자기 직분이 있어서 특정한 책임을 지고 있지만 구체적이고 제한된 쓰임새를 초월하여 '도'를 인식하고 따르기 위해 노력해야 한다.

예)

형이 생기기 이전을 도道라 하고 형이 생긴 후의 것을 기器라 한다.

形而上者謂之道, 形而下者謂之器. (『주역周易 · 계사系辭 상』)

공자가 말했다. "군자는 하나의 쓰임새에 한정되지 않는다."

子曰, "君子不器."(『논어論語 · 위정爲政』)

소박한 도를 흩어놓으면 여러 기器가 되는데 성인은 서로 다른 쓰임새의 기를 적절히 쓸 줄 알아 백관의 수장이 된다.

樸散則爲器, 聖人用之則爲官長. 『노자老子 · 28장』)

기幾

사물의 탄생 혹은 변화의 징조. 옛사람들은 새로운 물체가 생기거나 오래된 물체에 변화가 생기거나 사람의 본성에 선과 악의 분화가 생기기 전에는 모두 미세한 징조가 나타난다고 여겼는데, 이것이 '기'이다.

'기'는 때때로 밖으로 드러나거나 오래된 물체의 내부에 숨겨진다. 사람은 마땅히 기조幾兆를 발견하고 파악하는 능력을 길러야 한다. 물체의 출현 혹은 변화의 기조를 잘 알아채고 적시에 이용해야만 비로소 사물이 발전하고 변화하는 방향을 예견하고 파악함으로써 이익은 취하고 손해는 피할 수 있다.

예)

'기'란 사물 변화의 미세한 징조로 길흉의 결과를 암시한다. 군자는 길조를 발견하면 적시에 행동하고 주저하지 않는다.

幾者, 動之微, 吉凶之先見者也. 君子見幾而作, 不俟終日. (『주역周易 · 계사하系辭下』)

'기'란 사물 변화의 미세한 징조로 사람이 가진 본성의 선과 악이 그로써 나뉜다.

幾者, 動之微, 善惡之所由分也. (주돈이周敦頤, 『통서通書 · 성기덕誠几德』)

기氣

주관적 의식 밖에 독립적으로 존재하는 물질적 실체로서 형체를 가진 모든 사물을 구성하는 원초적 물질 재료인 동시에 생명과 정신이 발생하고 존재할 수 있는 기초이다. 이밖에도 몇몇 사상가가 '기'에 도덕적 속성을 부여하기도 했다. '기'는 구체적인 형상이 없고 영원히 운동과 변화 속에 존재한다. 그리고 '기'의 응집은 사물의 생성을, '기'의 흩어짐은 사물의 소멸을 의미한다. 이처럼 '기'는 형체를 가진 모든 사물의 안팎을 관통한다. 철학적 의미에서의 '기'는 상식적인 '기체' 개념과는 다르다. '기체'는 각종 비액체, 비고체의 존재를 가리키기 때문이다. 철학적 차원에서 보면 액체, 고체는 형체를 가진 사물이고 그 생성과 존재 역시 '기'가 응집된 결과이다.

예)
천하 만물을 관통하는 것은 하나의 '기'일 따름이다.
通天下一氣耳. (『장자 · 지북유知北遊』)

천지의 기가 합쳐져 만물이 자연적으로 생겨났다.
天地合氣, 萬物自生. (왕충王充, 『논형論衡 · 자연自然』)

기리肌理

본래는 살갗의 결을 뜻하는데 파생되어 사물의 세밀한 조리를 가리키게 되었다. 문학 용어로는 청대의 옹방강이 맨 처음 제시했으며 의리義理와 문리文理, 두 측면을 함께 가리켰다. 의리는 시가 말하는 도리와 사리事理로서 주로 유가의 사상과 학문에 부합한다. 그리고 문리는 시의 조리 혹은 맥락으로서 주로 시의 구조, 격률 그리고 창작 기법을 가리킨다. 명청 이후, 성령파性靈派는 문학이 개인의 성정만 표현하고 교화는 포기해야 한다고 주장했으며 신운파神韻派는 참신하고 현묘한 시의 의경意境을 찬미했다. 옹방강은 이 두 가지 주장에 다 반대하고 송시宋詩의 창작 원칙과 방법을 추종했다. 의리에 있어서는 경전의 내용을 기준으로 학문을 바탕으로 삼자고 했으며 문리에 있어서는 형식이 세밀하고 우아하면서도 내용에 충실해야 한다고 했다. 기리파는 청대 건륭乾隆과 가경嘉慶 시기, 경학과 고증학의 성행을 배경으로 형성되었다. 옹방강은 시의 내용과 형식의 유기적인 결합을 선양하면서 학자들로 구성된 시 유파를 만들었다. 하지만 그는 학문과 고증으로 시를 짓는 것만 고취한 탓에 동시대와 후대의 문예 비평가들에게 비판을 받았다.

예)

나는 나와 예전 사람의 견해가 같은지 다른지 개의치 않으며 그 견해들이 옛 사람에게서 비롯되었는지, 요즘 사람에게서 비롯되었는지도 개의치 않는다. 단지 글의 조리와 의리를 세밀하게 분석해 어디에 치우치지 않는, 가장 합리적인 견해를 찾으려 할 뿐이다.

同之與異, 不屑古今, 擘肌分理, 唯務折中. (『문심조룡文心雕龍 · 서지序志』)

유가 경전에서 추구하는 '의리'의 '리'는 실질적으로 글의 도리와 사리이고, 동시에 글의 맥락과 조리이기도 하다.

義理之理, 卽文理之理, 卽肌理之理. (옹방강翁方綱, 『지언집서志言集序』)

사인士人들이 태어난 지금 이 시대는 마침 유학이 번성해 세상을 밝히고 있다. 그래서 학문하는 사람은 반드시 고증을 기준으로 삼고 시를 쓰는 사람은 반드시 기리를 기준으로 삼아야 한다.

士生今日, 經籍之光盈溢於世宙, 爲學必以考證爲準, 爲詩必以肌理爲準. (옹방강, 『지언집서』)

기상氣象

본래는 자연계의 경치와 만물 형상의 총칭이며 특정 시기 사회의 총체적인 정신적 풍모를 뜻하기도 한다. '기상'은 기개와 기세 및 경치와 풍물이라는 두 측면을 함께 가리킨다. 예술 영역에 구체적으로 적용되면 예술작품이 표현하는 풍격과 기개를 뜻하며 그 함의는 장대하고 웅장한 쪽으로 편중되어 '웅혼雄渾' '혼후渾厚' '쟁영崢嶸'과 같은 말로 수식된다. 당나라 때의 문학이론가들은 '기상'이라는 말을 시와 문장의 고상한 풍격과 풍모를 논술하는 데 사용하기 시작했다. 송나라 때부터 '기상'은 문학이론의 중요한 개념이 되어 시와 문장 및 서화 작품의 풍격과 기개를 평하는 말로 쓰였다. '기상'은 종종 특정한 문예시기의 정신적 풍모를 반영하는데 가령 성당盛唐 기상이라는 말은 성당 시대의 시 풍모를 말하는 동시에 창작자 개인의 포부와 기개와도 관련이 있다.

예)

성당 시기 여러 시인의 시는 마치 안진경顔眞卿의 서예 작품과 같이 필력이 웅장해 사람을 감동시킬 뿐만 아니라 기상 또한 질박하고 너그럽다.

盛唐諸公之詩, 如顔魯公書, 旣筆力雄壯, 又氣象渾厚. (엄우 『답출계숙임안오경선서答出繼叔臨安吳景仙書』)

무릇 문장을 지을 때는 기상이 높고 아름다우며 언어적 재능이 화려하게 나타나도록 해야 한다. 작가의 나이가 듦에 따라 지식이 풍부해지고 풍격이 성숙해져 마지막에는 꾸밈없이 자연스러운 경지에 이르러야 한다.

大凡爲文當使氣象崢嶸, 五色絢爛, 漸老漸熟, 及造平淡. (주자지周紫芝 『죽파시화竹坡詩話』에서 소식의 말을 인용한 부분)

오언율시는 두보의 작품만이 그 기상이 높고 비범하며 짜임새가 넓고 깊다.

五言律詩, 唯工部諸作氣象巍峨, 規模雄遠. (호응린胡應麟 『시수詩藪』)

기소불욕己所不欲, 물시어인勿施於人

자기가 하기 싫은 것을 남에게 억지로 시키지 않는다. 이는 공자가 주장한 '서도恕道'(자기를 미루어 타인에게 대하는 원칙)이다. 자기의 마음으로써 남의 마음을 추측하고 이해하는 것으로, 다시 말하자면 이른바 처지를 바꿔 생각한다, 입장을 바꾸어 생각한다는 의미이다. 이것의 철학적 기초는 '유사성'(사람의 본성은 비슷하다)이다. 이는 유가에서 인간관계를 다루는 중요한 원칙으로, 오늘날의 권력정치에 반대하는 국제 관계 원칙으로 확장되었으며 그 기본 정신은 인애, 평등과 관용이다.

예)

공자가 말했다. "사람의 본성은 비슷하지만 환경의 영향으로 차이가 생기는 것이다."

子曰: "性相近也, 習相遠也." (『논어論語 · 양화陽貨』)

자공이 물었다. "평생 따를 만한 한 마디 가르침이 있을까요?" 공자가 말했다. "서恕이다! 자기가 싫은 것은 남에게도 하지 말아야 한다."

子貢問曰: "有一言而可以終身行之者乎?" 子曰: "其恕乎! 己所不欲, 勿施於人." (『논어論語 · 위령공衛靈公』)

기운氣韻

회화, 서법, 문학에서 흘러나오는 기세, 운치와 생기. 문학예술 작품 자체가 전달하는 심미 감각이다. 처음에는 회화에서만 사용되었고, 먹과 붓의 사용이 적절하여 작품이 자연 산수의 모습을 표현해낼 수 있고, 화폭 위에 생기가 흘러넘쳐 필묵을 넘어 정신과 운치를 느끼게 하는 것을 뜻했다. 후에는 회화로부터 시문, 서법 등의 영역까지 사용범위가 점차 확대되었다. 실제 활용 시에는 '풍운風韻', '신운神韻'등과 비슷하며, 경험과 깨달음을 통해 가지게 되는 심미적 감각이다. 기운은 비록 작품을 통해 나타나지만 예술가 본인의 품격, 도량과 직접적인 관계가 있고, 타고난 천성에 속하기에 인위적으로 얻을 수 없다.

예)

육법이란 무엇인가? 첫째는 기운생동이요, 둘째는 골법용필이요, 셋째는 응물상형이요, 넷째는 수류부채요, 다섯째는 경영위치요, 여섯째가 전이모사이다.

六法者何? 一曰氣韻生動是也, 二曰骨法用筆是也, 三曰應物象形是也, 四曰隨類賦彩是也, 五曰經營位置是也, 六曰傳移模寫是也. (사혁『고화품록』)

기운은 붓 사이와 먹 사이에 두 가지로 나타난다. 먹을 사용하며 나타나는 기운은 많은 사람들이 깨달아 알고, 붓끝의 기운은 세상에 아는 사람이 드물다.

氣韻有筆墨間兩種. 墨中氣韻, 人多會得: 筆端氣韻, 世每鮮知. (방훈方薰『산정거화론山靜居畫論』)

기정奇正

'기奇'는 일반적이지 않은, 예상을 벗어나는 것이다. '정正'은 정면, 정상적인 것을 말한다. 『노자』에서 가장 처음 제시되었다. 주된 뜻은 두 가지이다. 첫째로는 군사용어로써, 서로 다른 두 가지의 용병 및 응전 방식을 뜻한다. '정'은 적의 작전 의도에 대한 이해를 기초로 삼아 정면으로 적과 싸우는 것이다. '기'는 자신의 전술을 숨긴 채 습격, 매복 등 수단을 기민하게 활용하여 예측하지 못한 효과를 냄을 말한다. '기'와 '정'은 서로 잘 결합하여 운용해야 한다. '기정'은 때로 일상적인 사무를 처리하거나 응대하는 데 사용되기도 한다. 둘째로는 문예비평 용어로써, 글의 사상 및 내용의 올바르고 기이함, 또한 표현의 고상하고 화려함을 뜻한다. 남조 유협(465?~520)은 제량 시기의 문단이 형식을 지나치게 중시하고, 새롭고 기이한 것에 편향된 폐단을 고치고자 '기정'을 문학비평의 영역에 적용했다. 그는 문학 창작의 사상과 내용은 유가 경전에 근거하되 표현의 화려함과 기이함을 잘 조화시켜야 한다고 주장했다. '정(바른 사상)'을 기반으로 '기(교묘하고 화려한 표현)'를 더해야만 글의 주지가 참신하면서도 어지럽지 않으며, 언어가 아름다우면서도 지나치게 과장되지 않다. 후세에는 시 평론 및 희곡 비평에서도 이 용어를 사용하게 되었다.

예)

올바른 방식(청정의 도)으로 나라를 다스리고, 기이한 방법으로 군사를 부리고, 백성에게 거슬리지 않음으로 천하를 다스린다.

以正治國, 以奇用兵, 以無事取天下. (『노자 · 57장』)

대체로 전쟁은 정면으로 적에게 대응하고 의외의 방식으로 병사를 움직여 승리한다. 그래서 의외의 전술에 능한 사람은 기이한 용병의 수단이 천지와 같이 무궁무진하고, 강물처럼 끊이지 않는다.

凡戰者, 以正合, 以奇勝. 故善出奇者, 無窮如天地, 不竭如江海.(『손자 · 병세兵勢』)

그러므로 글을 읽고 비평하려면 여섯 가지를 먼저 주목하여 고찰해야 한다. 첫째는 위체, 둘째는 치사, 셋째는 통변, 넷째는 기정, 다섯째는 사의, 여섯째는 궁상이다.

是以將閱文情, 先標六觀: 一觀位體, 二觀置辭, 三觀通變, 四觀奇正, 五觀事義, 六觀宮商. (유협 『문심조룡 · 지음』)

기질지성氣質之性

'기'가 부여하거나 '기'의 영향을 받은 사람의 본성으로 '천명지성天命之性' 혹은 '천지지성天地之性'과 상대되는 말이다. '기질지성'은 두 가지 함의를 가진다. 첫째는 '기'가 부여한 사람의 천성을 가리킨다. 강하거나 부드럽거나 느긋하거나 급하거나 하는 성격을 가리키기도 하고 어질거나 어리석은 것과 같이 도덕적 함의가 담긴 성품을 가리키기도 한다. 이러한 의미의 '기질지성'은 '천명지성'과 함께 인간이 천성적으로 타고난 본성을 구성한다. 둘째는 '천리'와 '기'가 함께 영향을 준 인성이다. '천리'가 형태가 있는 육체 속에 들어오면 '기'의 영향을 받게 된다. '천리'가 부여한 도덕적 본성과 육체의 욕구가 뒤얽혀 '기질지성'이 된다.

예)

형태가 만들어진 이후에 기질지성이 생기니 이를 잘 되돌리면 천지지성을 보존할 수 있다.

形而後有氣質之性, 善反之則天地之性存焉. (장재張載, 『정몽正蒙 · 성명誠明』)

천지지성은 오직 이理를 가리켜 말한 것이고 기질지성은 이理와 기氣를 섞어 말한 것이다.

論天地之性, 則專指理言, 論氣質之性, 則以理與氣雜而言之. (『주자어류朱子語類』 권4)

기탁寄託

시가 작품에서 형상화를 통해 작가의 인식이나 감상을 담아내고 독자의 연상을 끌어내는 것을 가리킨다. '기'는 어떤 사상이나 개인의 감정을 시적 형상에 담는 것을 말하고, '탁'은 사물을 통해 비유하는 것을 가리킨다. 청대 상주사파常州詞派에서 제시한 문학 용어이다. 상주사파의 주요 인물 중 하나인 장혜언張惠言은 사詞가 『시경詩經』의 비흥比興과 풍유諷諭의 전통을 계승해야 한다고 주장했다. 주제周濟는 나아가 사 창작을 처음 배울 때는 기탁에 힘써서 작품의 함의를 풍부히 하고 독자의 상상력을 불러일으켜야 한다고 여겼다. 그리고 입문 후에는 기탁에 구애받지 않고 언어에 내용을 자연스럽게 녹여내야 한다. 이 주장의 본질은 관념의 선행을 반대하고 문학 자체의 특성을 강조하는 것으로 당시 문학 창작의 방향을 정해지는 데 진취적인 역할을 했다.

예)

사는 기탁하지 않으면 몰입하기 어렵고 기탁만 하면 뜻을 알아내기 어렵다.

夫詞, 非寄托不入, 專寄托不出. (주제, 『송사가사선목록서론宋四家詞選目錄序論』)

ㄴ

낙생樂生

생존하고 살아있는 것을 즐거워한다. 살아있고자 하며 죽고 싶지 않은 것은 인지상정이다. 이는 천하를 다스리는 자가 백성을 물과 불로부터 구해 민심을 얻고 자신의 정당성을 확립하는 기점이기도 하며 집정자가 반드시 엄수해야 할 최저선이다. 백성들로 하여금 갈 곳이 없게 하거나 생에 미련이 없게 해서는 안 된다. 이에 집정자는 최소한 이 두 가지를 주의해야 한다.

모든 기회를 창출해 백성이 살아갈 수 있도록 해야 하며 백성이 어려움에 닥치면 국가는 전력을 다해 도와야 한다. 그렇지 않으면 국가, 사회의 기본 질서가 유지될 수 없으며 더욱이 효율적인 통치를 할 수 없다. 이는 애인愛人 사상의 구현이며 호생好生과 방법은 다르나 같은 효과를 낸다.

예)

무릇 사람이라면 모두 죽는 것을 싫어하고 살고 싶으며 은덕을 좋아하고 이익을 좇는다. 천하의 사람들을 위한 이익을 도모하는 것은 도의를 대표한다. 도의를 대표하는 자는 천하의 사람들로부터 존경을 얻는다.

凡人惡死而樂生, 好德而歸利.能生利者, 道也.道之所在, 天下歸之. (『육도六韜 · 문도文韜 · 문사文師』)

사람들이 살고자 하는 마음을 잃으면 군주도 존경을 받을 수 없게 되고, 사람들이 죽음을 두려워하지 않게 되면 정령 또한 실시할 수 없게 된다.

人不樂生, 則人主不尊; 不重死, 則令不行也. (『한비자韓非子 · 안위安危』)

사람들이 죽음을 두려워하지 않게 되면 죄를 다스리는 것으로 그들을 두려워하게 할 수 없으며, 사람들이 살아있고자 하는 마음을 잃으면 선을 향하도록 권할 수 없게 된다.

民不畏死, 不可懼以罪; 民不樂生, 不可觀(勸)以善. (순열荀悅『신감申鑒 · 정체政體』)

낙천지명樂天知命

천도天道에 기꺼이 순종하고 운명의 한계를 알다. 『주역 · 계사系辭 상』에 나온다. 천도는 인간사의 법칙을 정하고, 운명은 사람의 능력을 제한한다. 이런 것들은 모두 사람의 힘으로 바꿀 수 없으며 사람은 이를 알고 담담히 받아들여야 한다. 사람은 하늘과 운명이 정한 범위와 한도 내에 있으며, 자신의 끊임없는 노력을 통해 덕을 수양하고 공적을 쌓음으로써 하늘과 운명에 기꺼이 순종할 수 있다.

예)

성인은 상황에 맞게 대응하면서도 절제할 수 있으며, 하늘의 뜻에 기꺼이 따르며 운명의 한계를 알기 때문에 걱정하지 않는다.

旁行而不流, 樂天知命, 故不憂.(『주역 · 계사 상』)

난세지음亂世之音

어지러운 시대의 음악을 가리킨다. 유가에서는 음악과 사회정치는 서로 연관이 있으며 음악이 한 나라의 정치적 흥망성쇠 및 사회 풍속의 변화를 반영할 수 있다고 여겼다. 한 나라의 정치가 부패하고 사회가 어지러우면, 그 나라의 음악과 시가 등의 문예작품은 반드시 원한과 분노가 가득하다. 통치자는 반드시 정치적 폐단을 즉시 검토하고 바로잡아서 패망하는 결말을 피해야 한다.

예)

어지러운 시대의 음악은 원한과 분노가 가득한데 이것은 정치가 혼란한 연고이다.

亂世之音怨以怒, 其政乖. (『예기禮記 · 악기樂記』)

정나라와 위나라의 음악은 어지러운 시대의 음악으로 가볍고 느리며 절제가 없다. 복수濮水 강가의 뽕나무 사이에서 유행하는 음악은 국가가 망하기 직전의 음악에 속한다. 이것은 시정이 극단적으로 혼란하여 민중이 거처를 잃고 떠돌아다니고 신하가 임금을 속이고 사사로운 이득을 도모해도 막을 수가 없음을 드러낸다.

鄭衛之音, 亂世之音也, 比於慢矣. 桑間濮上之音, 亡國之音也. 其政散, 其民流, 誣上行私而不可止也. (『예기禮記 · 악기樂記』)

남북서파南北書派

중국 서예의 서로 다른 풍격을 지닌 두 유파이다. 송대의 구양수歐陽脩(1007~1072), 조맹견趙孟堅(1199~1267), 청대의 진혁희陳奕禧(1648~1709), 하작何焯(1661~1722) 등이 남북 서체의 풍격의 차이에 대해 논의한 바 있다. 청대 완원阮元(1764~1849)의 『남북서파론南北書派論』은 이 문제에 대해 더욱 명확하고 자세하게 서술하고 있다. 완원에 따르면 남 · 북 두 유파는 모두 종요鍾繇(151~230)와 위관衛瓘(220~291)으로부터 생겨났고, 삭정索靖(239~303)이 북파의 시조이다. 북파의 서법은 비碑를 위주로 하고 한나라 예서隸書[한예漢隸]를 계승하며 서풍이 고풍스럽고 수수하다. 남파의 서법은 첩帖을 위주로 하며 대부분 전서篆書나 예서를 배우지 않고 진서眞書, 행서行書, 초서草書를 숭상하며 서풍이 미려하다.

예)

진송晉宋 시기 이후에 서예는 남북으로 나뉘었다. …… 북파는 서법이 질박하고 예서에 능했으나 진晉나라 때의 고아한 운치가 없었다.

晉宋而下, 分而南北……北方多樸, 有隸體, 無晉逸雅. (조맹견, 『논서論書』)

동진東晉, 송宋, 제齊, 양梁, 진陳의 서법을 남파라고 하고 조趙, 연燕, 위魏, 제齊, 주周, 수隋의 서법을 북파라고 한다. …… (남파의 서예가는) 상주문, 공문서, 서신 등을 잘 쓴다. …… (북파의 서예가는) 비문, 편액 등을 잘 쓴다. …… 당나라 초기에 태종 이세민은 특히 왕희지王羲之의 서예를 좋아했는데 대신인 우세남虞世南이 본받아 배워 왕희지 일가의 서법이 더욱 빛을 발하고 남북파 서법의 장점을 겸비하게 되었다.

東晉, 宋, 齊, 梁, 陳, 爲南派, 趙, 燕, 魏, 齊, 周, 隋, 爲北派也. ……(南派)長於啟牘……(北派)長於碑榜. ……至唐初, 太宗獨善王羲之書, 虞世南最爲親近, 始令王氏一家兼掩南北矣. (완원,『남북서파론』)

남희南戲

북송 말년부터 명말청초明末清初까지 남방 지역에서 유행한 한족의 희곡이다. 송 황실이 남쪽으로 천도하던 당시 온주溫州 지역의 전통극에서 유래하였으며 당시에는 전기傳奇, 희문戲文 혹은 온주잡극溫州雜劇, 영가잡극永嘉雜劇, 영가희곡永嘉戲曲 등으로 불렸다. 민간의 곡조가 잡극雜劇에 융합된 것이 특징으로 농촌의 민간가요를 기초로 발전하기 시작했다. 처음에는 음계, 박자에 대해 특별한 조건 없이 자연스러운 흥얼거림을 노래화한 정도였다. 원대 고명高明(1301?~1370?)이 창조한 『비파기琵琶記』는 남희의 형식을 완성한 작품이다. 남희는 송대 잡극을 계승하는 한편 명대 전기의 서막을 열었다. 작품은 편폭이 길고 다양한 역할이 등장하며, 각 배역이 모두 노래를 할 수 있다. 『형차기荊차記』, 『유지원백토기劉志遠白兎記』, 『배월정拜月亭』, 『살구기殺狗記』는 남희의 대표작이다. 중국 남방 희곡의 많은 곡조는 남희를 기초로 발전하였다.

예)

(용루경과 단지수는) 모두 금문고의 여식으로, 모두 자색이 뛰어나고 남희에 능하다.

(龍樓景, 丹墀秀)皆金門高之女也, 俱有姿色, 專工南戲.(하정지夏庭芝『청루집靑樓集』)

금, 원 시기의 사람들은 북희를 잡극, 남희를 희문이라 불렀다.

金元人呼北戲爲雜劇, 南戲爲戲文.(何良俊『사우재총설四友齋叢說 · 사곡詞曲』)

내미內美

내면의 아름다운 성정과 품성. 굴원屈原의『이소離騷』에서 처음 보인다. 선천적으로 타고난, 가족으로부터 물려받고 유년기의 환경 속에서 형성된 미덕을 가리킨다. 이에 뒤따르는 개념은 '수능修能'으로, 처음 사물의 이치를 알게 된 때부터 자각 속에서 주체적으로 인품을 수양하고 재능을 키우는 것을 가리킨다. 나중에는 이 용어를 통해 작가는 내면의 아름다운 성정과 품성을 지녀야 하고 고상한 인격이 고상한 문학을 결정함을 강조하였다.

예)
나는 아름다운 성품을 타고났고 게다가 훌륭한 재능을 키웠다.
紛吾既有此內美兮, 又重之以修能. (굴원屈原,『이소離騷』)

문학을 창작하는 일은 두 가지 모두 필요하며 하나라도 모자라서는 안 된다. 사의 경우 성정을 펼치는 문학이기 때문에 특히 타고난 내면의 성품이 중요하다.
文學之事, 於此二者, 不可缺一. 然詞乃抒情之作, 故尤重內美. (왕국유王國維,『인간사화산고人間詞話刪稿』)

년年

문자학적으로 '년'의 본래 의미는 곡식이 익다, 즉 수확의 의미이다. 농작물은 대부분 1년에 한 번 수확하므로 '년'은 점차 '해'와 동일화되었고 역법의 시간 단위(1년)가 된 후 설(춘절)의 의미로까지 발전했다. 역법상 '년'은 중국 전통 농사력(음양력)의 한 시간 주기를 뜻하며, 평년 12개월, 큰달 30일, 작은달 29일, 한 해 354일 혹은 355일이다. 시간 주기로써 년은 중국 고대의 농업생산과 밀접한 관계가 있으며, 농경사회의 시간 의식과 사상 관념을 반영하고 있다. 근대에 들어 서양 역법(양력)이 중국에 들어오고 1912년 중화민국에서 정식 채택되면서 양력과 음력을 병행하는 음양력 체계가 형성되었다. 따라서 현재 '년'은 음력의 시간 주기인 동시에 양력의 시간 주기를 가리키기도 하며, 이는 구체적인 문맥에 따라 정해진다.

예)
해마다 피는 꽃은 모습이 비슷한데, 해가 지날수록 사람은 이전과 같지 않네.
年年歲歲花相似, 歲歲年年人不同.(유희이劉希夷『대비백두옹代悲白頭翁』)

논설論說

고대 문체의 명칭. 고대에 주장하는 글을 폭넓게 이르던 용어이다. '논'은 어떤 이론 문제를 깊이 연구하는 글이고, '설'은 어떤 도리나 주장을 타인이 받아들이도록 하는 구두 또는 서면상의 발언이다. 남조의 유협(465?~520)은 논술문은 선인의 주장에 의지해선 안 되고 자신의 독립적인 견해가 있어야 한다고 보았다. 그는 하나의 이론 또는 주제를 놓고 경전 및 관련 자료에 의거하여 종합적으로 각 학파의 견해를 개괄, 빈틈없고 심도 있게 생각하고 분석하여 확실하면서도 합리적인 결론을 내려야 한다고 주장했다. 사람을 설득하기 위한 글이라면, 성의가 가득해야 하며 바른 도리와 대의를 밝혀 설명하고 전형적인 예시와 아름다운 표현을 잘 구사하여 설득력과 감화력을 높여야 한다. 그러나 거짓으로 결론을 유도해내서는 안 된다. 그는 또한 논술자는 독립적인 사고로 진리에 도달해야 하고, 자신의 마음을 따르되 독창적인 견해가 있어야 하며, 붓끝은 날카로워 주장을 정밀하게 펼쳐야 한다고 지적했다.

이러한 견해는 글의 우열을 판단하는 기본적 기준이자 글쓰기의 중요한 법칙으로 자리매김했다.

예)

성인이 영원한 도리를 강술한 저작을 '경'이라 하고, 경전을 해설하고 변함없는 도리를 설명한 것을 '논'이라 한다.

聖哲彛訓曰經, 述經叙理曰論. (유협『문심조룡 · 논설』)

본래 '논'의 문체는 옳고 그름을 가리기 위한 것으로, 구체적인 문제를 탐구하고 추상적인 이치를 찾아가며, 단단한 것을 뚫음과 같이 통하기를 구하고 고리로 깊은 곳의 물건을 꺼내듯 궁극적인 도리를 취한다.

原夫論之爲體, 所以辨正然否, 窮於有數, 追於無形, 鉆堅求通, 鉤深取極.(유협『문심조룡 · 논설』)

'설'에서 관건은 반드시 유리한 시기에 하고 정당한 도리여야 한다는 것이다. 이렇게 하여 받아들여지면 일을 이루는 데 도움이 되고, 받아들여지지 않아도 자신의 명예에 손해가 없다. 적을 속이기 위해서가 아니라면 오직 충성스럽고 믿을만해야 한다.

凡說之樞要, 必使時利而義貞, 進有契於成務, 退無阻於榮身. 自非譎敵, 則唯忠與信. (유협『문심조룡 · 논설』)

농담濃淡

농담濃淡은 색깔, 냄새, 맛 등의 깊고 얕음과 강함과 약함의 정도를 형용하는 데 쓰인다. 문예 영역에서 농담은 회화 색채의 농담을 가리키고 문학 언어의 화려함과 담백함, 예술 품격의 농염함과 담담함 그리고 감정을 표현하는 방식의 강렬함과 평담함 등을 가리킨다. 농濃과 담淡에는 변증이 존재하는데, 예를 들어 중국화의 필묵筆墨에는 줄곧 농과 담이 존재하고 농은 추한 정도에 미치지는 아니하고 담은 허망한 정도에 미치지는 않는데, 더욱이 수묵화는 묵 색깔의 농담을 더욱 중시하여 음양陰陽, 향배向背, 허실虛實, 소밀疏密, 원근遠近 등을 표현하는 데 사용된다. 이상적인 예술적 경지는 농담이 적절하며 기타 예술 형식도 농담에 있어 이와 동일한 것을 요구한다.

예)

문장은 창문과도 같아서, 좌우가 서로 들어맞는다. 문장은 강물과도 같아서, 물이 가득 차면 넘친다. 내용을 줄일지 늘릴지 가늠할 때 문장을 어떻게 더 짙게 하거나 더 담백하게 할지 헤아려야 한다. 넘치는 부분은 없애고 어지러운 부분은 잘라내어 문장의 부담을 줄여야 한다.

篇章戶牖(yǒu), 左右相瞰.辭如川流, 溢則氾濫.權衡損益, 斟酌濃淡. 芟(shān)繁剪穢, 弛於負擔. (유협劉勰『문심조룡文心雕龍 · 뇌비誄碑』)

이 그림의 정서는 고요하고 적막하고 길이와 폭이 짧고 작으며 붓칠을 적게 했지만 묵을 사용함과 색을 짙고 옅게 입힘 그리고 농담이 존재한다. 운무, 산수 등의 각종 자태가 분분히 드러나 볼 것이 너무 많이 다 볼 수 없는 지경인데, 필시 그가 자부하는 작품일 것이다.

此卷寂寥簡短, 不過數筆, 而淺深濃淡, 姿態橫生, 使人應接不暇, 蓋是其得意筆. (우무尤袤『발미원휘跋米元暉「소상도권瀟湘圖卷」』)

뇌비誄碑

고대 문체의 명칭으로 일정한 성취 혹은 덕행이 있는 고인을 위해 지은 짧은 애도의 글이다. 뇌誄는 주로 고인의 덕행을 서술하며 필자의 애상哀傷을 표현하고 통상적으로 운문 형식으로 쓴다. 비碑는 비석 위에 새기는 글로, 일반적으로 두 부분으로 나뉜다. 전반부는 고인의 생애를 간략히 적고 후반부는 운문 형식으로 고인의 업적과 품격을 찬미한다. 남조南朝 시기의 유협劉勰(465?~520)은 뇌비가 서술하는 대상은 제왕帝王에서 점차 일반 사람들까지 폭이 넓어졌으며 서술 목적은 고인의 정신이 영원하도록 하는 것이라고 생각했다. 뇌비는 사적事迹은 사실과 틀림없이 기록해야 하며 그 사적을 택해서 써야 한다. 덕행이 겸허했다는 것을 언급해야 하므로 고인의 착한 행실과 미덕을 많이 더하여 쓸 수 있다. 뇌문과 비문은 살아있는 사람이 고인을 추억하기 위한 것이므로 사람들의 영원을 바라는 마음의 소원을 만족시켜야 하며 미덕을 흠양하고 후대 사람을 격려하는 뜻 또한 지녀야 하므로 경솔하거나 간단하게 좋고 나쁨을 언급하는 것을 피해야 한다.

예)

뇌誄는 쌓는다는 뜻으로 고인의 덕행을 나열하고 찬사를 더하여 고인을 영원하게 하는 것이다.

誄者, 累也; 累其德行, 旌之不朽也. (유협劉勰『문심조룡文心雕龍 · 뇌비誄碑』)

비문碑文을 쓸 때는 역사가의 재능이 필요하다. 전반부의 서술은 역사 및 전기와 같아야 하며 후반부의 운문은 명문銘文과 같아야 한다.

夫屬(zhǔ)碑之體, 資乎史才, 其序則傳(zhuàn), 其文則銘. (유협劉勰『문심조룡文心雕龍 · 뇌비誄碑』)

능자득사자왕能自得師者王

스스로 스승을 찾을 수 있는 사람은 왕이 될 수 있다. 겸허히 남에게 배울 수 있는 사람만이 큰 성과를 낼 수 있다는 의미이다. '왕王'(wàng)은 원래 왕(wáng)을 칭함을 가리키는 말로로 국가의 최고 권력을 장악한다는 의미이며 대업을 이루거나 큰 목표를 실현한다는 의미로도 해석될 수 있다. 이 말은 두 가지 층위의 이치를 내포한다. 첫째는 권력을 장악한 사람이 권세가 있다고 거만해서 자신이 옳다고 여겨서는 안 되며 겸허한 마음으로 어진 이를 예의와 겸손으로 대해야 하고, 그렇게 해야만 많은 이의 보좌를 받아 사업을 이룰 수 있다는 이치이다. 둘째는 겸허히 배우며 남의 장점을 취해야만 끊임없이 풍부해지고 자신을 끌어올려 진정한 강자가 될 수 있다는 이치이다.

예)

스스로 스승을 찾을 수 있는 사람은 왕이 되고 남이 자신보다 못하다고 여기는 사람은 망한다. 겸손하게 묻는 것을 좋아하는 사람은 풍부하고 넉넉해지고 스스로 옳다고 여기는 사람은 좁고 작아진다.

能自得師者王, 謂人莫己若者亡. 好問則裕, 自用則小. (『상서尚書 · 중훼지고仲虺之誥』)

ㄷ

다행불의필자폐多行不義必自斃

도의에 어긋나는 일을 많이 하면 반드시 스스로 망하게 된다. '불의'는 행동이 도의에 반함을 이른다. '의'는 사회의 보편적인 도덕 규범이다. '의'는 또한 '의宜'와 통하며 도리에 따른다는 뜻이다. 중화민족은 예로부터 '의'를 중시하여 작게는 개인에서 크게는 나라에 이르기까지 모두 일을 행할 때 '의'에 근거할 것을 강조했다. 법을 어기고 나라와 백성에게 해를 끼치고 여러 가지 악행을 저지르는 사람은 모두 말로가 좋지 못하다.

예)
불의를 많이 저지른 자는 스스로 망하기 마련이니, 잠시 기다리십시오.
多行不義必自斃. 子姑待之. (『좌전左傳 · 은공隱公 원년』)

단견성정但見性情, 부도문자不睹文字

문학 작품의 아름다움은 작가의 본성과 진실된 감정을 드러내며 독자들로 하여금 마음으로 성정의 참됨과 아름다움을 받아들이게 하지만 문자의 존재는 느낄 수 없도록 한다. 당나라 시승詩僧 교연皎然이 처음 고안한 개념이다. 그의 주장은 첫 번째로 성정이 근본이 됨을 강조하고 문자는 도구라고 말한다. 두 번째로 집필자와 그 글을 읽는 사람 모두 표현은 잊은 채 의미에 집중해야 한다고 말한다. 세 번째로 문학 예술의 이심전심이라는 특징을 두드러지게 하며 마음을 다한 대화가 있어야 언어 외의 다중적 함의를 활성화할 수 있다고 말한다. 이는 중국 고대문학이 표상과 정서가 만들어내는 특징을 중시한다는 것을 보여준다.

예)

시구는 두 개 이상의 함의를 지니며 모두 언어 외적인 것을 가리킨다. 만약 사령운謝靈運과 같은 인물을 만나게 된다면 그의 작품을 자세히 읽을 때 시인의 진실된 성정을 느낄 수는 있으나 그의 말 자체에는 집중하지 못할 것인데, 이는 그의 작품이 대개 시가 창작의 가장 높은 경지에 이르렀기 때문이다.

兩重意已上, 皆文外之旨, 若遇高手如康樂公, 覽而察之, 但見情性, 不睹文字, 蓋詣道之極也. (석교연釋皎然『시식詩式 · 중의시례重意詩例』)

팔구로 된 두보의 시 『구일남전최씨장九日藍田崔氏庄』은 정기가 고요히 시 중에 깃들어 있는 것 같다. 때로는 활력이 넘치고 때로는 조용하고 우아하다. 또한 작가의 마음이 완전히 토로될 때까지 자유분방하게 오르내린다. 시인의 참된 감정을 느껴 시인의 문자적 표현에는 신경 쓰지 못한다.

[杜甫≪九日藍田崔氏莊≫] 通首八句, 一氣夷猶, 開合頓宕而出.但見情性, 不睹文字 (방동수方東樹『소매첨언昭昧詹言 · 속권사續卷四 · 두공杜公』)

단청丹靑

단과 청은 중국 고대 회화에서 자주 사용하는 두 가지 색깔이다. 초기 중국화에서 선을 긋고 색을 채울 때 단사丹砂와 청확靑雘과 같은 광물 안료를 자주 사용하였다. 때문에 '단청'이라는 말로 회화를 대신 지칭하기도 한다. 대표적인 단청 작품으로 서한西漢 마왕퇴馬王堆 1호 고분의 백화帛畵, 북위北魏와 수당隨唐 시기의 둔황 벽화 등이 있다. 이후에 단청은 점차 수묵으로 대체된다. 단청은 색이 선명하고 화려하기 때문에 쉽게 빛이 바래지 않아 고대에 단책丹册에는 공훈을 기록하고 청사青史에는 역사적 사건을 기록하였다. 역사가들은 역사책에 기록되어 오래도록 사라지지 않는다는 의미로 공훈이 뛰어난 경우를 단청으로 비유하기도 하였다.

예)
고개지는 회화(단청)에 매우 뛰어나 그림이 아주 절묘하였다. 사안이 그를 깊이 신임하여 인류가 생긴 이후로 존재한 적이 없었던 걸출한 화가라고 여겼다.
(顧愷之)尤善丹青, 圖寫特妙. 謝安深重之, 以爲有蒼生以來未之有也. (『진서晉書 · 고개지전顧愷之傳』)

따라서 그림(단청)으로 그 사람의 용모를 묘사하고 역사가는 그 사람의 공로를 기록한다.
故丹青畫其形容, 良史載其功勳. (조비曹丕, 『여맹달서與孟達書』)

달명達名

보편 사물에 통하는 이름. '달명'은 묵가의 명칭에 대한 분류의 일종이다. 묵가는 이름[명名]의 변별을 중시하여 사물을 적합한 이름으로 지칭해 명실상부를 실현해야 함을 강조했다. 묵가에서 사용하는 이름은 '달명', '유명類名', '사명私名' 세 가지로 나뉜다. '달명'은 가장 보편적인 이름으로 예를 들어 '물物'라는 이름이 있다. '물'은 모든 사물을 가리킬 수 있다.

예)
명은 달명, 유명, 사명으로 나뉜다.
名, 達 · 類 · 私. (『묵자墨子 · 경상經上』)

물物은 달명이다. 실체가 있는 사물은 반드시 그것을 지칭할 이름이 필요하다.

物, 达也. 有实必待文多[名]也. (『묵자墨子 · 경설상经说上』)

담박淡泊

욕심이 없고 평온하다. 처음에는 마음이 깨끗하며 욕심이 없고 염담한 삶의 태도를 가리켰다. 도가에서 '담淡'을 주장하며 담백하고 아무 맛이 없는 것이 지극한 맛이라고 여겼다. 이러한 사상은 '담박'이라는 심미적 관념이 형성되는 데 큰 영향을 미쳤다. 위진 시기부터 담박은 심미의 영역에서 사용되면서 농염하고 화려한 것과 대비되는 평안하고 청담한 미감과 풍격을 의미했다. 담박은 담백하고 아무 맛이 없는 것이 아니라, 정제를 거친 후에 평온하면서도 변화무쌍하고 수수하면서도 깊은 정취가 있는 것이다.

예)

군자의 행실은 마음의 평온함으로 몸을 닦고 검소함으로 도덕을 기르니, 담박하지 않으면 뜻을 밝힐 수 없고 평안하지 않으면 원대한 목표를 이룰 수 없다.

夫君子之行, 静以修身, 儉以養德, 非淡泊無以明志, 非寧靜無以致遠. (제갈량諸葛亮, 『계자서誡子書』)

오직 위응물과 유종원만이 간결하고 소박한 가운데서 섬세하고 농염함을 표현하여 담박함 속에 깊은 의미를 담으니 다른 사람들이 따라올 수 있는 경지가 아니다.

獨韋應物, 柳宗元發纖穠於簡古, 寄至味於淡泊, 非餘子所及也. (소식蘇軾, 『서황자사시집후書黃子思詩集後』)

담박명지淡泊明志, 영정치원寧靜致遠

명예와 이익에 담박해야 자기 뜻을 명확하게 할 수 있고, 마음이 영정해야 원대한 목표를 이룰 수 있다. '담박'은 욕심 없이 평온하다, 명리를 중시하지 않는다는 뜻이다. '영정'은 평안하고 고요하다, 외부에 의해 동요되지 않는다는 뜻이다. '치원'은 먼 곳에 다다른다, 원대한 목표를 이룬다는 뜻이다. 고대 중국인이 추구하는 자기 수양의 경지로 핵심은 명리를 대하는 태도에 있다. 명리를 탐내다가 그로 인해 지치지 말고 언제나 원대한 이상을 품고 그 이상을 실현하기 위해 전념하라는 의미를 담고 있다.

예)

따라서 담박하지 않으면 덕을 밝힐 수 없고, 영정하지 않으면 멀리 다다를 수 없고, 관대하지 않으면 두루 포용할 수 없고, 자애롭지 않으면 백성을 위로할 수 없고, 공정하지 않으면 판단의 권한을 가질 수 없다.

是故非澹薄無以明德, 非寧靜無以致遠, 非寬大無以兼覆, 非慈厚無以懷衆, 非平正無以制斷. (『회남자淮南子 · 주술훈主術訓』)

담박하지 않으면 뜻을 밝힐 수 없고 평안하지 않으면 원대한 목표를 이룰 수 없다.

非淡泊無以明志, 非寧靜無以致遠. (제갈량諸葛亮, 『계자서誡子書』)

| 당인불량當仁不讓

정의로운 일을 만나면 주동적으로 담당하고 미루어 물러나지 않는다. '인'의 본 뜻은 인덕으로 공자의 최고 이념이다. 일반적으로 마땅히 해야 할 모든 일, 즉 도의와 정의에 부합한 일을 가리킨다. '의부용사(義不容辭. 의리상 거절할 수 없다' '책무방대(責無旁貸, 자기의 책임은 자기가 져야 한다)'라고도 한다. 도의와 정의를 자기의 소임으로 여기고 과감하게 담당하고 실천하는 주체적인 정신을 강조한다.

예)

공자가 말했다. "마땅히 해야 할 인의의 일을 만나면 스승이라 하더라도 양보하지 않는다."

子曰: "當仁不讓於師". (『논어論語 · 위령공衛靈公』)

같은 "용기勇氣/용勇기"라도 다르게 사용될 수 있다. 어떤 이는 개인의 한 순간의 기분을 표출하기 위해 용기를 드러내고, 어떤 이는 정의로운 일을 위해 용기를 드러낸다. 군자의 용기는 도의를 위한 것이나 소인의 용기는 개인의 일시적인 기분을 드러내기 위해서이다.

勇一也而用不同. 有勇於氣者, 有勇於義者. 君子勇於義, 小人勇於氣. (『이정외서二程外書』 7권)

당행當行

숙련된 전문가를 뜻한다. 처음에는 시 평론에서 사용되었으며 시 작품이 시가 형식의 규범을 완벽하게 따르고 있음을 가리켰다. 나중에 고전 희곡 이론의 용어로 발전하였다. 크게 두 가지 함의가 있다. 첫째, 희곡 언어가 질박하고 평이하여 인물의 성격에 부합하고 무대에서 공연하기에 적합하다. 둘째, 희곡 작품 속 배역과 장면이 진실하고 생생하여 강한 감화력으로 관객이 몰입하게 만든다. 명대 희곡 이론에서 '당행'은 종종 '본색本色'과 연달아 사용된다. 당행이 되고 본색을 갖춘다면 매우 뛰어난 작품이다.

예)

희곡은 원나라에서 시작되었다. 당행을 중시하며 언어의 화려함은 중시하지 않는다.

曲始於胡元, 大略貴當行不貴藻麗. (능몽초淩濛初, 『담곡잡찰譚曲雜札』)

숙련된 자는 자기가 맡은 배역에 따라 곡진하게 모방하지 않는 부분이 없다. 마치 그 상황에 놓인 것처럼 말이다. 연기하는 이야기가 허구라는 사실을 완전히 잊고 관객들이 재미있을 때는 수염을 벌리고 웃고 화가 날 때는 손을 움켜쥐고 슬플 때는 얼굴을 가리고 눈물을 흘리고 선망할 때는 얼굴빛이 날아갈 듯하게 만들 수 있다. 그러므로 희곡의 걸작을 말할 때 첫 번째 기준은 당행이다.

行家者隨所妝演, 無不摹擬曲盡, 宛若身當其處, 而幾忘其事之烏有, 能使人快者掀髯, 憤者扼腕, 悲者掩泣, 羨者色飛. 是惟優孟衣冠, 然後可與於此. 故稱曲上乘, 首曰當行. (장무순臧懋循, 『원곡선서이元曲選序二』)

대교약졸大巧若拙

지극히 솜씨가 뛰어나면 겉보기에 투박하고 서투른 것 같다. 가장 뛰어난 기교는 완전히 자연스러우며 인공적인 꾸밈이 없다. 『노자老子』에서 나온 말이다. 노자는 순수하게 자연에 맡기고 아무것도 하지 않아야(무위無爲) 하지 않는 일이 없게 된다는(무불위無不爲) 사상을 제창했다. 후대에 와서 대교약졸은 문예창작에서 최고의 기교와 경지를 이르게 되었다. 문예 이론에서 대교약졸은 결코 '서투름을 기교로 삼거나' 기교를 완전히 배제하지 않으며 과도한 수식의 사용이나 기교를 위해 진력하는 일을 지양하고 소박하고 자연스러운 융합의 아름다움을 제창한다. 예술미와 예술기교의 최고 경지를 나타내는 대교약졸은 고대 중국의 서법, 회화, 조경예술 등 예술 형식의 공통된 지향점이다.

예)

매우 바른 사물은 굽은 듯이 보이고, 매우 공교한 솜씨는 서투른 것같이 보이며, 언변이 매우 뛰어난 자는 말이 어눌한 것처럼 보인다.

大直若屈, 大巧若拙, 大辯若訥. (『노자老子 · 45장』)

대국자하류大國者下流

대국은 큰 강이 수많은 냇물을 받아들이듯 스스로 낮은 자리에 위치해야 한다. 이는 국가 간의 관계에 대해 중국의 고대 철학자 노자가 제시한 중요 사상이다. 그 핵심 이념은 겸하謙下(자신을 낮추고 남을 대우함)의 덕에 있다. 노자가 보기에 나라와 나라 사이에 평화롭게 지내는 관건은 대국이 소국을 업신여기고 힘으로 괴롭히지 않을 수 있는지에 달려 있었다. 대국은 자세를 낮추고, 겸손하게 소국을 대하며 천하의 모든 냇물을 받아들이듯 아량을 보여주는 한편, 이를 통해 소국의 신뢰를 얻고 그들로 하여금 자신을 섬기게 하여야 한다. 마치 모든 물길이 큰 강을 향하는 것과 같다. 대국이 소국을 받아들이고 포용하면, 소국은 대국을 존중하고 그에 의지하며 조화롭게 공생하여 각자의 역할을 한다. 오늘날 '인류 운명 공동체'의 이념과 연원이 다르지 않다.

예)

대국은 강의 하류와 같이 천하의 교차점이자 천하의 여성성이 모이는 곳이어야 한다. 암컷은 종종 고요함으로 수컷을 이긴다. 고요함으로 낮은 자리에 있기 때문이다. 그래서 대국은 겸손한 태도로 소국을 대하면 소국의 신뢰와 의탁을 얻을 수 있다. 소국은 겸양의 태도로 대국을 대하면 대국의 용납과 포용을 얻을 수 있다. 그래서 어떤 나라는 낮춤으로써 얻고, 어떤 나라는 낮추고 얻는다. 대국은 소국을 규합하고 지키고자 할 뿐이고, 소국은 대국에 의지하고 그를 섬기고자 할 뿐이다. 둘 모두가 각자 원하는 것을 얻으려면 대국이 마땅히 자신을 낮추어야 한다.

大國者下流, 天下之交, 天下之牝. 牝常以靜勝牡, 以靜爲下. 故大國以下小國, 則取小國, 小國以下大國, 則取大國. 故或下以取, 或下而取. 大國不過欲兼畜人, 小國不過欲入事人. 夫兩者各得其所欲, 大者宜爲下. (『노자 61장』)

대도지간大道至簡

보편적이고 근본적인 이치 혹은 원칙일수록 사실은 쉽고 간단하다. '대도大道'는 자연, 사회의 보편 법칙과 사람들이 자연을 대하고 사회를 관리할 때 근본이 되는 원칙을 가리킨다. '간簡'은 알기 쉽고 분명하며 간단하다는 뜻이다. 나라를 다스리고 사회를 관리하는 것과 같은 상황에서 사용되는 개념으로 주로 두 층위의 함의를 지닌다. 첫째, 보편적이고 근본적인 이치일수록 간단하고 쉬워서 사람들이 간편히 익히고 실행할 수 있어야 한다. 둘째, '대도'는 세속과 동떨어져 높은 곳에 있는 원리가 아니라 그 원칙과 효용이 사람들의 일상생활 가운데 내포되어 있다. 번잡한 외부 현상을 통해 근원을 탐구해야만 사물의 본질과 규칙을 파악해서 간단한 방법으로 복잡한 문제를 해결할 수 있다.

예)

글 속의 지식에 통달하고 예로써 자신을 제약하며 가장 분명한 것에서 시작하여 가장 간단한 경지에 도달하면 중정中正(치우치지 않고 올바름)의 도道를 거스르지 않게 할 수 있다.

博文約禮, 由至著入至簡, 故可使不得叛而去. (장재張載, 『正蒙정몽 · 中正중정』)

무릇 도道란 가장 쉽고 가장 간단하며 가장 친숙하고 가장 평범하다. …… 따라서 일상생활 속에 구현되어 있지만, 사람들이 그것이 도인지 알지 못한다.

蓋道至易至簡, 至近至平常……故夫日用庸平, 人皆不知其爲道. (양간楊簡, 『자호시전慈湖詩傳』 권6)

『주역』이 광범위한 이유는 무한히 변용할 수 있는 데 있다. 무한히 변용할 수 있는 이유는 음양 두 가지 기뿐인 데 있다. 음양 두 기로 귀결되는 것은 음양이 가장 쉬어 이해하기에 어려움이 없고 가장 간단하여 실행하기에 어려움이 없기 때문이다.

『易』之所以廣大者, 以其能變通也. 所以變通者, 陰陽二物而已. 所以爲陰陽者, 至易而不難知, 至簡而不難能也. (항안세項安世, 『주역완사周易玩辭』 권13)

대동大同

유가의 이상인 태평성대로서 모두가 평등하며 서로 돕고 사랑하는 상태를 말한다. '소강小康'과 상대되는 말이다. 유가에서는 이것이 인류 사회 발전의 최고 단계라고 생각한다. 서양의 유토피아와 유사하며 그 주된 특징은 권력과 부의 사회적 공유, 사회적 평등과 안락한 생활, 모두에 대한 사회적 관심과 사랑, 모든 사물을 다 활용하고 모두가 능력을 다 발휘하는 것이다. 청나라 말과 중화민국 초기에는 서양에서 전래된 사회주의, 공산주의, 세계주의 등을 가리키는 개념으로 쓰이기도 했다.

예)

큰 도가 실행되는 시대에는 천하가 백성 모두의 것이고 현명하고 재능 있는 사람이 발탁되며 사람들 사이에서 성실함과 화목함이 중요시된다. 그래서 사람들은 자신의 양친과 자녀를 사랑할 뿐만 아니라 노인은 천수를 누리게 하고, 젊은이는 능력을 쓰이게 하고, 아이는 잘 자라게 한다. 그리고 홀아비, 과부, 고아, 무의탁 노인, 장애인, 병자가 다 보살핌을 받게 하니...... 이것을 바로 대동이라 부른다.

大道之行也, 天下爲公, 選賢與能, 講言修穆. 故人不獨親其親, 不獨子其子, 使老有所終, 壯有所用, 幼有所長, 矜寡孤獨廢疾者, 皆有所養...... 是謂大同. (『예기 · 예운禮運』)

대수살大收煞

전체 연극의 마지막 장. 이 용어는 연극 전체의 마무리에 대한 요구사항들을 포함한다. 즉, 극중 인물의 최후와 사건의 결과가 자연스럽고 합리적으로 어색하게 끝나지 않으며, 관중이 느끼기에 줄거리가 맥락이 맞고, 전개와 마무리가 있고 시작과 끝이 있으며, 원인과 결과가 있고, 심리적으로 긴장했다가 풀어지고, 기대했다가 만족하는 심미적인 즐거움, 대단원團圓의 맛이 있다고 느끼게 해야 한다. 이어(1611~1680)가 말한 "대단원"이란 가족이 헤어졌다가 다시 만나거나 연인들이 마침내 가정을 이루는 유형의 원만한 결말이다. 그리고 극본 구조를 하나의 완전한 원이라고 볼 때, 마지막 장이 바로 이 원을 연결 짓는 최종 단계이자 연극의 클라이맥스라 할 수 있다.

예)

전체 극본의 마지막 한 절은 대수살이라고 부른다. 여기서 어려운 점은 줄거리를 갈무리한 흔적이 없으면서도 자연스러운 마무리되는 재미를 느끼게 하는 것이다.

全本收場名爲大收煞. 此折之難在無包括之痕, 而有團圓之趣. (이어, 『한정우기 · 사곡부詞曲部』)

대신불약大信不約

진정한 신의는 언약에 한정되지 않는다. 중국의 옛사람들은 사람의 말이 곧 '신의信'이며, 신의는 사람을 사람답게 하는 고유한 규정이라고 여겼다. '신의信'란 맹약盟約, 서언誓言의 내재적 정신이며, '언약約'은 단지 '신의'의 표현 방식일 뿐이라고 여겼다. '신의'가 없다면 '언약'은 그저 공수표에 불과하다. '신의'가 있어야만 비로소 '언약'이 실제적인 의미를 갖게 된다. 이것이 강조하는 것은 신의의 정신이다.

예)

덕행이 매우 높은 사람은 한 관직을 맡는 데만 그치지 않는다. 보편적인 도리는 한 가지 사물에만 적용되지 않는다. 진정한 신의는 맹세나 서약을 요구하지 않는다. 사계절의 변화는 획일적 규칙에 얽매이지 않는다.

大德不官, 大道不器, 大信不約, 大時不齊. (『예기 · 학기學記』)

대용大用

가장 큰 활용으로, 원래 뜻은 외부 세계에서 도가 다양하게 실현되는 것 즉 도의 가장 큰 실현과 활용이다. 도가에서 내재한 도는 외부 세계의 변화를 주재하는 근본이다. 객관 세계의 다양한 형태는 모두 내재한 본질인 도에 의해 만들어진 것이고 사물의 본체와 작용(체용體用)이 일치한 결과물이다. 당대唐代의 사공도司空圖는 『이십사시품二十四詩品』에서 이 용어를 문학평론으로 끌어온다. 시의 풍부한 이미지에서 오는 아름다움이 사실은 작품의 내재한 정신과 외재적 형태가 일치하기 때문이라는 점을 강조하기 위해서이다. 시를 창작하고 감상할 때 반드시 현상과 본질의 아름다움이 이루는 조화에 대해 잘 인지하고 있어야 한다.

예)

도가 밖으로 나타날 때 웅대하지만 진실한 본체는 안에 충만해 있다. 허정虛靜으로 돌아가야 혼연한 경지에 다다르며 정신의 힘을 쌓아야 글이 웅장해질 수 있다.

大用外腓, 真體內充. 反虛入渾, 積健爲雄. (사공도司空圖, 『이십사시품二十四詩品 · 웅휘雄渾』)

대의정성大醫精誠

위대한 의사는 고명한 의술과 함께 제세의 마음도 가지고 있다. 이는 당대의 저명한 의학자 손사막孫思邈(581~682)이 『천금방千金方』에서 설명한 의사의 이념이다. '대의'는 평범함을 넘어 위대한, 존경받는 의사이다. '정'은 의술이 뛰어나면서도 더 완벽해지고자 노력하는 것이다. '성'은 오로지 환자를 살리고 병세를 돌보기에 여념 없는 마음이다. 직업과 도덕의 두 방면에서 과학 정신과 인도주의가 유기적으로 결합된 중국의 의학 정신을 요약하고 있다. 의자인심醫者仁心'(의사는 어진 마음이 있어야 한다), '현호제세懸壺濟世'(의술로 세상 사람을 구제한다)와 함께 역대 의사들이 숭상해온 바로써, 오늘날에도 여전히 현실적 의미를 지닌다.

예)

의술을 배우는 사람은 반드시 의학의 원리를 넓고 깊게 탐구하고, 정통하되 근면하여 게을리하지 않아야 한다…… 무릇 덕과 의술이 모두 뛰어난 의사가 병을 치료할 때는, 심신을 안정시키고 이익을 바라지 않으며 먼저 자비와 측은지심을 베풀어 환자를 고통에서 구하려는 결심이 있어야 한다. 만약 질병이 있어 도움을 청하는 자가 있으면…… 모두 동일한 눈으로 보아 자신의 가까운 친족과 같이 여겨야 한다. 또한 앞뒤 사정과 개인의 안위, 자신의 목숨을 아끼지 않고 병자의 고통을 자신의 것으로 여긴다…… 한 마음으로 환자를 돕기만을 바라고 명예를 얻으려는 생각에 시간을 버리지 않는다. 이러하면 창생이 존경하는 명의라 할 수 있다.

學者必須博極醫源, 精勤不倦…… 凡大醫治病, 必當安神定志, 無欲無求, 先發大慈惻隱之心,

誓願普救含靈之苦. 若有疾厄來求救者...... 普同一等, 皆如至親之想, 亦不得瞻前顧後, 自慮吉凶, 護惜身命, 見彼苦惱, 若己有之...... 一心赴救, 無作工夫形迹之心. 如此可爲蒼生大醫. (손사막 『천금방 · 논대의정성論大醫精誠』)

대일통大一統

국가의 사상과 법도의 통일성을 중시함. '대일통'이란 말은 동중서董仲舒(B.C. 179~104)가 제시한 것으로 『春秋』를 총괄하는 사상적 요지이다. 동중서는 국가는 법령과 제도를 통일해야 하며, 법령과 제도를 통일하기 위해서는 사상을 통일해야 한다고 여겼다. 사상이 어지럽고 통일되지 않으면 민중이 무엇을 지켜 따라야 할지 모르게 만든다. 동중서는 유가의 학설을 채택해 국가의 통일된 사상으로 삼았다. 동중서는 법제 나아가 사상의 통일을 중시하는 것이야말로 불변하는 법칙이라고 생각했다.

예)

『춘추春秋』는 국가 사상과 법도의 통일을 중시했는데 이것은 하늘과 땅의 영원한 법칙으로, 예나 지금이나 통하는 도리라고 보았다. 요즘, 스승들이 서로 다른 도리를 가르치고 사람들은 서로 다른 의견을 발표하여 백가의 학설이 서로 다르며 뜻이 다르다. 그래서 높은 위치에 있는 자는 통일된 표준을 지키기 힘들다. 법령과 제도가 여러 차례 바뀌므로 백성이 무엇을 준수해야 할지 알지 못한다. 나는 육예六藝의 과목 및 공자와 관련된 학설에 속하지 않는 것은 모두 금지하여 모두 발전하지 못하게 해야 한다고 생각한다. 바르지 못한 학설은 금지하여 근절시켜야 기강이 통일되고 법령과 제도가 명확하게 드러나 민중이 따라야 할 법칙을 알게 된다.

『春秋』大一統者, 天地之常經, 古今之通誼也. 今師異道, 人異論, 百 家殊方, 指意不同, 是以上亡以持一統; 法制數變, 下不知所守. 臣愚以爲諸不在六藝之科孔子之術者, 皆絕其道, 勿使並進. 邪辟之說滅 息, 然後統紀可一而法度可明, 民知所從矣. (『한서漢書 · 동중서전董仲舒傳』)

대장부大丈夫

이상적인 인격의 칭호이다. '대장부'가 될 수 있는지 여부는 개인적인 공훈과 업적이 크고 작음에 의해 결정되지 않는다. '대장부'를 판단하는 근본적인 기준은 '도'에 대한 그 사람의 인지와 견지에 있다. 그러나 각 사상가마다 '도'에 대한 이해가 다르므로 '대장부'에 대한 구체적인 요구사항에도 차이가 존재한다. 맹자는 '대장부'는 천하의 원대한 뜻을 실행해야 하고 항상 도의를 지키며 선 자세를 바르게 하며 외부 사물의 영향을 받지 않을 것을 강조한다. 노자는 '대장부'는 마땅히 허황된 예의 규범을 버리고 무위無爲의 방식으로써 꾸밈없는 자연의 상태로 돌아가야 한다고 생각했다.

예)

천하에서 가장 넓은 곳에 살며 천하에서 가장 적당한 위치에 서고 천하의 큰 도를 따른다. 뜻을 얻었을 때는 백성과 함께 큰 도를 따라 실행하고, 뜻을 얻지 못했을 때는 홀로 그 도를 따른다. 부귀가 그의 품행을 예의에서 벗어나게 할 수 없고, 가난이 그가 따르는 원칙을 바꾸게 할 수 없고, 권세가 그를 굴복시킬 수 없다. 이것이 이른바 '대장부'이다.

居天下之廣居, 立天下之正位, 行天下之大道; 得志, 與民由之; 不得志, 獨行其道. 富貴不能淫, 貧賤不能移, 威武不能屈, 此之謂大丈夫. (『맹자孟子 · 등문공하滕文公下』)

예란 충성과 신의의 부족을 상징하며 재난의 실마리이다. 앞서 설정한 갖가지 규범은 도의 겉치레이며 어리석음의 시작이다. 그래서 대장부는 일 처리를 후덕하게 하고 각박하게 하지 않으며, 성실하게 하고 겉치레만 하지 않는다. 각박하거나 겉치레만 하지 않고 후덕하며 성실한 방식을 취한다.

夫禮者, 忠信之薄而亂之首. 前識者, 道之華而愚之始. 是以大丈夫處其厚, 不居其薄; 處其實, 不居其華. 故去彼取此. (『노자38장老子三十八章』)

대전大篆

한자 변천 과정에서 나타난 서체의 일종. '소전小篆'과 대립된다. 좁은 의미로는 선진 시기 각석 서체인 주문籀文을 가리킨다. 전국 시기 진秦나라의 석고문石鼓文이 전형적인 사례이다. 주문의 특징은 필획이 무겁고 구성에 중첩이 많으며 금문金文보다 엄정하다. 넓은 의미의 대전은 '서동문書同文'(역주—문자의 통일을 가리킴) 이전의 금문金文과 주문 그리고 춘추전국 시기 각 나라의 각석刻石 문자를 포함한다. 진의 통일 이후 소전에 의해 대체되었다.

예)

『사주』는 총 15편이다. [반고班固 자주自注] 주周 선왕宣王 시기에 태사가 『대전』 15편을 지었는데 한漢 광무제光武帝 건무建武 연간(25~26)에 이미 6편이 소실되었다.

『史籀』十五篇. 周宣王太史作『大篆』十五篇, 建武時亡六篇矣. (『한서漢書 · 예문지藝文志』)

대전은 진나라 때 소멸하지 않았고 칠국七國 시기에 소멸했는데 옛날의 서법을 바꾸어 어지럽혔기 때문이다. 각 나라마다 글자의 형태가 달라 후대 사람들이 알아보지 못하는 글자가 있었다.

古籀之亡, 不亡於秦, 而亡於七國, 爲其變亂古法, 各自立異, 使後人不能盡識也. (오대吳大, 『설문고주보說文古籀補 · 서敘』)

대절大節

행동의 근본적인 원칙과 절도. '대절'은 '소절小節'과 대비되며 신분의 차이에 따라 사람들이 마땅히 짊어져야 할 근본적인 직책 및 그에 상응하는 행동 법칙이자 사람이라면 반드시 지켜야 할 분수이다. 일상적인 인륜 생활에서 사람들은 비록 잘못을 저지르나 보통은 '대절'에 어긋나지 않는다. 그러나 '대절'을 지키지 못하는 경우는 종종 극심한 압박 또는 유혹을 견뎌내지 못해서이다. 그러므로 '대절'을 지키는 것은 인간에 대한 가혹한 시험이다.

예)

국가에는 5가지의 '대절'이 있는데 그대는 이 모두를 위반했다. 군주의 권위를 두려워하고, 군주의 법령을 따르고, 지위가 높은 사람을 존경하며, 어른을 모시고, 가족을 부양하는 것이다. 이 다섯 가지는 모두 나라를 다스리는 중요한 법칙이다.

國之大節有五, 女皆奸之: 畏君之威, 聽其政, 尊其貴, 事其長, 養其親. 五者所以爲國也. (『좌전 · 소공원년昭公元年』)

증자가 말했다. "어떤 사람이 나이 어린 고아를 위탁할 만하며, 제후국의 법령을 유지하도록 위임할 만하고, '대절'의 시험 앞에서도 동요하지 않는다. 이런 사람이 군자인가? 군자이다."

曾子曰: "可以託六尺之孤, 可以寄百里之命, 臨大節而不可奪也. 君子人與? 君子人也." (『논어 · 태백泰伯』)

대체大體, 소체小體

맹자가 마음(심心)과 감각기관에 붙인 명칭으로 대인과 소인을 구분할 때 사용된다. 눈과 귀 등 감각기관이 '소체'이며 이러한 기관은 사고와 분별의 능력이 없어서 외부 사물과 접촉할 때 쉽게 끌려간다. '소체'만을 좇는다면 물욕에 빠져 소인이 될 것이다. 마음이 '대체'이며 마음에는 천성적으로 사고하고 분별하는 능력이 있다. 만약 주도적으로 '대체'를 확립할 수 있는 사람이라면 마음의 작용을 통해 마음속에 원래 있는 선단善端(사단四端, 인의예지仁義禮智)을 발견하고 끊임없이 확장하여 물욕에 기만당하지 않고 대인이 될 수 있다.

예)

공도자가 물었다. "모두 같은 사람인데 어떤 이는 대인이 되고 어떤 이는 소인이 되는 이유가 무엇입니까?" 맹자가 말했다. "대체를 따르면 대인이 되고 소체를 따르면 소인이 된다."라고 하였다.

公都子問曰, "鈞是人也, 或爲大人, 或爲小人, 何也?" 孟子曰, "從其大體爲大人, 從其小體爲小人." (『맹자孟子 · 고자告子 상』)

대학大學

'대학'의 개념은 다양한 의미로 사용된다. 첫째, 학교제도로 말하면 '대학'은 국가가 설립한 최고 등급의 학교, 즉 '태학太學'을 가리키며, 지방에서 설립한 '숙塾', '상庠', '서序'와 구별된다. 둘째, 가르치는 내용으로 말하면 '대학'은 소위 성인지학成人之學을 뜻하며, 주로 사람됨과 처신, 국정운영의 방법과 원칙을 가르친다. 문자나 구체적인 예의범절, 기예를 가르치는 '소학小學'과 구별된다. 셋째, 가르치는 목표로 말하면, '대학'은 학생이 건전한 인격과 덕성을 갖추도록 돕고, 국정을 이끌 인재를 길러내는 것을 뜻한다.

예)

고대의 교육은 가족마다 숙이 있고, 당党마다 상이 있고, 술術마다 서가 있고, 나라마다 학學이 있었다. 학생들은 매년 입학하여 2년마다 시험을 보았다. 첫해에는 경문의 구절과 경전 이해능력을 살폈고, 3년째에는 학업에 열중하는지와 학우 간 우애가 있는지를 평가했다. 5년째에는 지식이 박학한지, 스승과 친밀한지를 보았고, 7년째에는 학문을 논하고 벗을 사귀는 것을 평가했다. 이를 가리켜 소성小成이라고 했다. 9년째에는 여러 분야에 통달하여 독립적인 주관을 갖되 배운 바에서 어긋나지 않아야 했고, 이를 대성大成이라 했다. 이렇게 한 뒤에는 능히 민중을 교화하고 풍속을 개량할 수 있었다. 가까운 곳의 사람들은 그에게 마음으로 감복하고 먼 곳의 사람들도 의탁하게 되니, 이것이 바로 대학의 도이다.

古之敎者, 家有塾, 党有庠, 術有序, 國有學. 比年入學, 中年考校. 一年視離經辨志, 三年視敬業樂群, 五年視博習親師, 七年視論學取友, 謂之小成. 九年知類通達, 强立而不反, 謂之大成. 夫然後足以化民易俗, 近者說服, 而遠者懷之, 此大學之道也.(『예기 · 학기學記』)

대학의 도는 밝은 덕을 드러내는 데 있고, 민중을 가까이하는 데 있고, 언행을 지극히 선하게 하는 데 있다.

大學之道, 在明明德, 在親民, 在止於至善.(『예기 · 대학大學』)

덕德

'덕'은 두 가지 함의가 있다. 첫째, 개인의 훌륭한 품격이나 사람이 사회에서 더불어 살아갈 때의 훌륭한 품행을 뜻한다. '덕'의 본래적인 의미는 행위와 관련이 있어서 주로 외적인 도덕적 행위를 가리켰는데, 나중에 도덕적 행위에 상응하는 내적인 감정과 의식을 함께 가리키게 되었다. '덕'은 외적인 도덕적 행위와, 내적인 도덕적 감정, 도덕적 의식의 결합인 것이다. 둘째, 사물이 '도'를 따름으로써 얻어지는 특수한 규칙이나 특성을 가리키는데, 이것은 보이지 않는 '도'의 구체적인 현현이면서 사물의 발생과 존재의 내적인 바탕이다.

예)

하늘이 많은 백성을 낳으시니 사물이 있으면 법칙이 있다네. 백성은 보편적인 법칙을 지키고 그런 미덕을 잘 받드네.

天生烝民, 有物有則, 民之秉彝, 好是懿德. (『시경 · 대아大雅 · 증민烝民』)

도는 만물을 생성하고 덕은 만물을 모아 기른다.

德生之, 德畜之. (『노자 · 51장』)

덕성德性

사람의 도덕적 본성. 『예기禮記 · 중용中庸』에서 처음으로 쓰였다. 옛 사람들은 보편적으로 사람이 천성적으로 타고난 본성에는 사람의 외부에 대한 느낌과 욕구가 포함되어 있다고 인정했다. 그러나 인성에 도덕성이라는 요소가 포함되어 있는 지의 여부에 있어 옛 사람들은 서로 다른 견해를 가지고 있었다. 대부분의 유학자들은 인성에는 인의예지 등의 도덕적 기본 뿌리인 덕성德性이 동시에 존재한다고 보았다. 덕성은 일정한 수양과 노력을 거쳐야 선행이라는 열매를 맺을 수 있다.

예)

이에 군자는 덕성을 우러러보고 지식과 학문을 추구하여 자신의 앎을 넓혀 깊고 정밀한 경지까지 끌어올려 극히 고명한 자가 되면서도 중용의 도를 준행할 수 있다.

故君子尊德性而道問學, 致廣大而盡精微, 極高明而道中庸. (『예기禮記 · 중용中庸』)

덕성은 귀, 눈, 입, 신체 등의 기관에 서린 본성이 아니라 인의예지仁義禮智의 근원이며 마음의 본성에서 구비되는 것이다.

德性者, 非耳目口體之性, 乃仁義禮智之根心而具足者也. (왕부지王夫之『장자정몽주張子正蒙注』권이상卷二上)

덕성지지德性之知

마음의 작용에서 얻는 감각적 경험을 초월하는 인식으로 '견문지지見聞之知'와 상대되는 말이다. 장재張載가 처음으로 '견문지지'와 '덕성지지'를 구별하였다. 송대 유가에서는 생활 세계에 대한 인식이 두 가지 서로 다른 방식을 통해 실현된다고 여겼다. 눈과 귀가 보고 듣는 것을 통해 얻는 인식을 '견문지지'라고 했고 마음속에서 도덕 수양을 통해 얻는 인식을 '덕성지지'라고 하였다. '덕성지지'는 감각기관에 의지하지 않고 '견문지지'를 뛰어넘으며 생활 세계에 대한 근본적 인식이다.

예)

견문지지는 눈과 귀가 외부 사물과 접촉하여 얻는 인식이며 덕성을 통해 얻는 인식이 아니다. 덕성을 통해 얻는 인식은 견문에서 나오지 못한다.

見聞之知, 乃物交而知, 非德性所知. 德性所知, 不萌於見聞. (장재張載, 『정몽正蒙 · 대심大心』)

도광양회韬光养晦

장점은 감추고 단점은 보완한다. 도韬는 본래 칼집劍衣 혹은 활집弓袋을 뜻했으나 인신引伸되어 안에 숨긴다는 뜻이 되었다. 광光은 광망光芒, 광채를 뜻하며 비유되어 실력, 재능 등의 장점이라는 뜻을 가지고 있다. 도광韬光은 자신의 광채를 삼가는 것으로, 자신의 장점을 뽐내고 떠벌리지 않는 것을 가리켰다. 양養은 수양, 배양이라는 뜻을 가지고 있다. 회晦는 어둡우며 밝지 않다는 뜻으로 광光과 상대적이며 자신의 열세와 단점을 비유한다. 양회养晦는 수양을 강화하고 자신의 부족함을 보완함을 가리킨다. 이 표현은 중국인의 부드럽고도 내성적인 성품과 스스로 더 나아지고 발전하려는 정신과 기질을 보여준다.

예)

현명한 사람은 겸손하며 천성이 순수하고 겸양하는 사람은 자신을 늘 낮게 여긴다. 허심하고 스스로가 모든 것을 안다고 생각하지 않는 자는 늘 자신의 부족함을 바라보며 자신을 낮다고 여김과 동시에 더 높은 목표를 달성할 수 있다고 여긴다. 또한 자신이 부족하다고 생각하는 사람은 고상高尙한 인품과 덕성에 다다를 수 있다.

聖人卑謙，清靜辭讓者見下也，虛心無有者見不足也，見下故能致其高，見不足故能成其賢.(『문자文子 · 구수九守』)

스스로 나이가 어느 정도 들었다고 생각이 들 때에서야 평범함을 배울 수 있었고 주역周易에서 말하는 도리를 대강이나마 알 수 있었으며 서둘러 홀로 몰두하여 수양하여 장점은 감추고 단점은 보완해야겠다는 생각이 들었다.

自顧年老才庸, 粗知≪易≫理, 亦急擬獨善潛修, 韜光養晦. (정관응鄭觀應『성세위언盛世危言 · 자서自叙』)

도道

본래 뜻은 인간이 다니는 길인데 세 가지 함의로 파생되었다. 첫째,

다양한 영역의 사물들이 따르는 법칙을 뜻한다. 해, 달, 별이 운행하는 규칙을 천도라 하고 인간의 활동이 따르는 규칙은 인도라 한다. 둘째, 모든 사물과 사건이 따르는 보편적 법칙을 뜻한다. 셋째, 만물의 본원이나 본체로서 유형의 구체적인 사물을 초월하는 만물 생성의 시원인 동시에 만물의 존재와 인류 행위의 근거를 뜻한다. 유가, 도가, 불교 등에서 모두 도를 논하지만 서로 의미의 차이가 매우 크다. 유가의 도는 인의예악을 기본 내용으로 삼지만 불교, 도교의 도는 '공空', '무無' 쪽의 의미에 가깝다.

예)
하늘의 도는 멀지만 인간사의 도는 가깝다.
天道遠, 人道邇. (『좌전左傳 · 소공昭公 18년』)

형상 위에 있는 것을 도라고 한다.
形而上者謂之道. (『주역周易 · 계사상繫辭上』)

도都

나라의 수도. 국왕이 거주하며 정사를 처리하는 도시를 말한다. '도'와 '읍'의 구분은 다음과 같다. 종묘(조상과 선대 군주의 위패를 진열해 둔 곳)가 있는 도시는 '도'라 하며 종묘가 없는 도시는 '읍'이라 한다. 종묘는 대부 이상의 귀족 통치자가 조상에 제사를 지내는 사당으로 조상숭배사상의 산물이자 종법제도의 표현방식인 동시에 '도'의 근본적인 표지이다. 주나라 때는 각 제후국의 정치적 중심지를 모두 '도'라고 불렀으며 진, 한나라 이후에는 나라의 수도와 제왕이 정무를 보는 곳을 '도'라고 통칭했다. 나중에는 규모가 크고 인구가 많은 도시는 전부 '도'라고 부를 수 있게 되었다.

예)

모든 도시들 중에서 종묘와 역대 군주의 위패가 있는 곳은 '도'라 하고 없는 곳은 '읍'이라 한다.

凡邑, 有宗廟先君之主曰都, 無曰邑. (『좌전 · 장공莊公 이십팔년』)

한 나라의 도시를 '도'라 하는 이유는 그곳이 국왕이 거주하고 인구가 모이는 곳이기 때문이다.

國, 城曰都者, 國君所居, 人所都會也. (유희劉熙 『석명釋名 · 석주국釋州國』)

도문학道問學

지식과 학문을 추구하는 일에 종사하다. 도道: 따르다, 좇다. '도문학'이라는 말은 『예기禮記 · 중용中庸』에서 나왔으며 '존덕성尊德性'과 함께 도덕 수양의 기준이 되었다. 『중용』은 인간의 도덕 형성에는 천부적인 도덕적 본성을 발휘하는 것 외에 후천적으로 끊임없는 학습하는 일이 필요하다고 말한다. 지식과 학문을 연구하는 과정에서 경전을 통해 전승되는 도리를 파악하고, 이러한 도리가 삶의 세부적인 영역에서 요구하는 바를 끊임없이 체득하며, 나아가 도리에 대한 인지를 현실의 덕행으로 옮겨야 한다.

예)

그러므로 군자는 덕성을 존숭하고 학문을 좇는 일에 종사하니, 인식이 넓어지고 깊고 정밀한 곳까지 이르러 지극히 고명하며 중용의 도를 실행하게 된다. 옛 지식을 익히고 새로운 이해를 터득하여 사람들에게 돈후하며 예법을 숭상한다.

故君子尊德性而道問學, 致廣大而盡精微, 極高明而道中庸. 溫故而知新, 敦厚以崇禮. (『예기禮記 · 중용中庸』)

도법자연道法自然

'도'는 만물의 자연 상태를 본받고 이에 순응한다는 뜻. 이 명제는 『노자老子』에 등장한다. '자연'은 사물의 자주적이고 자유로운 상태를 말한다. '도'는 만물을 창조하고 기르지만 만물에 명령을 내리는 것이 아니라 만물의 '자연'을 본받고 이에 순응한다. 정치철학에서 '도'와 만물의 관계는 통치자와 백성의 관계로 표현된다. 통치자는 '도'의 요구에 따라 자신의 권력을 절제하여 무위無爲의 방식으로 백성의 자연 상태를 본받고 이에 순응해야 한다.

예)

사람은 땅을 본받고 땅은 하늘을 본받고 하늘은 도를 본받고 도는 만물의 자연을 본받는다.

人法地, 地法天, 天法道, 道法自然. (『노자 · 이십오장』)

도부동道不同, 불상위모不相爲謀

걷는 길이 다르면 어떻게 가야 할지 서로 의논할 수 없다. 사람의 주장, 신념 등이 다르면 한 길을 선택해 함께 같은 일을 해나갈 수 없다. 도道는 본래 도로를 뜻하지만 여기에서는 일반적으로 주장, 신념, 지향, 관점, 일을 행하는 원칙 등을 가리킨다. 도道는 본래 계획한다는 뜻을 지니는데 인신引伸되어 같은 일을 도모함을 가리킨다. 함께 일할 때 가장 중요한 것은 서로 공통된 목표 원칙을 달성하는 것인데 이것이 없다면 두 사람은 순리적으로 함께 해나갈 수 없으며 함께 가기 위해 원칙을 포기할 수도 없다. 원칙을 지켜나가는 것은 함께 가는 것을 거절하는 것이 아니라 원칙이 없이 타협하는 것을 거절하는 것이다. 사람과 사람이 함께 일을 해 나가고 국가와 국가가 함께 일을 해 나가는 것 모두 이 이치를 따른다.

예)

공자가 말했다. "'주장이 다르면 함께 일을 도모할 수 없다'는 것은 각자가 자신의 소견대로 행한다는 뜻이다."

子曰: "道不同, 不相為謀." 亦各從其志也. (『사기史記 · 백이열전伯夷列傳』)

소위 친구란 무언가를 함께 공유하는 사이이다. 원칙이 서로 같지 않다면 무엇을 함께 나눌 수 있겠는가?

友者, 所以相有也. 道不同, 何以相有也? (『순자荀子 · 대략大略』)

도심道心

도덕원칙에 부합하는 지각이자 의식이다. 도심道心과 인심人心은 서로 대조되며 고문 상서尙書 순자荀子 등의 전적에서 찾아볼 수 있다. 송나라의 유학자들은 도심과 인심이라는 개념을 특히 중시해 어휘에 담긴 의미를 해석하고 발휘하였다. 그들은 마음의 지각 활동을 다음과 같은 두 가지를 포함한다고 이해했다. 첫째, 도덕원칙을 준거하는 자각과 의식은 도심이다. 둘째, 귀와 눈 등의 신체 기관을 통해 생기는 외부에 대한 욕구는 인심이다. 도심은 천명으로부터 받은 본성이며 하늘의 도리에 부합하나 흔히 비밀스러워서 잘 드러나지 않는다. 사람은 응당 도심의 효용성을 발휘해 인심에 있는 과도한 욕망을 극복해야 한다.

예)

인심은 위험하고 도심은 은밀하다. 성실히 정의와 올바름의 길에 전심을 다해야 한다.

人心惟危, 道心惟微, 惟精惟一, 允執厥中. (『상서尙書 · 대우모大禹謨』)

마음의 지각과 의식은 사실 동일한 것이다. 그러나 인심과 도심은 차이가 있는 것으로 간주되는데 이는 인심은 몸의 감각으로부터 비롯된 사욕이지만 도심은 천명에서 비롯된 정의 원칙이기 때문이다. 따라서 이 두 가지 지각은 서로 다른 것으로 인심은 위험하고 불안정하며 도심은 은밀하고 쉽게 드러나지 않는다.

心之虛靈知覺, 一而已矣.而以為有人心, 道心之異者, 則以其或生於形氣之私, 或原於性命之正, 而所以為知覺者不同, 是以或危殆而不安, 或微妙而難見(xiàn)耳. (주희朱熹『중용장구서中庸章句序』)

도제천하道濟天下

'도'로 천하의 사람들을 구제한다. '도'는 도리, 도의를 가리키며 어떤 학설이나 사상이 될 수도 있다. '제'는 구제한다, 사람들이 고통에서 벗어나도록 돕는다는 뜻이다. '천하'는 세상의 모든 사람이다. '도제천하'에는 두 가지 의미가 있다. 첫째, '도'의 가치 유무와 크기는 천하 사람들에게 유익한가에 달렸다. 둘째, 군자 특히 지식인은 자기가 주장하거나 이해하는 '도'를 천하에, 경세제민經世濟民하는 데에 써야 한다. '경세치용經世致用'과 같이 '도제천하'는 중국의 전통 지식인이 지닌 학문으로 다스려 세상을 일으켜 세운다는 목표와 이상을 압축한 말로, 진리를 추구하고 견지하며 사회와 민생에 관심을 가지고 나아가 '천하를 자신의 책임으로 여기는' 인문 정신과 도덕적 경지를 보여준다.

예)

(성인의) 지혜가 만물에 미치고 도덕이 천하를 구제하니 허물이 없다.

知周乎萬物, 而道濟天下, 故不過. (『주역周易 · 계사系辭 상』)

(한유의) 문장은 여덟 왕조 동안 쇠락했던 문풍을 융성하게 하고 유가의 도로 타락한 천하를 구제하였고, 그의 충심은 황제의 노여움을 샀으니 용기가 삼군의 지휘자를 두려워 떨게 할 만하다.

文起八代之衰, 而道濟天下之溺, 忠犯人主之怒, 而勇奪三軍之帥. 소식蘇軾, 『조주한문공묘비潮州韓文公廟碑』)

독만권서讀萬卷書, 행만리로行萬里路

많은 책을 읽고 많은 곳에 가다. 열심히 책을 읽고 할 수 있는 한 많이 책 속의 지식을 받아들여 간접경험을 하는 동시에, 풍부한 직접 체험을 통해 시야를 넓히고 견식을 쌓는 것을 비유한다. 이론과 실제를 융합하고 간접경험과 직접경험을 결부시켜, 진짜 지식을 습득하고 배운 것을 실제로 활용할 수 있다.

예)
사람이 천지간에 살며 어떤 뜻을 가져야 하는가? 만 리 길을 가보지 않는다면, 만 권의 책을 읽는 것이다.
人生宇宙間, 志願當何如? 不行萬里路, 卽讀萬卷書. (고사기高士奇『호종잡기扈從雜記』4)

독서성령獨抒性靈, 불구격투不拘格套

문학 창작은 스스로의 진실되고도 독특한 성정을 토로하며 어떠한 격식과 공식에도 구애받지 않는다. 시대문학가 원굉도袁宏道(1568~ 1610)가 그의 아우 원중도袁中道(1570~1626)의 문학 창작을 비평한 것에서 비롯된 표현으로 후에 공안파公安派의 핵심 이론 주장이 되었다. 그 시대 전후에 칠자七子의 문필진한文必秦漢, 시필성당詩必盛唐이라는 복고주의 관점과 선명하게 대립되었다. 공안파는 문예가 개인의 성정에서 비롯됨을 강조하고 독창성을 강구하고 자유를 중시하며 구속을 반대하고 시인이 법칙에 제한을 받지 않을 것을 요구한다. 당시의 옛것을 받들고 따라하는 것이 성행했던 분위기 속에서 이러한 명제는 개성이 해방되고 전통에 반한다는 의의를 지니며 그 당시와 후대의 문예 창작에 긍정적인 영향을 미쳤다.

예)

(그의 시) 대부분은 자신의 진실되고도 독특한 성정을 토로하며 어떤 격식과 공식에도 구애받지 않는다. 본심에서 우러나온 것이 아니라면 절대로 붓을 들지 않는다. 자신의 감정과 객관적 풍경이 하나가 될 때 문자는 거대한 강물이 동쪽으로 흐르는 것처럼 웅장한 한 편을 이룬다. 독자들은 그의 글을 읽을 때 마음을 빼앗길 것이다.

大都獨抒性靈, 不拘格套, 非從自己胸臆流出, 不肯下筆.有時情與境會, 頃刻千言, 如水東注, 令人奪魂(원굉도袁宏道『서소수시叙小修詩』)

사람의 성정이 형성한 습성은 대개 억지로 바꿀 수 없으며 자신의 성정을 따라 사람 노릇을 하는 사람이라면 참된 성정을 가진 사람이라 할 수 있다.

性之所安, 殆不可強, 率性而行, 是謂真人. (원굉도袁宏道『식장유어잠명후識張幼於箴銘後』)

대체로 시가가 세상에 널리 퍼지는 것은 성정이 감화력이 있기 때문이며 높게 쌓아 올린 지식과는 상관이 없다.

凡詩之傳者, 都是性靈, 不關堆垛.(원매袁枚『수원시화隨園詩話』권오卷五)

독화獨化

천지 만물은 외부의 힘을 빌리지 않고 자기가 독립적으로 생성되어 변화한다는 뜻. 곽상郭象이 『장자주莊子注』에서 제시한 개념이다. '독화'는 구체적으로 세 가지 층위의 뜻을 포함하고 있다. 첫째, 천지 만물의 생성과 변화는 모두 자연적인 것이다. 둘째, 천지 만물의 생성과 변화는 모두 각자 독립적인 것이다. 셋째, 천지 만물의 생성과 변화는 모두 돌연히 발생하는 것이며 원인과 목적이 없다. '독화'라는 관념은 조물주의 존재를 부정하는 동시에 한 사물이 다른 사물이 발생하고 존재하는 원인이 된다는 사상을 부정한다. 하지만 세상 전체를 두고 보면 '독화'하여 생성된 만물은 서로 일종의 조화로운 관계 속에 처해 있다.

예)

사물은 모두 그 자체의 성질을 얻어, 외부의 도에 의지하지도 않고 내재된 요구에 따르지도 않고 어떠한 원인 없이 스스로 획득하여 독립적으로 생성되고 변화한다.

凡得之者, 外不資於道, 內不由於己, 掘然自得而獨化也. (곽상 『장자주』)

동광체同光體

청대 말기 동치同治(1862~1874), 광서光緒(1875~1908) 연간에 형성되어 민국시기 초기까지 이어진 시가詩歌 유파로 동치, 광서 연호에서 이름을 따왔다. 주요 시인으로 진삼립陳三立(1852~1937), 심증식沈曾植(1850~1922), 진연陳衍(1856~1937), 정효서鄭孝胥(1860~1938) 등이 있다. 이들은 송대 시가를 추앙했으며 '학인의 시'[學人之詩]와 '시인의 시'[詩人之詩]의 합일을 주장했다. 생각, 감정, 학문, 수양을 결합하며 의론을 시에 넣고 기예의 연마를 중시했으며 풍격이 웅건하고 힘차고 이른바 '황한지로荒寒之路'를 표방했다. 지역과 풍격에 따라 동광체는 다시 민파閩派, 절파浙派, 강서파江西派로 나뉜다.

예)

동광체는 정효서鄭孝胥와 내가 동치, 광서 연간 이래로 시를 쓸 때 성당盛唐 시기의 풍격을 따르지 않는 시인을 우스개로 부르는 말이다.

同光體者, 蘇戡與餘戲稱同光以來詩人不墨守盛唐者. (진연, 『침을암시서沈乙盦詩序』)

예전에 내가 도성에 있을 때 정효서가 나의 거처로 왔다. 그는 심증식이 지은 시가 나와 같은 동광체라고 알려주었다. 우리가 서로 증답한 여러 편의 작품은 빛깔과 향이 여전히 여러 해 묵은 술과 같았다.

往餘在京華, 鄭君過我邸. 告言子沈子, 詩亦同光體. 雜然見贈答, 色味若粢醍. (진연, 『동술사수시자배冬述四首視子培』 3편)

동귀수도同歸殊途

목적지가 같지만 가는 길이 다르다. '동귀수도'는 『주역周易 · 계사系辭 하』에서 나온 말이다. 크게 두 가지 의미가 있다. 첫째, 서로 다른 학파나 다른 사람들이 비록 사회질서나 가치에 대한 이해가 다르고 사회를 다스리는 방법에 관한 주장이 다르더라도 이들의 목표는 사회의 안정과 번영으로 똑같다. 둘째, 만물이 비록 각기 다른 모습으로 보이지만 하나의 같은 본질에 귀속된다.

예)

천하가 같은 목적지로 가지만 길이 다르고, 같은 문제를 고민하는데 백 가지 생각이 있다.

天下同歸而殊途, 一致而百慮. (『주역 · 계사 하』)

공자가 말하기를 "천하가 같은 목적지로 가지만 길이 다르고, 같은 문제를 고민하는데 백 가지 생각이 있다."라고 하였는데 하나의 본질에서 만물의 다양한 모습이 나온다는 말이다.

子曰, "天下同歸而殊途, 一致而百慮", 一本萬殊之謂也. (왕부지王夫之, 『주역외전周易外傳』)

동성파桐城派

청대에 영향력이 가장 컸던 고문古文 유파로 대표 인물들이 모두 안휘安徽성 桐城동성현 출신이어서 동성파라고 불리게 되었다. 강희康熙 연간(1662~1722)에 형성되었으며 전성기는 건륭乾隆(1736~1795), 가경嘉慶(1796~1820) 연간으로 명맥이 200년 가까이 이어졌다. 창시자인 방포方苞(1668~1749)는 "학문과 품행은 정희程頤와 주희朱熹를 본받고, 문장을 쓰는 것은 한유韓愈와 구양수歐陽修를 본받는다"[學行繼程朱之後, 文章在韓歐之間]라는 관점을 제시했으며 이는 학파의 기조로 자리 잡았다. 주요 인물로는 대명세戴名世(1653~1713), 유대괴劉大櫆(1698~1779), 요내姚鼐(1732~1815), 매증량梅曾亮(1786~1856), 방동수方東樹(1772~1853), 오여륜吳汝綸(1840~1903) 등이 있다. 동성파는 일반적으로 문文과 도道의 관계를 중시해 내용적인 면에서 '문이재도文以載道'를 추구하고 형식적인 면에서 '아결雅潔'함을 추구한다. 동성파의 주요 이론으로는 방포가 제시한 '의법義法'설, 요내가 제시한 '의리義理, 고거考據, 사장辭章'설, 유대괴가 제시한 '신기神氣'설이 있다. 동성파는 고문 글쓰기의 우수한 전통을 계승하고 산문 창작에 대해 체계적으로 이론을 총정리했으며 오랜 기간 명성을 누리다가 근대에 양계초梁啓超(1873~1929) 등 인물들이 '문계혁명文界革命'을 제창하면서 동성파가 보수의 상징이 되어 비판받게 되었다.

예)

'신神'은 글을 쓰는 사람이 가장 중요하게 생각해야 하는 요소이다. 글을 쓰려면 먼저 '기氣'가 왕성해야 한다. 그런데 만약 '신'이 '기'를 통솔하지 않으며 '기'는 의지할 데가 없어 마치 공기 중에 떠돌아다니며 의지할 데가 없는 상태와 같아진다. '신'은 '기'의 영혼이고 '기'는 '신의 구체적인 응용이다.' '신'은 '기'가 응집한 정수이다. 옛사람들이 다른 이에게 알려줄 수 있었던 것은 문장의 기법뿐이지만 만약에 문장의 '신'을 얻지 못하고 단지 기법만 따라 한다면 그 기법은 죽은 것에 불과하다.

神者, 文家之寶. 文章最要氣盛, 然無神以主之, 則氣無所附, 蕩乎不知其所歸也. 神者氣之主, 氣者神之用. 神只是氣之精處. 古人文章可告人者惟法耳, 然不得其神而徒守其法, 則死法而已. (유대괴, 『논문우기論文偶記』)

글을 쓰는 사람은 본보기가 있으면 잘 쓸 수 있고 변화가 있으면 크게 빛을 발할 수 있다. 오늘날 청대 태평성대에는 전대를 천백 배 뛰어넘었지만 유독 고문을 쓸 줄 아는 문인은 많지 않다. (글을 가장 잘 쓰는 이로) 과거에는 방포 선생이 있었고 지금은 유대괴 선생이 있으니 천하의 좋은 문장은 아마도 모두 동성에서 나오는 것 같다.

爲文章者, 有所法而後能, 有所變而後大. 維盛淸治邁逾前古千百, 獨士能爲古文者未廣. 昔有方侍郎, 今有劉先生, 天下文章, 其出於桐城乎?(요내, 『유해봉선생팔십수서劉海峰先生八十壽序』)

동정動靜

사물이 존재하는 두 가지 기본 상태이다. 구체적인 사물의 존재 상태를 말하자면 사물 이 운동하거나 정지해있는 상태이다. 두 가지 상태는 대립하지만 상호 의존하고 상호 전환되기도 한다. 하지만 사물의 항상적인 혹은 본질적인 존재 상태에 대해서 고대 사람들은 다양한 인식이 있었다. 유가에서는 '동'이 사물의 더욱 근본적인 존재 상태라고 생각했다. 천지만물은 영원히 변화와 운동 속에 있다. 반면 도가에서는 운동하는 구체적 사물은 '정'에서 시작되고 마지막에도 '정'으로 돌아간다고 여겼다. 또 불가에서는 모든 사물은 본질적으로 정지되어 있고 사람들이 보게 되는 운동과 변화는 단지 환상과 허구일 뿐이라고 주장했다.

예)

사물이 동정으로 변화하는 데는 규칙이 있어 이로써 사물의 강함과 부드러움을 판단한다.

動靜有常, 剛柔斷矣. (『주역周易 · 계사系辭 하』)

운동하는 사물이 멈추면 정으로 돌아가니 본체의 정이 동과 대응하는 것은 아니다.

凡動息則靜, 靜非對動者也. (왕필王弼, 『노자주老子注』)

마음은 다양한 사물이 변화(동)하는 가운데서 정의 본질을 탐구하니 비록 겉으로 변화(동)하고 있지만 정지한 것이다.

必求靜於諸動, 故雖動而常靜. (승조僧肇, 『조론肇論 · 물불천론物不遷論』)

동포同胞

같은 뱃속, 같은 부모에서 태어난 형제자매를 가리킨다. 친인親人, 일가인一家人이라고도 부른다. 북송北宋의 장재張載(1020~1077)는 만물이 모두 천지에서 생겨났다는 관념에 의거해 민포물여民胞物與(모든 사람들은 서로 형제자매이며 모든 살아있는 존재들은 동반자이다)라는 사상을 제안했다. 동포同胞라는 단어는 이로 인해 육친과 가족이라는 범위를 초월하여 같은 민족 혹은 국가 특히 사용하는 언어와 문화가 같은 사람을 가리키게 되었고 때로는 더 나아가 민족, 국가 등의 경계를 초월해 모든 인류를 총괄하여 가리킨다. 이는 동일한 선조, 언어와 문화의 근원을 찾아 사람들의 자기 민족 혹은 국가에 대한 소속감과 인정받는 느낌을 환기시키고 강화하며, 그 속에 내포된 평등, 박애라는 관념은 인류 공통의 정신적 자원이라 할 수 있다.

예)

친형제마저 모두 몸을 의탁할 곳이 없다는 것이 어찌된 일인가?

同胞之徒, 無所容居, 其故何也? (동방삭東方朔『답객난答客難』)

하늘은 아버지이고 땅은 어머니이다. 나와 같이 작은 자가 알아챌 새도 없이 천지 지간에서 살아가고 있다. 따라서 하늘과 땅을 충만하게 하는 기氣가 나의 형체를 구성하고 있고 하늘과 땅을 지배하는 도道가 나의 본성을 이루고 있다. 세상 사람 모두가 나의 동포이며, 만물이 모두 나의 동반자이다.

乾稱父, 坤稱母.予茲藐焉, 乃混然中處.故天地之塞, 吾其體; 天地之帥, 吾其性.民, 吾同胞; 物, 吾與也. (장재張載『서명西銘』)

각색의 사람들이 각자 다르지만 모두 나의 동포이며 나와 일체이거늘, 존경하고 사랑하지 않아야 할 자가 어디 있겠는가?

萬品不齊, 皆吾同胞, 皆吾一體, 孰非當敬愛者?(원황袁黃『료범사훈了凡四訓 · 적선지방積善之方』)

득도다조得道多助, 실도과조失道寡助

도의에 따라 행동하면 지지하는 사람이 많아지고, 도의를 저버리면 지지하는 사람이 적어진다. ‘도’는 도의, 정의이다. 중국인은 예로부터 도의를 숭상하여 도의가 전쟁이나 사업의 성패를 결정하는 역량이라고 생각했다. 도의를 잘 따라야 내부적으로 단결되고 민심을 얻을 수 있어 전쟁이나 사업에서 승리를 끌어낸다. 그렇지 못하면 인심을 얻지 못하고 고립무원의 지경에 이르러서 실패로 끝나버린다. 고대 중국의 '덕정德政'이라는 정치에 대한 인식이 구체적으로 드러나는 부분이다.

예)

"백성의 거처를 국경의 경계선으로 제한할 수 없으며 나라를 지키는 일은 산천의 험준함에 의지할 수 없으며 천하에 위세를 떨치는 일은 무기의 날카로움으로 이루어지지 않는다."라고 하였다. 도의에 따라 행동하면 도와주는 이가 많고, 도의를 저버린 사람은 도와주는 이가 적다. 도와주는 이가 적어지다 보면 친척도 그 사람을 배반하고, 도와주는 이가 많아지다 보면 천하 사람들이 순종하게 된다. 천하 사람들이 모두 순종하도록 만든 힘으로 친척에게마저 배반당하는 자를 공격하니, 군자는 싸우지 않으면 몰라도 싸우면 반드시 승리한다.

域民不以封疆之界, 固國不以山溪之險, 威天下不以兵革之利. 得道者多助, 失道者寡助. 寡助之至, 親戚畔之. 多助之至, 天下順之. 以天下之所順, 攻親戚之所畔, 故君子有不戰, 戰必勝矣. (『맹자孟子 · 공손추公孫醜 하』)

걸왕과 주왕이 천하를 잃은 것은 백성을 잃었기 때문인데 백성을 잃었다는 것은 민심을 잃은 것이다. 천하를 얻는 방법이 있으니 백성을 얻으면 천하를 얻을 것이다. 백성을 얻는 방법이 있으니 민심을 얻으면 백성을 얻을 것이다. 민심을 얻는 방법이 있으니 그들이 원하는 것을 모아주고 그들이 싫어하는 것을 시행하지 않으면 된다.

桀紂之失天下也, 失其民也. 失其民者, 失其心也. 得天下有道, 得其民, 斯得天下矣. 得其民有道, 得其心, 斯得民矣. 得其心有道, 所欲與之聚之, 所惡勿施爾也. (『맹자孟子 · 이루離婁 상』)

득인자흥得人者興, 실인자붕失人者崩

인심이나 인재를 얻으면 번성하고, 인심이나 인재를 잃으면 쇠망한다. '인'은 민심, 인심을 가리키고 인재를 가리키기도 한다. 출처는 『사기 · 상군열전商君列傳』이다. 함의는 두 가지이다. 첫째, 민심과 인심이 한 나라 또는 정권의 흥망성쇠를 결정한다. 이것은 '민심유본', '민유방본'의 사상과 같다. 둘째, 인재는 국가와 정권의 번영에 매우 중요한 작용을 한다. 인재를 알아보고 인재를 얻고, 인격과 능력을 갖춘 사람만 임용하고, 사람의 능력을 잘 파악하여 적재적소에 잘 임용해야만 큰 일을 이룰 수 있고, 국가와 정권의 통치를 장기적으로 안정되게 할 수 있다. 인심을 얻는 것과 인재를 얻는 것은 서로 관련이 있다. 인심을 얻으려면 인재를 불러 모아야 하고, 인재를 얻으려면 반드시 인심을 얻어야 한다. 큰 국가와 정권부터 작은 기구나 단체까지 윗사람은 모두 이 이념을 따라야 한다.

예)

국가 정권의 번영은 민심을 따르는 데 있고, 국가정권의 쇠락은 민심을 거역하는 데 있다.

政之所興, 在順民心; 政之所廢, 在逆民心. (『관자管子 · 목민牧民』)

세상에는 영원한 혼란도 없고 영원한 평안도 없다. 만약 품행이 단정치 못한 사람이 정권을 잡으면 국가에 동란이 발생하고, 품행이 단정한 사람이 정권을 잡으면 국가는 평화롭게 된다.

天下者無常亂, 無常治, 不善人在則亂, 善人在則治. (『관자管子 · 소칭小稱』)

무릇 국정운영이란 어진 인재를 얻으면 사업이 번영하고 그 반대라면 실패한다.

夫政理, 得人則興, 失人則毁. (조유趙蕤, 『장단경長短經 · 정체政體』)

띠生肖

'속상屬相'이라고도 한다. 중국 고대인은 농업생활과 관련된 11가지 동물에 특별한 문화적 토템인 '용'을 더해 12지지地支와 결합하여 연도를 기록했다. 각 사람의 출생연도는 모두 상응하는 띠의 동물이 있고, 이것이 곧 열두 띠十二生肖이다. 열두 띠와 십이지의 결합 및 순서는 자

子-쥐, 축丑-소, 인寅-호랑이, 묘卯-토끼, 진辰-용, 사巳-뱀, 오午-말, 미未-양, 신申-원숭이, 유酉-닭, 술戌-개, 해亥-돼지로 정리된다. 십이생초는 늦어도 동한 시기에 이미 형성되어 중국 민속문화의 특색으로 자리잡았다. 오늘날에는 한 사람의 출생년, 혼인, 운명 및 명절, 전지剪紙 등 민간예술에서도 띠 문화의 영향을 엿볼 수 있다.

예)

옛날 무천 진에 있을 때 너희 형제를 낳았는데, 첫째는 쥐띠, 둘째는 토끼띠, 너는 뱀띠였다.

昔在武川鎭生汝兄弟, 大者屬鼠, 次者屬兎, 汝身屬蛇.(『북사北史 · 우문호전宇文護傳』)

ㄹ

락이불음樂而不淫, 애이불상哀而不傷

즐겁되 방종하지 않고 슬프되 상처 입지 않는다는 뜻이다. 본래는 『시경 · 주남周南 · 관저關雎』 속 청춘 남녀의 애정 묘사에 대한 공자의 평가이다. 이것을 훗날 유가는 시와 다른 문학 작품에서 묘사돼야 하는 올바르고 온화하며 조화로운 감정의 기본 규범과 평가 기준으로 삼았다. 이 용어는 유가가 제창한 중용의 사상과 일치한다. 근현대 이후, 이 사상의 함의는 시대 조류에 충격을 받아 끊임없이 변화하였다.

예)
「관저」는 즐겁되 방종하지 않고 슬프되 상처 입지 않는다.
「關雎」樂而不淫, 哀而不傷. (『논어 · 팔일八佾』)

『국풍』은 사랑과 정욕을 묘사하기는 하지만 결코 방종하지는 않다.
『國風』好色而不淫. (『사기 · 굴원가생열전屈原賈生列傳』)

려麗

'려麗'는 대구가 맞다, 아름답다, 곱다, 덧붙이다 등의 여러 가지 뜻이 있으며 화려한 아름다움, 복잡한 아름다움, 색채적 화려함 등의 형식상의 미적 감각으로 중국 고전 미학의 중요한 범주 중의 하나이다. 풍격으로 말하자면 우아한 아름다움을 나타낼 수도 있고 장엄한 아름다움을 나타낼 수도 있다. 서예에서는 글자의 구조를 초월하는 여운이 있어 사람으로 하여금 미감을 불러일으키는 것을 가리킨다. 음악에서는 맑고 고요한 가운데서 미묘한 소리를 내어 예스럽고 맑으며 우아한 아름다움을 느끼게 하는 것으로 표현된다.

예)

시인이 쓴 부賦는 화려하면서도 법도에 맞으나, 사인이 쓴 부는 화려하지만 수식이 과도하다.

詩人之賦麗以則, 辭人之賦麗以淫. (양웅揚雄, 『법언法言 · 오자吾子』)

려여서시厲與西施, 도통위일道通爲一

문둥병 환자와 아름다운 서시는 도의 관점에서 보면 다를 것이 없다는 뜻이다. '려厲'는 '뢰癩'로 문둥병 환자를 가리킨다. 이것은 미의 상대성에 관한 장자의 유명한 논리이다. 문둥병 환자와 유명한 미녀가 서로 차이가 없는 것은 두 사람 모두 '도'의 산물이자 구현이기 때문이라는 것이 본래의 의미이다. 미추의 판단은 단지 인간의 주관적인 느낌일 뿐이며 미추는 서로 바뀔 수도 있다는 장자의 이 사상은, 조물주의 본원적인 시각에서 보면 미와 추 둘 다 도에 부합하고 내적 동일성을 갖고 있음을 강조한다. 이 사상은 후대의 문예 비평가들이 대립물의 상호의존의 차원에서 세상 만물과 문학 창작을 바라보는 데에 도움을 주었다.

예)

가는 풀줄기와 커다란 정원 기둥, 문둥병 환자와 아름다운 서시 그리고 갖가지 괴이한 사물은 도의 관점에서는 같다.

擧莛與楹, 厲與西施, 恢詭憰怪, 道通爲一. (『장자莊子 · 제물론齊物論』)

도는 갖가지 객관적 사물에서 표현되며 진실한 정신적 본질은 그 안에 담겨 있다.

大用外腓, 眞體內充. (사공도, 『이십사시품 · 웅혼雄渾』)

력力

인위적인 힘 또는 능력. '력力'은 개인의 힘을 가리키며 단체나 국가의 힘을 가리킬 수도 있다. '력'은 행사하는 사람 자신 및 외부의 사물에 대한 제어와 영향으로 드러난다. '력'은 강자가 약자를 위협하는 수단이 되어서는 안 되며, '력'의 사용은 도덕과 예법의 요구에 맞아야 한다. 힘이 미치는 범위 안에서 사람들은 외부 조건으로 인한 방해와 어려움을 극복하고 도덕과 예법에 맞도록 힘을 다해야 한다. 그러나 사람의 힘은 한계가 있다. 사람의 한계를 초월하는 일은 '운명'에 맡겨야지 강제로 할 필요는 없다.

예)

공자가 말했다. "나는 인덕을 좋아하는 사람과 어질지 못한 것을 싫어하는 사람을 본 적이 없다. 인덕을 좋아하는 사람은 더욱더 없으며, 어질지 못함을 싫어하는 사람이 인덕을 행하는 것은 인덕에 위배되는 일이 자신에게 일어나지 않게 하기 위함이다. 어느 날로부터 시작해 열심히 인덕을 실천할 수 있는 사람이 있는가? 나는 그럴 역량이 부족한 사람을 본 적이 없다. 아마 이런 사람이 있지만 내가 본 적이 없을 따름일 것이다.

子曰: "我未見好仁者, 惡不仁者. 好仁者, 無以尚之; 惡不仁者, 其爲仁矣, 不使不仁者加乎其身. 有能一日用其力於仁矣乎? 我未見力不足者. 蓋有之矣, 我未之見也." (『논어 · 이인里仁』)

강제로 다른 사람을 복종시켜도 그들은 진심으로 복종하는 것이 아니라 항거할 힘이 부족할 따름이다. 덕행으로 사람을 복종시키면 그들은 마음속으로부터 즐거워하며 진심으로 복종하니 공자의 70여 명의 제자가 공자를 공경하며 따르는 것과 같다.

以力服人者, 非心服也, 力不贍也; 以德服人者, 中心悅而誠服也, 如七十子之服孔子也. (『맹자 · 공손축상公孫丑上』)

리理

본래는 옥의 무늬를 가리켰는데 파생되어 세 가지 함의가 생겼다. 첫째, 구체적인 사물의 양식이나 성질을 가리킨다. 길이, 크기, 모양, 무게, 색깔, 강도 등의 물리적 속성이 그 예이다. 둘째, 만물이 따르는 보편적 법칙을 뜻한다. 셋째, 만물의 본원이나 본체를 가리킨다. 뒤의 두 가지 함의는 '도'와 유사하다. 송, 명 시기의 학자들이 특히 '리'를 밝히고 설명하는 데 몰두하여 '리'를 최고 범주로 삼았고, 그래서 송, 명 시기에 주도적인 위치를 차지한 학술 체계를 '이학理學'이라고 부른다.

예)

사물은 제멋대로가 아니며 반드시 그 이치를 따른다.

物無妄然, 必有其理. (왕필, 『주역약례周易略例』)

각 사물은 반드시 나름의 법칙이 있지만 모든 사물이 동일한 이치를 가져야 한다.

有物必有則, 一物須有一理. (『이정유서二程遺書』 18권)

ㅁ

만초손滿招損, 겸수익謙受益

교만하고 자만하면 손해를 부르고 겸손하고 신중하면 이익을 얻는다. '만滿'은 자만한다는 뜻이다. '겸謙'은 곧 '경敬'이며 진심으로 공손하고 신중하다는 뜻이다. 옛사람들은 모든 것은 끊임없는 변화 속에 있으며 우열과 성패는 뒤집힐 수 있다고 여겼다. 사람은 시대와 더불어 부단히 노력해야 하며 이미 얻은 성과에 만족해 제자리에 멈춰 있어서는 안 된다. 자세를 낮추고 겸허한 마음으로 늘 자신의 부족함을 극복해야 한다. 작게는 한 사람, 크게는 한 나라까지 모두 이와 같다.

예)
자만하면 손해를 불러오고 겸손하면 이익을 얻으니 이는 천지 만물의 이치이다.
滿招損, 謙受益, 時乃天道. (『상서尙書 · 대우모大禹謨』)

망국지음亡國之音

국가가 멸망하기 직전의 음악으로 나중에는 주로 퇴폐적이고 방탕한 음악을 가리켰다. 유가에서는 한 나라가 곧 멸망하려 할 때는 음악이 퇴폐적이고 방탕한 것이 많다고 여겼다. 사회 기층의 백성들이 견딜 수 없이 힘들면 그 음악과 시가 등 문예작품은 반드시 슬픔과 근심으로 가득하게 된다. 만약 통치자가 그래도 깨닫지 못한다면 나라의 멸망이 멀지 않을 것이다.

예)

망해가는 나라의 음악은 슬픔과 근심으로 충만하다. 이것은 민중이 견딜 수 없이 고통스럽기 때문이다.

亡國之音哀以思, 其民困. (『예기禮記 · 악기樂記』)

정나라와 위나라의 음악, 혼란스러운 시대의 음악은 무절제하다. 복수 강가의 뽕나무 사이에서 유행하던 음악으로 나라가 망해갈 때의 음악이다. 정치가 극단적으로 혼란스럽고 민중이 흩어지며 신하들이 군주를 기만하며 사리사욕을 도모하나 저지할 수 없음을 반영한다.

鄭衛之音, 亂世之音也, 比於慢矣. 桑間濮上之音, 亡國之音也. 其政散, 其民流, 誣上行私而不可止也. (『예기禮記 · 악기樂記』)

명덕明德

미덕 혹은 순수하고 밝은 덕을 드러내 보이다. 본래 '명덕'은 통치자에 대한 요구이다. '덕'은 특히 통치자가 백성을 보살피고, 관리를 등용하고, 상벌을 내리는 등의 좋은 품행이다. '명덕'은 정치를 하는 가운데 이러한 덕목을 지켜 행하고 드러내는 것이다. 후세에 '명덕'은 통치자가 마땅히 가져야 할 뚜렷한 덕목을 일컫는 데 사용되었다. 유가 사상가의 시각에서 위정爲政의 덕은 사람에게 내재된 덕성이 확대된 것이므로, 위정자의 '명덕'은 곧 지극한 도덕을 의미한다.

예)

그대의 훌륭하신 부친 문왕께서는 덕행을 밝히시고, 형벌을 신중히 내리시고, 과부와 홀아비를 감히 업신여기지 않으시고, 등용할 만한 사람을 등용하고, 존경할 만한 사람을 정중히 대하며, 위엄을 세워야 할 때 위엄을 보이시고, 백성에게 이러한 미덕을 보이셨다.

惟乃丕顯考文王, 克明德愼罰, 不敢侮鰥寡, 庸庸, 祗祗, 威威, 顯民.(『상서 · 강고康誥』)

대학의 도는 밝은 덕을 드러내는 데 있고, 백성을 가까이하는 데 있고, 언행을 지극히 선하게 하는 데 있다.

大學之道, 在明明德, 在親民, 在止於至善.(『예기 · 대학』)

명命

처음에는 '천명', 즉 인간사에 대한 하늘의 명령을 뜻했다. 하늘이 사람의 덕행 상황에 근거해 사람에게 포상이나 징벌을 내리는 것을 말한다. '천명'은 왕조의 교체와 국가의 흥망 내지는 개인의 길흉화복까지도 결정하여 일종의 거스를 수 없는 힘으로 여겨졌다. 후대 사람들은 점차 '명'과 '천'의 관계를 약화시키고 '명'의 거스를 수 없는 면, 즉 운명을 강조하는 데 치중하였다. 사람에게 있어 '명'은 외부에서 작용하는 어떤 한계를 의미하는데 이 한계는 인력의 극한을 결정한다. 또한 어떤 의미에서는 인간의 어찌할 도리가 없는 처지를 표현하기도 한다.

예)

하늘의 명령은 항구불변하지 않다.

天命靡常. (『시경 · 대아 · 문왕文王』)

고칠 방법이 없음을 알아 편안히 여기고 그 운명에 따르다.

知其不可奈何而安之若命. (『장자 · 인간세人間世』)

명분사군明分使群

개인의 직분 차이를 명확하게 나누어 서로 협력할 수 있는 무리를 만들다. 순자는 '무리지을 수 있다'는 점을 사람이 동물과 다른 중요한 특징이라고 보았다. 사람은 구속이 없는 상황에서는 외부 사물에 대한 자신의 욕구 때문에 타인과 다투고 단체의 혼란을 일으킨다. 그러므로 단체에서는 도의의 원칙에 의해 개인 신분의 차이를 명확하게 하고 그에 상응하는 직책과 권익을 부여하여, 사람들 간에 서로를 대하는 규범으로 삼는 한편 이를 통해 분쟁을 통제하고 상호 협력을 이루어야 한다.

예)

'사람의 힘은 소보다 못하고 달리는 능력은 말보다 못한데, 소와 말은 모두 사람에게 부림을 받으니 이것이 어째서입니까?' 대답하기를, '사람은 무리를 지을 수 있고, 소와 말은 그럴 수 없기 때문이다. 사람이 어떻게 무리를 지을 수 있느냐?' 말하기를, '명분의 차이를 나누기 때문입니다. 무엇에 의해 차이를 나눌 수 있습니까?' 대답하기를, '도의에 의해서이다. 그러므로 도의에 의해 차등을 두면 곧 서로 화합하게 되고, 화합하면 곧 하나가 되고, 하나가 된즉 힘을 모을 수 있게 되며, 힘을 모으면 강대해지고, 강대해지면 만물을 이기게 된다.'

力不若牛, 走不若馬, 而牛馬爲用, 何也? 曰: 人能群, 彼不能群也. 人何以能群? 曰: 分. 分何以能行? 曰: 義. 故義以分則和, 和則一, 一則多力, 多力則强, 强則勝物. (『순자 · 왕제王制』)

무리를 떠나 홀로 거처하며 서로 의지하지 않으면 곤궁해진다. 함께 거하며 신분의 차이를 두지 않는다면 서로 다투게 된다. 가난은 근심이요 다툼은 재앙이니, 근심과 재앙을 없애기보다 무리를 명확히 구분하여 나누는 것이 낫다.

離居不相待則窮, 群而無分則爭. 窮者患也, 爭者禍也, 救患除禍, 則莫若明分使群矣. (『순자 · 부국富國』)

명실名實

'실'은 실존하는 사물을 뜻하며 '명'은 사물에 부여된 이름과 칭호를 뜻한다. '명'은 '실'의 기초 위에 세워지며 '실'에 대한 인식에서 벗어날 수 없다. '명'은 사물의 본질 및 그 상호 관계에 대한 인간의 이해와 구상을 표현한다. 사람은 이름을 붙이는 방식을 통해 만사와 만물을 일정한 질서 속에 포함시킨다. 사물은 그에 부여된 이름과 칭호에 의거해 질서를 가진 전체 속에서 자신의 지위와 의의를 확립한다.

예)

실제 사물에 대한 칭호는 '명'이며 지칭하는 대상은 '실'이다.

所以謂, 名也. 所謂, 實也. (『묵자 · 경설經說 상』)

사물에는 고유의 형태가 있고 형태에는 고유의 명칭이 있다. 따라서 부르는 이름은 실체를 넘을 수 없고 실체는 명칭이 가리키는 바 이상으로 확대될 수 없다.

物固有形, 形固有名, 此言不得過實, 實不得延名. (『관자管子 · 심술心述 상』)

명잠銘箴

고대 문체의 명칭으로, 과실을 바로잡고 미덕을 칭찬하며 철학적 사고를 계발하는 문장에 쓰인다. 명銘은 명문銘文을 가리키며 그릇 표면에 새겨 공적을 기록하고 덕을 칭찬하는 데 쓰이는 문장이며 이 매체의 신성성과 후세에 모범을 보이려는 의도로 인해 명문이 큰 짜임새와 격식 그리고 온화하고 점잖은 기개를 지니게 되었다. 잠箴의 본의는 질병을 예방하는 침석鍼石으로, 과실을 미리 막는다는 뜻을 지닌다. 명銘과 잠箴은 모두 계시, 격려, 권선징악의 기능을 가지며 남조南朝 시대의 유협劉勰(465?~520)은 이 두 가지 문체의 공통점은 사례事例를 선택할 때 확실하고 믿을만 하며 언급되는 이치를 충분히 헤아려야 하며 문장을 짓는 데 있어 간명하고도 의미가 심원해야 한다는 것이라고 하였다.

예)

따라서 명銘은 명명命名하는 것으로 기물器物을 관찰할 때 그 실질에 근거해 명칭을 확정해야 한다. 자세히 살펴본다는 것은 아름다운 덕행을 증진시킨다는 것에 무게를 둔다.

故銘者, 名也, 觀器必也正名, 審用貴乎盛德. (『문심조룡文心雕龍 · 명잠銘箴』)

잠箴은 침술치료로, 과실을 비평하고 재난의 발생을 막는 데에 쓰이는 말로 쓰여 병을 치료하는 침針과 비견된다.

箴者, 針也, 所以攻疾防患, 喩針石也. (劉勰『문심조룡文心雕龍 · 명잠銘箴』)

잠언箴言은 관원官員이 군왕의 면전에서 읊는 것이며 명문銘文은 기물器物 표면에 새기는 것으로 이 둘의 명칭은 서로 다르지만 경고하는 데에 쓰인다는 점에서는 동일하다. 잠언은 과실을 막는 데 쓰이기 때문에 문장을 지을 때 사실에 입각하여 정확히 표현해야 한다. 명문은 칭찬하는 역할을 동시에 지니고 있어서 격식이 웅대하고 문자가 온윤溫潤하다. 이 둘이 취하는 사례는 모두 믿을만 해야 하며 검증을 거칠 수 있고 문장을 지을 때 간명하고도 의미가 심원해야 하는데, 이는 잠언과 명문을 지을 때의 기본 요건이다.

夫箴誦於官, 銘題於器, 名目雖異, 而警戒實同.箴全禦過, 故文資確切; 銘兼褒贊, 故體貴弘潤.其取事也必核以辨, 其摛(chī)文也必簡而深, 此其大要也. (劉勰『문심조룡文心雕龍 · 명잠銘箴』)

모순矛盾

어떤 물건도 뚫을 수 있는 창과 무엇에도 뚫리지 않는 방패. '모순'의 이야기는 『한비자』에 나온다. 이 두 명제는 동시에 성립될 수 없는 것으로, 한 사람이 동시에 이 두 가지 명제를 수긍할 수 없다. 후세에 이르러 '모순'은 사물 간의 대립관계, 언행의 불일치를 뜻하게 되었다.

예)

창과 방패를 파는 한 초나라 사람이 있었다. 자신의 방패를 자랑하여 말하길 '내 방패는 견고하여 어떤 물건도 뚫을 수 없습니다.' 하고, 또 그의 창을 자랑하여 말하길 '내 창은 예리해서 무엇이든 뚫을 수 있습니다.' 했다. 누군가 물었다. '당신의 창으로 당신의 방패를 찌르면 어떻게 됩니까?' 초나라 사람은 대답하지 못했다. 어떤 물건도 뚫지 못하는 방패와 무엇이든 뚫을 수 있는 창은 동시에 존재할 수 없다.

楚人有鬻盾與矛者, 譽之曰: "吾盾之堅, 物莫能陷也." 又譽其矛曰: "吾矛之利, 於物無不陷也." 或曰: "以子之矛, 陷子之盾, 何如?" 其人弗能應也. 夫不可陷之盾與無不陷之矛, 不可同世而立.(『한비자韓非子 · 난일難一』)

목격도존目擊道存

시선이 닿는 순간 '도'의 존재를 깨닫다. 『장자』에서 유래했다. 장자

(B.C. 369?~B.C. 286)는 사람이 직관적으로 '도'의 존재를 느낄 수 있으며, 언어를 통한 설명이나 논리적인 사고에 의지할 필요가 없음을 강조했다. 나중에는 문학 창작과 감상의 영역에 사용되어, 감각기관의 인지와 논리적 생각을 초월하고 일체의 잡념 및 외부의 방해를 몰아낸 상태에서 깨달음을 얻고 가장 높은 예술적 경지에 진입함을 뜻하게 되었다. 이 용어는 문예작품의 감상에 직관적인 깨달음이 존재하며 공리功利를 초월하는 특성이 있음을 보여 준다.

예)

자로가 말했다. "선생님께서 온백설자溫伯雪子를 보고 싶어 하신 지 오래되었습니다. 보시고선 말씀이 없으시니 어찌 된 일입니까?" 공자가 대답했다. "그와 같은 사람은 한 번 보면 그가 가진 도를 알 수 있으니, 말로 다시 표현할 필요가 없다."

子路曰: "吾子欲見溫伯雪子久矣. 見之而不言, 何邪?" 仲尼曰: "若夫人者, 目擊而道存矣, 亦不可以容聲矣!"(『장자 · 전자방田子方』)

시를 짓고자 할 때는 정신을 집중하여야 한다. 눈으로는 읊고자 하는 대상을 바라보고, 마음으로 그것을 느끼고, 깊이 꿰뚫어 보고 시의 정경에 들어가야 한다. 마치 높은 산의 정상에 올라 아래로 만물을 내려다보면 모든 것을 손아귀에 넣은 듯한 것과 같다.

夫置意作詩, 即須凝心, 目擊其物, 便以心擊之, 深穿其境. 如登高山絕頂, 下臨萬象, 如在掌中. (왕창령王昌齡『시격詩格』)

목내도외睦內圖外

먼저 내부의 화목과 단결을 이룬 다음에 외부로 확장하는 것을 고려한다. '목내睦內'는 내부를 친근하고 화목하게 만들고 단결시키는 것이다. '도외圖外'는 원래 대외로 군대를 부리는 것을 가리키며 넓은 의미로 대외적으로 확장하고 발전해 더 큰 이익을 쟁취한다는 뜻을 지닌다. 내부적인 단결은 대외 개척에 필수적인 전제 조건이다. 크게는 하나의 나라부터 하나의 기업, 하나의 조직, 하나의 가정에 이르기까지 모두 이러한 이치를 따른다.

예)

신하된 자는 내부를 화목하게 만들고 단결시킬 수 있게 된 다음에야 외부로의 확장을 도모해야 한다. 내부의 화목과 단결을 이루지 못하고 밖으로 확장하고자 한다면 반드시 내부에 혼란과 다툼이 일어날 것이니 어찌 내부의 화목과 단결을 먼저 꾀하지 않는가!

爲人臣者, 能內睦而後圖外. 不睦內而圖外, 必有內爭, 盍姑謀睦乎! (『국어國語 · 진어晉語 6』)

목눌木訥

소박하며 말이 적다. '목木'은 사람됨이 소박함을 가리키고 '눌訥'은 말이 적고 느림을 가리킨다. 사람들이 도의를 지키는 것은 마음속으로부터의 동의와 추구에서 우러나와야 하지, 외재적인 표현으로써 명성과 이익을 얻기 위해서라면 안 된다. '목눌木訥'은 명성과 이익에 대한 추구를 버리고 겉만 화려하여 실제와 부합하지 않는 것을 피하고 자신의 덕행 수양에 집중하는 것을 강조한다. 유가에서는 '목눌'은 중요한 미덕 중의 하나로 '인仁'이 요구하는 것과 가깝다고 여겼다. 이런 의미에서 '목눌'은 일상에서 말하는 고지식하고 둔하다는 의미와는 매우 다르다.

예)

공자가 말했다. "강직하고 의연하며 질박하고 말수가 적은 품성은 인덕이 요구하는 것과 가깝다."

子曰: "剛, 毅, 木, 訥, 近仁." (『논어 · 자로』)

몽이양정蒙以養正

교육을 통해 몽매에서 벗어나 바른 길로 돌아가게 하다. 어린 시절부터 올바른 교육을 받기 시작해야 한다는 말이다. '몽蒙'은 몽매함, 유치함, 무지함이다. '양養'은 배양하다 교육하다는 뜻이다. '정正'은 바른 길 혹은 단정한 품성이다. '몽이양정'은 교육의 기능과 가치를 제시한다.

예)

교육을 통해 사람들이 몽매에서 벗어나 바른길로 돌아가게 한 것이 바로 성인의 업적이다.

蒙以養正, 聖功也. (『주역周易 · 단상彖上』)

묘산廟算

군국대사에 대한 조정의 계획. '묘'는 묘당廟堂, 곧 고대 조정에서 국사를 논의하던 장소이다. '묘산'은 전쟁이 시작되기 전 묘당에서 진지하게 전장상 아군의 장단점을 분석하고 대응전략을 결정하는 것이다. 손자孫子는 전쟁은 전장에서의 싸움뿐 아니라 정치, 경제 등 다양한 요소의 영향을 받는다고 여겼다. 그래서 '묘산'은 예상되는 전쟁의 형세를 고려하고 국가의 여러 상황에 대해 종합적인 평가와 판단을 내려야 한다. '묘산'은 전쟁을 준비하는 필수 과정이다.

예)

전쟁 전에 군사를 계획하고 나서 승리하는 것은 계획이 자세하고 면밀했기 때문이다. 전쟁 전에 군사를 계획하고서도 패배하는 것은 계획이 충분치 못했기 때문이다. 계획이 상세하면 승리하고 그렇지 못하면 실패하는데, 아무 계획이 없다면 어떠하겠는가! 나는 이러한 방법으로 관찰하여 전쟁의 승패를 예측할 수 있다.

夫未戰而廟算勝者, 得算多也; 未戰而廟算不勝者, 得算少也. 多算勝, 少算不勝, 而況於無算乎! 吾以此觀之, 勝負見矣. (『손자 · 시계始計』)

묘오妙悟

특정한 환경에서 형성된 일종의 심리적 체험 상태를 말한다. 정신이 자유롭게 풀어진 상태에서 아름다움을 직접 느끼고 깨달은 후에 이것이 시 작품에 표현되어, 시의 전체적인 미감이 구체적인 언어와 문자를 초월해 지극히 높은 심미적 수준에 이르도록 하는 것을 가리킨다. '묘오'는 순간적인 심리적 체험 속에서 물아양망物我兩忘의 경지에 이르러 시의 본질과 영원한 정신적 아름다움을 깨닫게 한다. 불, 도, 현玄 세 사상의 이치 속에서 '묘'는 사유적인 측면의 오묘함과 심오함을 뜻하며 '오'는 논리적 추리에 의지하지 않는 일종의 체험적인 인식 방식을 뜻한다. 선종禪宗에서는 선 수련을 통해 본심이 청정하며 정신이 맑고 투명한 경계에 도달할 것을 주장하였는데 이러한 경계는 문예에 있어서의 심미적 정신 경계와 밀접한 관련이 있다. 남송 때의 엄우는 『창랑시화』에서 선종 사상을 차용하여 시 창작에 있어서의 '묘오'의 특징과 효용에 대해 충분히 설명하고 선 사상으로써 시를 짓는 방식을 개척하여 비교적 큰 영향을 미쳤다. '묘오'는 중국 고대 회화와 서예에도 영향을 끼쳤다.

예)

정신을 집중하여 자유로이 마음껏 상상하여 자연의 아름다움에 대한 깨달음이 절묘한 경지에 이르러, 외재의 사물과 자기 자신을 모두 잊고 형체의 속박을 벗어나며 지식의 한계를 버린다.

凝神遐想, 妙悟自然, 物我兩忘, 離形去智. (장언원 『역대명화기』 권이)

대저 선 수행의 가장 중요한 원칙은 묘오이며 시를 짓는 가장 중요한 원칙도 역시 묘오이다. 가령 맹호연의 학문적 능력은 한유에 한참 미치지 못했으나 그의 시는 한유보다 수준이 높았던 이유가 바로 그가 한마음으로 묘오를 깨달았기 때문이다.

大抵禪道惟在妙悟, 詩道亦在妙悟. 且孟襄陽學力下韓退之遠甚, 而其詩獨出退之之上者, 一味妙悟而已. (엄우 『창랑시화 · 시변』)

묘호廟號

고대의 제왕을 묘에 모시고 제사할 때 사용되는 존칭으로 사후에 추존된다. 보통 상대에서 시작되었다고 알려져 있다. '태조', '고조', '태종' '고종' 등 '조祖'나 '종宗' 자가 자주 쓰인다. 묘호는 엄격한 제도와 규정에 따라 선정된다. 공이 있는 자는 '조'로 칭하고, 덕이 있는 자는 '종'으로 칭하며, 기업을 세운 사람은 '태太', 공훈이 탁월한 사람은 '고高' 등을 붙인다. 시호諡號제도와 마찬가지로 묘호제도 역시 중국 전통 정치의 중요한 제도문화이다. 사자死者에 대한 평가를 통해 후대인에게 본보기를 세우는 제도로써, 중국의 영향을 받았던 고대 조선과 베트남에서도 이 제도를 시행하였다.

예)

고대에 천자의 묘호는 공 있는 자에게 '조'를 붙이고 덕 있는 자에게 '종'을 붙였고, 하상주 삼대에서 시작되어 양한까지 계속되었다. 이 시기의 묘호의 명칭은 천자의 실제 공덕과 부합하여, 예부터 오늘날까지 전해졌다.

古者天子廟號, 祖有功而宗有德, 始自三代, 迄於兩漢, 名實相允, 今古共傳.(유지기劉知幾『사통史通 · 칭위稱謂』)

무상無常

항상성恒常性의 결핍을 말한다. 세상 만물은 모두 인연이 화합하여 생겨나고 흩어짐에 따라 사멸한다. 항상 불변하는 본질은 존재하지 않기에, 만물의 동일성에 대한 근거를 제공하기도 한다. 불교는 '무상'을 두 개의 층위로 나누고 있다. 하나는 '상속무상相續無常'이다. 생명인 개체는 영혼 등과 같은 생사에 따라 변하지 않는 본질이 결핍되어 있으며, 단지 표면적인 연속성과 유사성을 지니고 있다는 뜻이다. 다른 하나는 '염념무상念念無常'으로, 인연에 따라 생겨난 일체의 사물은 마음의 생각에 따라 찰나 간에도 끊임없이 생멸하고 변화함을 가리킨다.

예)

신체 역시 그러하다. 가죽과 뼈가 서로 지탱할 뿐, 바람이 부는 듯한 마음의 움직임을 따라 찰나 간에 끊이지 않고 생멸하니 늘 한결같음이 없고 불변하는 실체가 없다. 만드는 사람도 없고, 책망하는 사람도 없고 책망을 듣는 사람도 없는데, 처음부터 끝까지 결국 실재하지 않는 까닭이다. 그러나 허망한 것이 진실과 뒤바뀌었기에 범부의 마음이 본래 실재하지 않는 것에 집착하게 된다.

身亦如是, 但皮骨相持, 隨心風轉, 念念生滅, 無常空寂. 無有作者, 無罵者, 亦無受者, 本末畢竟空故. 但顛倒虛誑故, 凡夫心著. (『대지도론大智度論』 30권)

무아無我

실재하는 자아가 없다. 불교에서는 윤회 주체라는 것이 실재하지 않는다고 보기 때문에 '무아無我'라고 부른다. 무아 이념은 복잡하게 변환하는 개체의 경험 아래 항상 변하지 않는 자아가 있다고 생각했던 주류의 브라만교를 겨냥해 만들어졌다. 불교에서는 이른바 '나'란 수많은 심리적·물리적 현상의 집합일 뿐이라고 주장한다. 이러한 관념은 이후에 생명 개체 이외의 범주로 확대되었다. 사람이나 법이나 모두 무아이며, 즉 어떤 사물에게도 변하지 않는 핵심 본질이나 실재 자체가 없다.

예)

모든 보살은 '나'[我]도 존재하지 않고 '내'[我]가 가지고 있는 어떠한 관념도 존재하지 않는다는 사실을 깊이 이해하고 있기에 자신의 몸과 신체를 버릴 수 있다.

所有菩薩深解無我及無我所, 是故能舍身根, 命根. (『비화경悲華經』 권4)

무욕즉강無欲則剛

분수에 맞지 않는 탐욕이 없으면 강직하고 당당해질 수 있다. '욕'은 각종 사욕, 탐욕을 가리킨다. '강'은 공정하고 정직하다는 뜻이다. '무욕'은 무조건 '욕'을 가지면 안 된다는 뜻은 아니며 사욕과 탐욕의 자제하자는 주장이다. '무욕즉강'은 입신하여 일을 맡은 경우 특히 집정하는 관리의 기본 도리이다. 여러 방면에서 각종 유혹을 마주했을 때, 공정하고 사욕을 품지 않으며 품행을 단정히 하고 담담한 마음으로 뜻을 지켜야지 분수에 맞지 않은 탐욕을 좇아서는 안 된다. 그렇게 하면 곧은 기개가 넘치고 두려울 것이 없으며 마치 높은 절벽이 하늘과 땅 사이에 우뚝 서 있는 것처럼 견고하여 무너뜨릴 수 없다.

예)

공자가 말했다. "나는 아직 강직한 사람을 보지 못했다." 어떤 사람이 대답했다. "신장이 그런 사람입니다." 공자가 말했다. "신장은 탐욕이 있으니 어찌 강직하다 하겠는가."

子曰, "吾未見剛者." 或對曰, "申棖." 子曰, "棖也欲, 焉得剛?" (『논어論語 · 공야장公冶長』)

바다는 무수한 강을 받아들이며, 사람은 도량이 있어야 큰 성취를 이룬다. 높은 절벽은 위엄있게 솟아있고, 사람은 탐욕이 없어야 강직하고 당당하다.

海納百川, 有容乃大. 壁立千仞, 無欲則剛. (임칙서林則徐 대련對聯)

무용지용無用之用

쓸모 없는 상태를 선택함으로써 생명에 대한 보전을 실현한다. '무용지용'은 『장자』에서 유래되었으며 '무용'은 장자(기원전 369?~기원전 286)가 제시한 일종의 생명을 보전하는 처세 태도이다. 장자는 능력이 출중한 사람은 더 많은 직책을 감당하도록 요구받으므로 더 많은 어려움과 위험을 만나게 되며, 이것은 신체와 영혼에 손상을 준다고 여겼다. 진취적이고 작위적인 염원을 버리고 세상 사람들에게 자기의 쓸모없음을 전시해야만 인간 세상의 각종 위험을 피할 수 있으며 이로써 자기의 생명을 보전한다.

예)

산 중의 나무는 벌목을 초래하며, 불을 밝히는 등잔 기름도 쓸모가 있기에 불에 탄다. 계수나무는 먹을 수 있기에 베이게 된다. 옻나무는 옻을 만들 수 있어서 베인다. 사람들은 모두 유용한 사람의 쓸모는 알지만 쓸모없음의 쓸모는 모른다.

山木自寇也, 膏火自煎也. 桂可食, 故伐之; 漆可用, 故割之. 人皆知有用之用, 而莫知無用之用也. (『장자 · 인간세人間世』)

무위無爲

'위爲'의 어떤 상태. 도가는 '유위有爲'와 '무위'를 대립시켰다. 이른바 '유위'는 일반적으로 통치자가 자신의 의지를 타인이나 세상에 강제하여 만물의 본성을 존중하지 않거나 그것에 순응하지 않는 것을 뜻한다. '무위'의 의미는 이와 정반대로서 3가지 요점을 포함한다. 첫째, 권력이 자기절제의 방식으로 간섭의 욕망을 억제하는 것이다. 둘째, 만물이나 백성의 본성에 순응하는 것이다. 셋째, 만물이나 백성의 자주성을 발휘하게 하는 것이다. '무위'는 결코 행동을 안 하는 것이 아니라 더 지혜로운 행동의 방식이다. 무위를 통해 어떤 행동의 결과에도 다 이를 수 있다.

예)

성인은 무위의 방식으로 세상일을 처리하고 무언의 방식으로 백성을 가르친다.

聖人處無爲之事, 行不言之教. (『노자 · 2장』)

도는 항상 만물에 간섭하지 않고도 만물을 성취한다.

道常無爲而無不爲. (『노자 · 37장』)

무위이치無爲而治

과도하게 간여하지 않아도 나라를 잘 다스린다. '치治'란 국가의 통치가 양호한 상태에 이른 것을 가리킨다. '무위無爲'란 아무것도 하지 않는 것이 아니라 제멋대로 하지 않는 것이다. 도가에서는 자연에 순응하는 것을 중요한 이치로 여긴다. 즉 통치자가 다스리는 대상(백성) 자체의 본성, 상태와 경향을 충분히 존중하고 백성의 생활에 과도하게 간섭하지 않으며 사람 스스로의 고유한 본성, 염원과 논리를 따르게 하여 자아를 발전하고 실현하며, 아무것도 하지 않음으로써 어느 것도 하지 않음이 없는 것에 도달한다. 그 철학의 기초는 '도법자연(道法自然. 도의 법칙은 자연)'이다. 유가에서는 덕으로 백성을 교화하는 것을 중요하게 여긴다. 즉 통치자가 정부 법령, 형법 등을 사람들에게 강요하여 자신부터 시작해서 자신의 도덕과 공훈과 업적으로 백성이 영향을 받고 감화되게 한다. 백성에게 '명령하지 않아도 행하게' 하여 천하의 큰 통치를 실현하며, "인문으로 교화시키고 이루어간다"(人文化成)이라고도 한다. 유가와 도가의 공통점은 지배자가 함부로 행하지 않고, 과도하게 간섭하지 않고, 백성과 사회의 주체성을 충분히 존중하는 것이다.

예)

도는 영원히 자연에 맡기고 아무것도 하지 않으나 어떤 일도 도의 결과가 아닌 것이 없다. 군주가 만약 이를 지키면 만물이 스스로 자랄 것이다.

道常無爲而無不爲. 侯王若能守之, 萬物將自化. (『노자老子 · 37장三十七章』)

공자가 말했다. "아무것도 하지 않으면서도 천하를 잘 통치할 수 있는 사람은 순임금밖에 없을 것이다. 그가 어떤 일을 했는가? 그저 엄숙하고 단정하게 천자의 자리에 앉아 있었을 뿐이다."

子曰: "無爲而治者, 其舜也與! 夫何爲哉? 恭己正南面而已矣." (『논어論語 · 위령공衛靈公』)

문계혁명文界革命

근대 중국에서 발생한 언어·문학 혁신을 내용으로 하는 문화 운동이다. 1899년에 양계초梁啟超(1873~1929)는 무술변법戊戌變法이 실패하고 국민 정신의 제고가 절실하다고 느껴, 문장을 개혁하는 방식으로 유럽과 미주의 새로운 사상을 받아들여서 국민을 계몽해 사상 혁신이라는 목적을 이루고자 하였다. '문계혁명'과 '시계혁명', '소설계혁명'은 공통의 주제를 지닌 문풍 개혁 운동으로 백화문의 광범위한 활용을 촉진하고 직접적으로 '오사五四' 시기의 문학혁명을 불러일으킴으로써 백화 시문이 문단을 주도하는 길을 열었다.

예)

도쿠토미 소호德富蘇峰는 일본의 3대 신문 주필 중 한 명으로 그의 문장은 힘차고 경쾌하며 서양 유럽의 글쓰기 방법을 일본 문장에 잘 도입하여 문학계에 새로운 국면을 열었으니 나는 그의 글을 좋아한다. 중국도 문계혁명이 있다면 이를 기점으로 삼지 않을 수 없다.

德富氏爲日本三大新聞主筆之一, 其文雄放雋快, 善以歐西文思入日本文, 實爲文界別開一生面者, 餘甚愛之. 中國若有文界革命, 當亦不可不起點於是也. (양계초, 『하와이 유람기[夏威夷遊記]』)

나는 지금껏 동성파의 문장을 좋아한 적이 없다. 어릴 때 글을 쓸 때 한말 위진 시기의 문장을 배웠으며 엄밀하고 간결한 풍격을 매우 숭상했다. 이제 스스로 해방되었으니 반드시 평이하고 유창한 글을 써야 한다. 이따금 비속어, 압운을 맞춘 구절, 외국 문법이 섞여 있고 붓이 가는 대로 쓰면서 제약을 두지 않으며 학자들이 서로 다투어 모방하니 이를 신문체라고 한다. 전 세대의 사람들은 이런 문풍을 몹시 싫어하며 '야호선野狐禪'이라고 깎아내린다. 그러나 내가 쓴 글은 조리가 명료하고 붓끝에는 항상 감정이 실려 있으니 독자 입장에서는 또 다른 매력으로 느껴진다.

啟超夙不喜桐城派古文, 幼年爲文, 學晩漢魏晉, 頗尚矜煉, 至是自解放, 務爲平易暢達, 時雜以俚語韻語及外國語法, 縱筆所至不檢束, 學者競效之, 號新文體. 老輩則痛恨, 詆爲野狐. 然其文條理明晰, 筆鋒常帶情感, 對於讀者, 別有一種魔力焉. (양계초, 『청대학술개론清代學術概論』)

문기文氣

작품에 표현된 작가의 정신적 기질과 개성적 특징을 가리킨다. 작가의 내적인 정신적 기질과 작품의 외적인 글의 기세가 융합된 산물이기도 하다. '기'는 본래 천지 만물을 구성한 태초의 기본 원소를 가리키는데 문론文論에서는 작가의 정신적 기질과 함께, 그 정신적 기질의 작품에서의 구체적인 표현을 가리킨다. 사람은 천지의 기를 타고나 다양한 개성적 기질을 형성하고 문학 창작에서는 또 다양한 문기를 형성하여 독특한 스타일과 강하거나 약한 기세 그리고 리듬의 변화를 나타낸다.

예)

글은 작가의 '기'가 주도하는데 기에는 맑은 기와 탁한 기, 두 가지가 있고 이는 억지로 얻어지지 않는다.

文以氣爲主, 氣之淸濁有體, 不可力强而致. (조비曹丕, 『전론典論 · 논문論文』)

작가의 마음속 기세가 강하면 문장의 길이와 음조의 높낮이가 다 적절하다.

氣盛則言之短長與聲之高下者皆宜. (한유韓愈, 「답이익서答李翊書」)

문명文明

사회에서 문치와 교화가 명백히 번창하는 상태를 뜻한다. '문'은 '인문', 즉 예악의 교화와, 이와 관련된 조화와 차등의 사회질서를 가리키며 '명'은 광명, 번창의 뜻이다. 유가는 문치와 교화의 번창을 최고의 이상과 목표로 삼고 또 그것을 나라와 정치를 평가하는 가장 중요한 기준으로 삼았다.

예)

문명의 시대에는 무기를 녹여 없애 전쟁이 끝난다.

文明之世, 銷鋒鑄鏑. (초공焦贛, 『역림易林 · 절지이節之頤』)

문이의위주文以意爲主

글을 쓸 때는 의도를 전달하는 데 중점을 두어야 한다. '의'는 글의 사상과 내용이다. 중국 고대의 중요한 문학이론 명제로써, 송, 금, 원, 명대의 문학비평에서 여러 번 강조되었으며 후세의 학자들에게도 이어졌다. 이 이론은 내용과 언어적 기교 양자 중 내용을 우선순위로 둔다. 이러한 관점은 당송 시기의 문인들이 제시했던 '문이명도文以明道'와 '문이재도文以載道'설과 밀접한 관련이 있으며, 중국 고대문학이론의 우수한 전통이 계승된 결과이다. 그러나 여기서 '의'가 내포하는 의미는 '도'보다 더욱 크고 넓다.

예)

내가 종종 말하기를 글이 사람의 감정과 뜻을 담고 있으니, 마땅히 사상과 내용을 위주로 하고 문장으로 그 사상과 내용을 전달해야 한다. 사상과 내용을 주로 한다는 말은 즉 글의 취지가 잘 제시되어야 한다는 것이고, 문장으로 이를 전달해야 한다는 말은 곧 문장이 어지럽지 않고 법도가 있어야 한다는 것이다.

常謂情志所託, 故當以意爲主, 以文傳意. 以意爲主, 則其旨必見. 以文傳意, 則其詞不流. (범엽范曄『옥중여제생질서獄中與諸甥姪書』, 『송서 · 범엽전』에 수록)

시든지 장편의 글이든지, 모두 그 의를 주로 한다. 의는 군대를 이끄는 장수와 같으니, 장수가 없는 병사는 오합지졸이라 한다.

無論詩歌與長行文字, 俱以意爲主. 意猶帥也, 無帥之兵謂之烏合. (왕부지王夫之『강재시화姜齋詩話』 2권)

문이재도文以載道

"글은 도를 실어야 한다"는, 문학과 도의 관계에 대한 유가의 입장이다. '문'이 가리키는 것은 문학 창작과 작품이고 '도'가 가리키는 것은 작품의 사상적 내용이다. 그런데 고대 문학가와 이론가들은 대부분

‘도’가 유가의 사상과 도덕이라고 이해했다. 중당中唐 시기 고문운동古文運動의 영수였던 한유 등은 “글은 도를 밝혀야 한다”(文以明道)는 관점을 제시해 글의 주요 의미가 성인의 경전에 맞아야 한다고 주장했다. 이것을 송대의 이학자 주돈이周敦頤는 “글은 도를 실어야 한다”고 발전시켜 문학은 ‘수레’로, ‘도’는 수레에 싣는 화물로 인식했다. 문학은 유가의 ‘도’를 전파하는 수단이자 도구에 불과하다는 것이었다. 이 명제의 가치는 문학의 사회적 기능을 강조하고, 또 문학 작품이 실질적이고 정확한 사상 내용을 가져야 한다는 것을 강조한 데 있다. 그러나 문학 자체의 심미적 특성을 경시하여, 훗날 문학 자체의 가치를 중시하는 사상가와 문학가들에게 비난을 받았다.

예)

글은 사상과 도덕을 싣는 것이다. 바퀴와 끌채를 장식했는데 사용하는 사람이 없으면 헛수고를 한 셈인데 하물며 수레는 어떻겠는가? 글은 기예일 뿐이고 도덕이야말로 글의 실질이다.

文所以載道也. 輪轅飾而人弗庸, 徒飾也, 況虛車乎? 文辭, 藝也, 道德, 實也. (주돈이, 『통서通書 · 문사文辭』)

문인화文人畫

중국 고대 문인 사대부들의 회화를 가리키며 민간 또는 궁정 화원의 회화와 구별되는 중국화의 한 종류이다. ‘사부화士夫畫’, ‘남화南畫’, ‘남종화南宗畫’로도 불린다. 송대 소식蘇軾(1037~1101)이 가장 먼저 ‘사인화士人畫’를 제기했고, 명대 동기창董其昌(1555~1636)은 당대의 왕유(701?~761)를 ‘문인화’의 창시자로 보았다. 문인화의 작가는 산수, 화조, 대나무 등을 주요 제재로 삼았고 주체적인 정신을 표현하는데 치중했고 사람의 내면세계를 표현하며 간혹 사회 현실에 대한 불만과 분개의 감정을 기탁하거나 그리기도 했다. 문인화는 필묵 정취를 중시하고 형식의 기법을 초월하여 신비롭고 고상한 운치와 의경을 강조했다.

예)

사대부 회화를 감상하는 것은 천하의 준마도駿馬圖를 감상하는 것과 같아서 마땅히 그 중의 구성 의도와 기세가 뛰어난 작품을 택해야 한다. 만약 평범한 화가라면 종종 가죽이나 털, 채찍, 말구유, 사료 등에 힘을 쏟지만 사람들에게 조금의 감동도 줄 수 없으며 몇 조금만 봐도 질리게 한다. 송나라의 한걸漢傑의 회화야말로 진정한 사대부 회화이다.

觀士人畫, 如閱天下馬, 取其意氣所到. 乃若畫工, 往往只取鞭策皮毛槽櫪芻秣, 無一點後發, 看數尺許便倦. 漢傑, 真士人畫也. (소식, 『동파제발東坡題跋 · 발송한걸서跋宋漢傑畫』)

문장文章

현재 말하는 문장과 저작을 포함해 모든 저술을 널리 가리킨다. 선진 시기에 이 술어는 문학에 포함되어 있었으나 양한 때에는 '문학'에 대응되는 개념으로 사용되어 문자로 쓴 모든 글귀와 문장과 역사서와 논저를 가리켰다. 육조 시대에는 '문장'과 '문학'을 병렬해 사용하여 후세에 말하는 심미적 범주에서의 '문학'을 가리키기 시작했으나 여전히 모든 문체를 통괄하는 범주로서 쓰였다. '장'은 음악 한 곡의 연주를 끝낸다는 뜻 혹은 완전한 음악 한 곡이라는 뜻으로, 이 술어는 작품의 의의와 구조가 완전함을 강조하며 문장의 창작 기법과 기교를 중시하였다. '문'과 '장'은 모두 문양과 색채가 복잡하다는 뜻이며 '문장'은 아름다운 형식을 말하기 때문에 이 술어는 심미적 관념을 내포하고 있다. 초기에 '문장'의 개념은 '문학'의 개념과 어느 정도 연관성이 있으면서도 차이가 있었다. '문장'은 아름다운 시와 글이라는 개념에 편중되어 있는데 이는 사람들이 문장의 심미적 가치를 점차 중시하게 되었음을 드러낸다.

예)

문장이란 즉 사람의 감정과 성격의 변화를 판단하는 풍향계이자 내재된 정신의 계측기이다. 붓을 대기 전에 작품에 대한 구상을 축적하고 마음속의 생각이 자유로이 내달리게 해 글로써 표현할 때가 되면 문장의 기운은 자연히 생겨난다.

文章者, 蓋情性之風標, 神明之律呂也. 蘊思含毫, 遊心內遠, 放言落紙, 氣韻天成. (『남제서南齊書 · 문학전론文學傳論』)

고대 성현들이 쓴 저작과 글은 모두 '문장'이라 칭하니 이는 그 글들이 모두 문학적 재능을 지녔기 때문이 아니겠는가?

聖賢書辭, 總稱文章, 非采而何? (유협 『문심조룡 · 정채情采』)

문지聞知

들어서 얻는 지식. 문지는 묵가墨家가 제시한 지식의 한 유형이자 일종의 인지 방식을 나타내기도 한다. 묵가에 따르면 지식의 획득에는 세 종류의 방식, 즉 '친지親知', '문지', '설지說知'가 있다. 문지는 다른 사람이 알려 주거나 전수해 주어서 사물을 인지하게 되는 것을 가리키며 일종의 간접적인 인지 방식이다.

예)

앎은 문지聞知, 설지說知, 친지親知로 나뉜다.

知, 聞, 說, 親. (『묵자墨子 · 경상經上』)

타인이 전수해 주어 알게 되는 것이 '문지'이다.

傳受之, 聞也. (『묵자 · 경설 상經說上』)

문질文質

사람 또는 사물의 표현과 실제. '질質'이란 사람 또는 사물이 가진 실질적 내용, 의미를 가리키며 '문文'은 드러난 형식과 형태를 가리킨다.

유가는 자주 '문질文質'로 '예禮'의 형식과 본질을 가리켰다. 외부에 있는 '문'은 '질'을 기초로 삼아야 하며 기초와 괴리하여 형식을 추구하면 겉만 화려하고 내용이 없게 된다. 마찬가지로, '문' 또한 없어서는 안 되며 내부의 '질'은 '문'을 통해서 드러나야 한다. '질'과 '문'은 마땅히 서로 짝을 이루어야 한다.

예)

공자가 말했다. "본질이 수식보다 많아지면 언행이 거칠게 되고, 수식이 본질보다 많아지면 겉만 화려하고 내용이 없게 된다. 형식과 본질이 적절하게 배합되어야 군자의 품격을 이룰 수 있다."

子曰: "質勝文則野, 文勝質則史. 文質彬彬, 然後君子." (『논어 · 옹야』)

그러나 일반적으로 사물의 규칙은 반드시 먼저 실질을 갖춘 후에 형식이 있어야 한다. 그렇게 된다면 실질의 의미는 바로 예의 근본이다.

然凡物之理, 必先有質而後有文, 則質乃禮之本也. (주희朱熹, 『논어집주論語集註』)

문필文筆

각종 문장을 널리 가리키는 말이다. 이 술어는 여러 시대를 거치며 개념이 변화했는데 양한 시대에는 문장의 기법과 풍격 및 각종 문장을 뜻했다. 위진 남북조 시기에는 문학이론가들이 서로 다른 문체들의 특성을 인식해 일단 경전을 해석하는 종류의 저작들과 문필을 구분하였으며 '문'과 '필'이라는 말로 각각 순문학 창작과 응용문의 창작을 가리켰다. 그 이후에는 외부적 형식을 구분의 기준으로 삼아 시, 부, 송頌, 찬贊 등 문학 분야의 작품과 상소문이나 책 등의 '잡필雜筆'을 구분하여 운율이 있으면 문, 없으면 필이라는 관점을 제시하였다. 양원제梁元帝 소역蕭繹은 내용을 척도로 삼아 이전의 관점에서 한 발 더 나아가 문(시와 부 등)은 운율이 있어야 할 뿐만 아니라 응당 마음속의 감정을 화려한 문구로 표현해야 하며, 반면 필(응용문)은 일반적인 문장력만 있으면 된다고 주장하였다. 지금은 '문필'이라는 말은 주로 문장의 기법과 언어적 풍격을 가리킨다.

예)

고정된 규칙과 운율이 없는 작품은 '필'이라 하고, 고정된 규칙과 운율이 있는 작품은 '문'이라 한다.

無韻者筆也, 有韻者文也. (유협『문심조롱 · 총술總術』)

[습착치는] 어려서 기개가 있었으며 견문이 넓고 학식이 풍부해 글을 써서 이름이 났다.

少有志氣, 博學洽聞, 以文筆著稱. (『진서晉書 · 습착치전習鑿齒傳』)

문학文學

본래는 옛 문헌들에 널리 통달했다는 뜻이다. '문'은 문헌을 뜻하고 '학'은 문헌에 관한 학문을 뜻한다. 나중에는 문장과 문헌 및 문장과 문헌에 관한 각종 지식과 학문을 가리키게 되었다. 주된 함의는 세 가지가 있다. 첫째, 선진 양한 시기에는 고대 문헌, 특히 시서예악과 전장제도 등 인문 방면에 관한 지식과 학문을 가리켰다. 위진 남북조 이후에 '문학'이라는 말은 대체로 현재의 문학의 개념과 가까워졌으나 인문 학술적인 내용 또한 포함하고 있었다. 근대 이래 서양의 문학 관념이 중국에 유입되면서 '문학'이라는 말은 점차 변화해 언어로써 심미적 형상을 창조하는 예술을 가리키게 되었으나 장타이옌 등 소수의 학자들은 여전히 전통적인 의미의 '문학'의 범주를 계속해서 사용했다. 이 술어의 최초의 함의가 중국 현당대의 주류 문학 관념을 결정하고 여전히 총체적 문화의 의의에서 문학현상을 대하는 입장을 견지하게 하였으며, 문학의 심미적 가치와 인문 학술과의 내재적 관계를 강조하여 서양의

'문학'이라는 술어가 문학의 독립적 심미 가치를 강조하는 것과 구별되게 하였다. 둘째, 고대의 각종 문장과 문헌을 널리 가리킨다. 셋째, 문장으로 이론을 내세우고 교육하는 등의 방식으로 학문을 전파하는 문인 및 문화와 교육을 주관하는 관원을 가리킨다.

예)
[제자들 중에서] 고대 문헌에 박학하여 잘 아는 이는 자유와 자하이다.
文學: 子游, 子夏. (『논어 · 선진』)

이 때에 한나라가 일어나 소하가 율령을 제정하고 한신이 군법을 밝히고 장창이 역수와 도량형의 계산법을 정립하고 숙손통이 예의를 정하니 문장과 학문이 출중한 인재들이 점차 조정에 모여들어 실전되었던 『시경』과 『상서』 등의 서적들도 끊임없이 발견되었다.
於是漢興, 蕭何次律令, 韓信申軍法, 張蒼爲章程, 叔孫通定禮儀, 則文學彬彬稍進, 『詩』『書』往往間出矣. (『사기 · 태사공자서太史公自序』)

대체로 유학은 『예기』에 의거하니 순자가 바로 이러하고, 사학은 『상서』와 『춘추』를 모범으로 삼으니 사마천이 바로 이러하고, 현학은 『주역』을 근거로 하니 장자가 바로 이러하고, 문학은 『시경』을 근원으로 하니 굴원이 바로 이러하다.
大抵儒學本『禮』, 荀子是也; 史學本『書』與『春秋』, 馬遷是也; 玄學本『易』, 莊子是也; 文學本『詩』, 屈原是也. (유희재劉熙載 『예개藝概 · 문개文概』)

물극필반物極必反

어떤 극단에 다다르면 반드시 그 반대로 변한다. 옛 사람들은 사물의 속성 혹은 상태가 늘 일정한 상황 속에서 자신과 상반된 면으로 변한다는 것을 일찍이 인식했다. 북송北宋의 정이程頤(1033~1107)는 이러한 사물이 변화하는 규칙을 더욱 세밀하게 서술하여 물극필반物極必反이라는 말을 제시했다. 물극필반은 사물이 속성 혹은 상태가 극단에 달하면 변한다는 경향이 있다는 것을 제시한다. 사물이 극단의 상태에 있으면 그 속성 혹은 상태가 반대 방향으로 변한다는 것은 필연적으로 일어나는 일이다.

예)

극단에 이르면 필연적으로 반대의 국면으로 변하는데, 사물의 이치가 바로 이러하다. 태어나는 것이 있으면 죽는 것이 있고 시작이 있으면 끝이 있다.

物極必反, 其理須如此.有生便有死, 有始便有終. (『이정유서二程遺書 · 입관어록入關語錄』)

물物

'물'은 일반적으로 천지간의 형상을 지닌 모든 존재를 가리키며 대체로 3가지 함의가 있다. 첫째, 형태를 가진 구체적인 존재물로서 각종 자연물, 인조물 그리고 각종 생물과 인간까지 포괄한다. 둘째, 부모를 모시거나 정무를 보고 나라를 다스리는 등 인륜 관계에서 일어나는 일과 사무를 가리킨다. 이때의 '물'은 '사事'에 해당한다. 셋째, 구체적인 존재물이나 인륜적 사무의 총화로서 보통 '만물'이라 부른다.

예)

먼저 천지가 있고 나중에 만물이 생겨났다. 천지간에 가득한 것은 오직 만물이다.

有天地, 然後萬物生焉. 盈天地之間者唯萬物. (『주역 · 서괘序卦』)

양지良知가 감응하여 반드시 '물'에 운용되는데 '물'은 각종 일을 가리킨다. 예컨대 양지가 양친을 모시는 일에 운용된다고 하면 양친을 모시는 일이 바로 하나의 '물'이다.

意之所用, 必有萬物, 物卽事也. 如意用於事親, 卽事親爲一物. (『전습록傳習錄』 중권)

물색物色

각종 자연 사물의 모양을 통칭한다. '물색'은 본래 동물의 털 색을 뜻하는데, 물체의 색깔, 더 나아가 경물과 경치를 가리키는 말로 확장되었다. 남조의 유협(465?~520)은 『문심조룡 · 물색』에서 특별히 자연 경물과 문학 창작의 관계에 대해 논했다. 그는 '감정은 사물을 따라 움직이고 언어는 감정을 따라 나온다情以物遷, 辭以情發'고 주장했고, 자연 경물은 심미적 대상으로써 사람의 창작 욕구를 일으킬 수 있으며 그로부터 문장이 발현된다고 생각했다. 우수한 문학작품은 '기운을 묘사하고 모습을 그리며, 사물을 따라 완곡하게 변화하여寫氣圖貌, 旣隨物以宛轉' 섬세하게 경물을 모사하는 한편, '경물의 색채와 소리를 마음과 함께 노닐도록 하여屬采附聲, 亦與心而徘徊' 감정과 경물이 하나로 어우러져야 한다. 『소명문선昭明文選』의 부류賦類에는 '물색' 목이 있어 경물 묘사가 뛰어난 작품을 전문적으로 수록하였다.

예)

사계절은 끊임없이 바뀌고, 추운 날씨는 사람을 가라앉게 하며 따뜻한 날씨는 편안하게 한다. 자연 경물은 끊임없이 변화하며, 사람의 마음도 이를 따라 요동한다.

春秋代序, 陰陽慘舒, 物色之動, 心亦搖焉.(유협『문심조룡 · 물색物色』)

황혼이 지는 경치는 긴 시름을 불러오고, 가을날의 서리와 이슬은 아침에 피는 꽃들에게 한기를 몰아오네.

物色延暮思, 霜露逼朝榮. (포조鮑照『추일시휴상인秋日示休上人』)

물화物化

사물의 피아彼我의 경계를 깨뜨리고 서로 전환하는 것으로, 사물의 한 존재상태이다. '물화'라는 말은 『장자莊子 · 제물론齊物論』에 나온다.

장자는 '장주지몽莊周夢蝶'의 우화로 '물화'의 의미를 설명한다. 장자는 자신과 타인, 꿈과 현실 및 모든 사물 사이의 경계와 구분이 모두 제거될 수 있으며, 그래서 사물과 사물 간에 변화와 소통을 실현할 수 있다고 여겼다. 만약 피아의 구분에 집착하며 '물화'를 체득하지 못한다면 꿈속에 있는 것과 같다. 그러나 '물화'에만 집착한다면 마찬가지로 꿈속에 빠지게 된다.

예)

예전에 장주가 꿈속에서 자기가 나비가 된 것을 보았다. 훨훨 나는 나비는 곳곳을 유유자적 노닐었는데, 자기가 장주임을 알지 못했다. 문득 잠에서 깨니 자기는 분명히 장주였다. 장주가 꿈에서 나비가 된 것인가 아니면 나비가 꿈을 꾸어 장주가 된 것인가? 장주와 나비는 분명히 구분되는 바가 있다. 이것을 '물화'라고 한다.

昔者莊周夢爲胡蝶, 栩栩然胡蝶也, 自喩適志與! 不知周也. 俄然覺, 則蘧蘧然周也. 不知周之夢爲胡蝶與? 胡蝶之夢爲周與? 周與胡蝶, 則必有分矣. 此之謂物化. (『장자莊子 · 제물론齊物論』)

미불유초靡不有初, 선극유종鮮克有終

모든 일은 시작이 있게 마련이지만, 좋게 마무리하는 사람은 매우 드물다. '미靡'는 없다는 뜻이고, '초初'는 시작을 의미한다. '선鮮'은 매우 적음을 뜻하며, '극克'은 가능함을 나타낸다. 이 말은 『시경 · 대아大雅 · 탕蕩』에 나온다. 본래 주나라 여왕厲王이 혼용무도昏庸無道하여 명령을 자주 바꿔서 백성을 해한 것을 지적한 말이었다. 이 용어는 매우 심오한 현실적, 철학적 의미를 지니고 있다. 사람됨과 일처리, 관직 생활과 치국治國에 있어 좋게 시작하는 것은 어렵지 않다. 마지막까지 변하지 않는 것이 어려운 법이다. 이 용어는 일을 처리할 때 경솔하게 계획을 바꾸지 말 것, 처음에는 굳은 다짐으로 시작했다가 금세 초심을 잃지 말 것, 더욱이 쉽게 포기하지 말고 반드시 끝까지 유지하여 유종의 미를 거둘 것을 당부하고 있다.

예)

하늘이 뭇 백성을 낳으셨는데 그 명은 믿을 만하지 않네. 모든 일은 시작이 있으나 끝이 좋은 경우는 드물구나.

天生烝民, 其命匪諶. 靡不有初, 鮮克有終. (『시경 · 대아 · 탕』)

미자美刺

찬미와 풍자. 문예 영역에서 사용되며 시로 통치자의 인품과 덕, 정책에 대해 찬미나 풍자를 하는 것을 주로 가리킨다. 공자는 가장 먼저 "시로 원망할 수 있다"(詩可以怨)고 하여 『시경』에 불만의 정서를 토로하는 용도가 있음을 강조하고 시 창작의 기본 기능을 확정하였다. 그리고 한나라의 시학은 통치자의 필요에 영합해 시의 가공송덕歌功頌德의 기능을 부각시켰다. 한대의 시학 작품인 『모시서毛詩序』와 정현의 『시보서詩譜序』는 '미자'를 시 비평의 기본 원칙 중 하나로 확립하고 그것을 후대 시인과 작가들이 의식적으로 추구해야 하는, 그들이 정치에 참여하고 사회생활에 관여하는 방식으로 봄으로써 중국 문학의 기본 용도와 주요 특색을 구성했다.

예)

시로 조정의 공덕을 노래하는 까닭은 그들이 잘 한 것은 계속 잘 하게 찬미하고 못한 것은 풍자하고 비판해 바로잡게 만들기 위해서이다.

論功頌德, 所以將順其美; 譏刺過失, 所以匡救其惡. (정현, 『시보서詩譜序』)

한대의 유가는 찬미와 풍자, 두 가지에 관해서만 시를 논했다.

漢儒言詩, 不過美刺兩端. (정정조程廷祚, 『청계집淸溪集 · 시론십삼詩論十三 · 재론자시再論刺詩』

민무신불립民無信不立

백성의 신임을 얻지 못하면 나라의 정권이 안정되지 못할 것이다. 중국 사람들은 예로부터 '신信'(신의, 신임)을 중시했다. 공자는 이를 정부와 민간의 관계에 두었으며 정권 안정화 여부에까지 결부시켰다. 국가 또는 국가의 통치자는 백성에게 신뢰를 지켜야 하고 권세에 의지하여 제멋대로 행동하면 안 되며, 백성이 자기를 신임하게 함으로써 백성끼리도 이로 인해 서로 신의를 지키게 해야 한다. 이것은 정권을 수립하고 견고히 하는 데 있어 기초이자 보장이다. 이것은 또한 "백성이 나라의 근본이다(민유방본, 民惟邦本)"라는 사상이 발전된 표현이다.

예)

자공子貢이 국가를 어떻게 다스려야 할지 물었다. 공자가 대답했다. "양식이 충분하고 군사력이 충분하고 백성이 통치자를 신뢰하면 된다." 자공이 물었다. "만약 어쩔 수 없이 한 가지를 버려야 한다면 세 가지 중에서 어떤 것을 먼저 버려야 합니까?" 공자가 말했다. "군사력을 버려야 한다." 자공이 물었다. "만약 어쩔 수 없이 한 가지를 더 버려야 한다면, 이 두 가지 중에 어떤 것을 버려야 합니까?" 공자가 대답했다. "양식을 버린다. (양식이 있던 없던) 사람은 언젠가는 죽지만, 만약 백성이 통치자를 신뢰하지 못한다면 국가는 아예 존재할 수 없기 때문이다."

子貢問政, 子曰: "足食, 足兵, 民信之矣." 子貢曰: "必不得已而去, 於斯三者何先?" 曰: "去兵." 子貢曰: "必不得已而去, 於斯二者何先?" 曰: "去食. 自古皆有死, 民無信不立." (『논어 · 안연』)

민심民心

민중의 공통된 염원이다. 한 나라 혹은 지역의 전체 백성이 그들의 공동 이익에 관련되고 광범위한 사회성을 가진 문제, 현상 또는 사정에 대해 내린 평가가 담긴 판단과 견해이다. 중국의 옛사람들은 '천명天命'을 정권의 합법성 및 정책 제정의 근거와 최고 이념으로 여겼다. 그러나 실제적으로는 종종 '민심'이 '천명'의 주요한 근원이자 내용 및 표현 형식이 되었고, 이것을 정권의 근본원칙으로 보아 민심의 지지와 반대가 국가, 정권, 정사의 성공과 쇠퇴, 부흥과 교체를 결정한다고 생각했다. 이것은 중화 민본사상의 핵심이다. 예로부터 지금까지 훌륭한 정치가는 '민심'을 최고의 정치로 여기지 않은 자가 없었다.

예)
(국가는 한 그루 나무에 비유할 수 있다.) 민중의 의지는 나무의 뿌리이고 그것이 가지와 잎의 생장과 무성함을 결정한다.
民心惟本, 厥作惟葉. (전국죽간戰國竹簡(5)『후부厚父』)

하늘은 백성을 아낀다. 백성이 원하는 바가 있으면 하늘은 반드시 그것을 따른다.
天矜於民. 民之所欲, 天必從之. (『상서尚書 · 주서周書 · 태서상泰誓上』)

민심유본民心惟本

민중의 염원과 의지는 정치의 근본이다. 전국죽간(5)의『후부厚父』에 기재된 상왕商王(일설에 의하면 태갑太甲)과 후부(일설에 의하면 이윤伊尹)의 대화가 출처로, 후부가 상왕에게 "민심이 근본이고 그것이 가지와 잎의 생장과 무성함을 결정합니다"라고 했다. 문자적인 의미는 민심은 나무 뿌리와 같으며, 나무 뿌리가 줄기와 잎의 생장과 번영을 결정한다는 것이다. 깊은 의미로는 민심이 국가의 근본으로 민심의 지지와 반대가 국가와 정권의 흥망성쇠를 최종적으로 결정한다는 것이다. 옛사람들은 정권의 합법성이 '순천응인(順天應人. 천명에 순종하고 인심을 따른다)'에 있으며 '하늘의 뜻'은 '민심'을 기초 혹은 전제로 하고 '민심'에 순응해야만 국가가 장기적으로 평안할 수 있다고 여겼다. 이는 '민유방본(民爲邦本. 백성이 국가의 근본이다)'의 사상과 일치한다.

예)

천하를 얻는 법칙이 있으니, 백성을 얻으면 천하를 얻을 수 있다. 백성을 얻는 법칙이 있으니, 민심을 얻으면 백성을 얻을 수 있다. 민심을 얻는 법칙이 있으니, 백성이 얻고 싶은 것을 그들을 대신해 모아주는 것이다. 백성이 싫어하는 것은 그들에게 전가하지 않는다. 이렇게 할 뿐이다.

得天下有道, 得其民, 斯得天下矣. 得其民有道, 得其心, 斯得民矣. 得其心有道, 所欲與之聚之, 所惡勿施爾也. (『맹자孟子 · 離婁上』)

치국은 나무를 심는 것과 같다. 뿌리가 견고하여 흔들리지 않아야 가지와 잎이 생장하고 무성해진다.

治國猶如栽樹, 本根不搖, 則枝葉茂榮. (오긍吳兢, 『정관정요貞觀政要 · 정체政體』)

민중이 국가의 근본이다. 근본이 흔들리는데 가지와 잎이 흔들리지 않는 경우는 들어보지 못했다.

民爲邦本, 未有本搖而枝葉不動者. (蘇舜欽, 『詣匭疏』)

민용자전승民勇者戰勝

백성이 용감하면 전쟁을 승리로 이끌 수 있다. 용勇은 일종의 품격으로서 주로 전투 정신, 필승 의지, 두려움이 없는 기개를 가리킨다. 이는 종종 전쟁의 승리를 결정짓는 필요조건 혹은 선결 조건이다. 이러한 품격은 군대 뿐 아니라 백성들도 지니고 있어야 한다. 백성은 전쟁에서 이기는 사회적 기초이며 백성이 충분히 용감함을 표출할 수 있다면 병사의 공급원, 물력物力, 재력, 정신 등 각 방면에서 충분한 지지를 얻는다. 그 속에 전쟁의 총체적 관념이 내포되어 있다.

백성이 용감하면 전쟁에서 이길 수 있으나 백성이 비겁하면 전쟁에서 패한다.

民勇者, 戰勝; 民不勇者, 戰敗. (『상군서商君書 · 획책劃策』)

민유방본民惟邦本

백성이 국가의 근본 혹은 기초라는 뜻이다. 백성이 편안히 생업에 종사하고 생활이 평안해야 국가가 안정될 수 있다. 이것은 가장 먼저 위僞『고문상서古文尚書』에 실린 대우大禹의 훈시에 나타났다. 전국시대 맹자가 제시한 "백성이 귀하고 사직이 그 다음이며 군주는 가볍다"(民爲貴, 社稷次之, 君爲輕)와, 순자가 제시한 "물은 배를 띄울 수 있지만 배를 뒤집을 수도 있다"(水能載舟, 亦能覆舟)는 사상과 일맥상통하며 이로부터 유가가 추종하는 '민본'의 사상이 형성되었다.

예)

선조이신 대우가 훈계해 말씀하시길, "백성은 가까이해도 되지만 비천하게 봐서는 안 된다."라고 했다. 백성은 나라의 근본이며 근본이 튼튼해야 나라가 평안하다.

皇祖有訓: 民可近, 不可下. 民惟邦本, 本固邦寧. (『상서 · 오자지가五子之歌』)

민이식위천民以食爲天

민중은 양식을 가장 중요한 것으로 여긴다. '식'은 양식으로 인류의 생존에 꼭 필요한 기본 자원 혹은 물질 조건을 가리킨다. '하늘'은 가장 중요한 사물 혹은 모든 것을 주재하는 근본 요소이다. 옛사람들은 통치자가 백성이 군주의 '하늘'이고 국가의 '뿌리'임을 알아야 할 뿐 아니라, 백성의 '하늘'이 무엇인지 알아야 한다고 여겼다. 양식은 곧 백성이 입에 풀칠하고 가족을 부양하고 편안히 살며 즐겁게 일하기 위한 기본적인 물질적 조건이자 모든 지도자 집단이 백성을 달래고 민생을 보장하는 데 필수적인 자원이다. 백성이 굶지 않고 배불리 먹을 수 있게 보장하고, 기본적인 생존 자원의 공급을 보장하는 것은 나라를 다스리고 민생을 안정시키는 최소한의 요건이다. 이것은 매우 실무적인 정치 이념이다.

예)

역이기가 말했다. "제가 듣기로 '하늘이 하늘로 여기는 것을 아는 사람은 제왕의 업을 이룰 수 있고, 하늘이 하늘로 여기는 것을 모르는 사람은 제왕의 업을 이룰 수가 없다'고 합니다. 왕도를 숭상하는 제왕은 백성을 하늘로 여기고 백성은 양식을 하늘로 여깁니다."

(酈)食其因曰: "臣聞之: '知天之天者, 王事可成; 不知天之天者, 王事不可成'. 王者以民爲天, 而民以食爲天". (『한서漢書 · 역이기전酈食其傳』)

국가는 백성을 근본으로 여기고 백성은 양식을 하늘로 여기며, 옷을 입는 것은 그 다음의 문제이다.

國以民爲本, 民以食爲天, 衣其次也. (『삼국지三國志 · 오서吳書 · 육개전陸凱傳』)

민주民主

본래 뜻은 백성의 주인(백성이 주인이 된다 의미를 포함한다), 즉 군주 혹은 제왕이지만 나중에는 관리도 지칭함. 옛사람들은 '민주'를 '순천응인(順天應人. 천명에 순종하고 인심을 따른다)의 산물로 보았다. '백성'과 '주인'은 하나의 유기체로 사람의 몸과 마음에 비유된다. 근대 이후로 '민주'는 democracy의 의역어가 되었고, 주로 국가 권력이 전체 국민에게 있다는 근본 원칙과 이 원칙에 기초하여 구성된 정치 제도와 사회 상태를 가리킨다. 민주의 본질은 백성이 주인이 되어 결정을 내리고 국가와 사회를 관리하는 권력을 행사하며 이 과정에서 자유롭게 의견을 표현내고 자기의 이익을 보호하는 것이다. 민주는 다수로 결정하지만 동시에 개인과 소수의 권리를 존중하는 것을 기본원칙으로 한다. 그 핵심은 공민의 사회적 지위로 '인권' 사회화의 '실현방식'이자 아름다운 사회를 건설하는 데 핵심 가치 중의 하나이다.

예)

예로부터 백성에게 해로운 화근을 없애 천하의 백성을 귀순하게 할 수 있는 자가 바로 백성의 군왕이었다.

自古已來, 能除民害爲百姓所歸者, 即民主也. (『삼국지三國志 · 위서魏書 · 무제기武帝紀』 배송지裴松之가 주석을 단 『위씨춘추魏氏春秋』 인용)

백성은 임금을 사람의 마음같이 여기고 임금은 백성을 사람의 몸같이 여긴다. …… 마음은 몸이 있어야 유지될 수 있고 몸이 상하면 함께 손상을 입는다. 임금은 백성이 있기에 존재할 수 있고 백성이 반대하면 멸망한다.

民以君爲心, 君以民爲體. ……心以體全, 亦以體傷. 君以民存, 亦以民亡. (『예기禮記 · 치의緇衣』)

민포물여民胞物與

세상 사람은 모두 나의 동포이며 만물은 모두 나의 짝이라는 뜻. 북송 때의 장재張載는 만물은 모두 천지자연이 기화氣化하여 생성된 것으로 본성은 모두 같다고 보았으므로 '민포물여' 사상을 제창하며 세상의 모든 사람과 사물을 사랑할 것을 주장하였다. 이 사상은 인류중심사상의 틀을 초월해 인아人我와 물아物我의 통일과 조화를 이룬 것으로 '후덕재물'의 내재적 정신과 일치하며, 송나라 명리학 사상을 구성하는 중요한 부분이다.

예)

그러므로 천지[의 기]가 가득 차서 나의 형체를 구성했으며 천지[를 지배하는 도]가 나의 본성을 형성하였다. 세상 사람은 모두 나의 동포요, 만물은 모두 나의 짝이다.

故天地之塞, 吾其體; 天地之帥, 吾其性. 民吾同胞, 物吾與也. (장재 『서명西銘』)

ㅂ

박시제중博施濟衆

널리 백성에게 은혜를 베풀고 곤고한 민중을 구제하다. '박시제중'은 통치자에 대한 매우 높은 수준의 요구이다. 통치자는 치하의 백성들을 인애仁愛의 마음으로 대하며, 백성의 필요와 고통에 공감하는 한편 다스리는 가운데 널리 이로움과 도움을 베풀어야 한다. 박시제중을 실천할 수 있는 위정자는 곧 '성인聖人'의 덕성을 갖춘 것이다.

예)

자공이 말했다. "만약 위정자가 널리 백성에게 이로움을 베풀고 곤고한 민중을 구제한다면 어떻습니까? 인덕仁德이라 할 수 있습니까?" 공자께서 말씀하셨다. "어찌 인덕이라고만 하겠는가, 성덕聖德이 분명하다. 요임금과 순임금조차 그렇게 하지 못하여 어려워했다."

子貢曰: "如有博施於民而能濟衆, 何如? 可謂仁乎?" 子曰: "何事於仁, 必也聖乎! 堯舜其猶病諸."(『논어 · 옹야雍也』)

박애博愛

널리 사랑하며 은혜가 모든 사람에게 미치다. '박博'은 넓고 큰 것이고, '애愛'는 곧 '혜惠'로, 은혜가 모든 이에게 미치는 것이다. 옛사람들은 "백성의 생활을 안정시키는 것이 혜다"(安民則惠)라고 생각했다. '애'는 '인仁'의 구현이고, '인'은 곧 타인과의 친밀함이다. '박애'는 애민愛民, 혜민惠民이라는 말과 같은데, 이것은 먼저는 하나의 통치이념으로 그 의미는 국가의 제도, 법령, 정책, 조치의 이익이 미치는 범위를 최대화하여 더 많은 사람들이 이득을 누리게 하는 데 있다. 또한 많은 사람들이 서로 친밀하게 지내고 친절하게 대하고 서로 도와주는 사회 이론과 개인 품성 또는 그러한 감정을 가리키기도 한다.

예)

옛날의 현명한 군주가 교육이 백성을 감화시킬 수 있음을 발견하고 박애를 주창하니, 백성은 이로써 부모를 버리는 자가 없었다. 백성에게 도덕, 예의를 이야기하자 백성이 따르기 시작했다.

先王見教之可以化民也, 是故先之以博愛, 而民莫遺其親; 陳之德義, 而民興行...... (『시경孝經 · 삼재三才』)

군주의 통치이념 또는 원칙은 억지로 하지 않으며 함부로 간섭하지 않음에 있다. 더 많은 사람에게 이익이 미치게 하고, 재덕이 있는 사람을 임용하려 애써야 한다.

人君之道, 清淨無爲, 務在博愛, 趨在任賢 ...... (유향劉向, 『설원說苑 · 군도君道』)

많은 사람들을 널리 사랑함을 '인仁'이라 하고, '인'을 실천하되 행위가 적합함을 '의義'라 하며, '인의仁義'를 지키며 앞서 행함을 '도道'라고 하고, 외부의 힘을 빌려 자신을 완전하게 할 필요가 없음을 '덕德'이라고 한다.

博愛之謂仁, 行而宜之之謂義, 由是而之焉之謂道, 足乎己無待於外之謂德. (한유韓愈, 『원도原道』)

반구제기反求諸己

자신의 언행과 속마음을 반성하다. '반구제기'는 맹자가 제시한 일종의 도덕 수양 방법이다. 맹자는 유가의 주장을 계승하여, 사람의 덕행과 공적은 근본적으로 자신의 수양에서 결정된다고 보았다. 그러므로 자신의 말과 행동이 사람들의 인정과 칭송을 받지 못하면, 타인의 오해를 탓할 것이 아니라 자신의 언행과 속마음이 도덕과 예법의 요구에 맞는지 반성해야 한다.

예)

인자는 활 쏘는 사람과 같다. 활 쏘는 사람은 먼저 자신을 바르게 하고 화살을 쏘되, 맞추지 못하면 자신을 이긴 자를 탓하지 않고 자기 자신을 반성할 따름이다.

仁者如射, 射者正己而後發, 發而不中, 不怨勝己者, 反求諸己而已矣.(『맹자 · 공손축 公孫丑 상』)

나는 타인을 사랑하는데 그가 친밀하게 대하지 않으면, 내가 어질었는지 반성하라. 타인을 다스리는데 잘 다스려지지 않으면, 내가 지혜로웠는지 반성하라. 예로써 타인을 대하는데 존경받지 못한다면, 내가 공경했는지 반성하라. 행하여 얻지 못하는 것이 있다면, 모두 자신을 반성하라. 그 몸이 바르다면 천하가 나를 따르게 된다.

愛人不親, 反其仁; 治人不治, 反其智; 禮人不敬, 反其敬. 行有不得者, 皆反求諸己, 其身正而天下歸之. (『맹자 · 이루 상』)

반反

상반됨 혹은 복귀. 반反은 사물의 속성 혹은 상태가 상반되고 대립됨을 묘사할 때 쓰인다. 이 기초 위에서 반反은 사물이 상반되는 관계 속에서 변화하는 경향을 지칭하기도 한다. 이 의미상 반은 두 가지 의미를 지닌다. 첫째, 사물의 속성 혹은 상태가 늘 일정한 상황 속에서 자신과 상반된 대립면으로 바뀌는 것을 가리킨다. 둘째, 사물이 본래 혹은 근본적인 상태 혹은 속성으로 돌아가는 것을 가리킨다. 반의 개념은 옛사람들이 사물에 내재되어 있는 규칙을 깊이 이해하고 있다는 것을 보여준다.

예)

도道의 운동은 대립면을 향한 변화 혹은 복귀이며 도가 기능을 발휘할 때에는 약하고 부드럽다.

反者道之動, 弱者道之用. (『노자老子 · 사십장四十章』)

동서 두 방향이 서로 대립되며 서로 필수불가결하다는 것을 안다면 만물의 기능과 위치를 확정할 수 있다.

知東西之相反而不可以相無, 則功分(fèn)定矣. (『장자莊子 · 추수秋水』)

반야般若

산스크리트어 'prajñā'의 음역. 뜻은 지혜이며 모든 사물의 본성을 통찰하고 만물의 진상을 인식하는 최고의 지혜를 가리킨다. 불교에서는 '반야'가 모든 세속적 인식을 초월하는 특수한 지혜이자, 깨달음을 얻고 부처나 보살이 되는 모든 수행 방법의 지침 혹은 근본이라고 생각한다. 그러나 이런 지혜는 형상이 없고 말로 표현할 수 없으며 단지 각종 방편과 법문(法門. 스승이 제자를 깨우치기 위해 하는 말)에 의지해 어느 정도 깨달을 수 있을 뿐이다.

예)

'반야'는 일반적인 지식이 아니며 모든 구체적인 견문을 초월한다.

般若無所知, 無所見. (승조僧肇, 『조론肇論』의 『도행반야경道行般若經』 인용 부분)

반자도지동反者道之動

'도'의 움직임은 반대편으로의 전환 또는 복귀이다. 이 명제는 『노자 · 40장』에 나온다. 노자는 '도'가 사물이 움직이고 변화하는 기본적인 법칙이라고 여겼다. 이 법칙의 기본적인 뜻은 '반反'이다. '반'은 두 가지의 함의가 있다. 첫째, 상반됨과 반대됨을 가리킨다. 즉 사물이 움직이며 자신과 반대되는 쪽으로 전환하는 것이다. 둘째, 돌아감과 복귀를 가리킨다. 즉 사물이 나중에는 원래의 상태로 되돌아가는 것이다. 이 명제는 사물의 운동법칙에 대한 노자와 도가의 깊은 이해를 반영한다.

예)

반대편으로 전환하거나 복귀하는 것이 '도'의 운동이고, 항상 유약한 곳으로 향하는 것이 '도'의 작용이다.

反者道之動, 弱者道之用. (『노자老子 · 40장』)

발분저서發憤著書

현실에서 불공평한 일을 당하여 후대에 남을 저작을 쓰기로 마음먹는 것. 출처는 『사기史記 · 태사공자서太史公自序』이다. 서한의 사마천司馬遷은 궁형宮刑을 당한 뒤, 강한 분노와 불만의 감정을 『사기』 창작의 추진력으로 삼았다. 그는 『사기』로 자신의 생각과 감정과 지향을 표현하여 결국 그 저작을 후대에 길이 남겼다. '발분저서'는 나중에 우수한 문예 작품의 창작 동기와 원인을 설명할 때 이용되곤 했다. 이 용어는 우수한 문학 작품의 탄생이 종종 작가 개인의 불행과 직접적인 연관이 있음을 나타난다. 후대에 이를 기초로 '불평즉명不平則鳴'(부당한 일을 당해 목소리를 내다), '시궁이후공詩窮而後工'(시는 시인이 곤궁해야 정교해진다) 등의 관점이 파생되었다.

예)

직언으로 무고와 소원함을 당해 애통하니, 울분을 품고 충정을 토로하네.

惜誦以致愍兮, 發憤以抒情. (굴원屈原, 『구장九章 · 석송惜誦』)

『시경』 3백 편은 대체로 성현이 울분을 토로해 써낸 것이다. 그들은 모두 감정이 맺히고 뜻을 이루지 못해 지난 일을 기술했으니 후대 사람들이 헤아리기 바란다.

『詩』三百篇, 大抵聖賢發憤之所爲作也. 此人皆意有所鬱結, 不得通其道, 故述往事, 思來者. (사마천, 「보임안서報任安書」)

발섬농어간고發纖穠於簡古, 기지미어담박寄至味於淡泊

질박한 옛스러움 가운데 섬세함과 풍부함을 품었고, 차분하고 담백한 가운데 무궁한 운치를 머금다. 북송의 문학가 소식(1037~1101)이 당대의 시인 위응물韋應物(737?~791), 유종원柳宗元(773~819) 시의 풍격을 논한 말이다. 질박함과 담박함을 지고의 경지로 삼는 이러한 이념은 소식의 시학관을 보여줄 뿐 아니라 중국 고대의 중요한 미학적 관념을 대표하고 있다. 노자는 『도덕경』에서 '큰 소리는 들리지 않으며 큰 형상은 모양이 없다大音希聲, 大象無形'고 하며 간결하고 담담한 자연의 아름다움을 숭상했고, 이는 소식의 미학 관념의 원류가 되었다.

예)

이백과 두보 이후 시인들이 뒤를 이어 나왔다. 중간에 가끔 선인의 운치를 지닌 작품도 있었지만, 시인의 재능이 그 내용을 표현할 수 있을 만큼 따르지 못했다. 오직 위응물, 유종원만이 질박한 옛스러움 가운데 섬세함과 풍부함을 담아내고, 차분하고 담백한 가운데 무궁한 운치를 실어냈으니, 다른 이들이 미치지 못하는 바이다.

李杜之後, 詩人繼作, 雖間有遠韻, 而才不逮意, 獨韋應物, 柳宗元發纖穠於簡古, 寄至味於淡泊, 非余子所及也. (소식『서황자사시집후書黃子思詩集後』)

발호정發乎情, 지호예의止乎禮義

시는 감정으로부터 나오나, 감정의 발산은 한계를 넘으면 안 되며 예의로 절제되어야 한다. 그 목적은 은근하고 풍자적인 효과를 얻는 것이다. '발호정, 지호예의'는 최초에 『시경』을 비판한 이론으로부터 발전되어 보편적인 문학 창작의 원칙이 되었다. 사람의 본능적 욕망과 그 욕망을 발산 및 표현해야 할 필요성을 인정하는 동시에, 유가의 도덕적 규범을 통해 절제하고 지도해야 하며 순전히 감정의 배출로 흘러 사회 정치 및 윤리의 규범을 넘어서는 안 된다고 강조하고 있다. 그래서 시

속에서 표현되는 감정은 개체성을 가진 동시에 사회성도 지니고 있다.

예)

주대의 사관은 정치적 득실의 궤적을 알았다. 인륜이 문란해짐을 슬퍼하고, 형과 법을 집행하는 엄격함에 탄식하고, 생각과 감정을 노래함으로써 임금을 풍자했다. 세상일의 변화를 두루 알고, 위정자에게 권고하던 옛 풍속을 그리워한 까닭이다. 그래서 '변풍變風'은 내면의 감정에서 나왔으되 예의가 규정한 한계를 넘지는 않았다. 내면의 감정으로부터 내보내는 것은 민중의 천성이고, 예의의 규범을 지키는 것은 선왕의 은덕이다.

國史明乎得失之迹, 傷人倫之廢, 哀刑政之苛, 吟詠情性, 以諷其上. 達於事變而懷其舊俗者也. 故變風發乎情, 止乎禮義. 發乎情, 民之性也. 止乎禮義, 先王之澤也. (『모시 서毛詩序』)

감정에서 나오지 않는 것은 자연히 예의에 맞지 않는다. 그러므로 시에는 기쁨이 있고 슬픔도 있다. 감정에서 생겨나는 것은 꼭 예의에 맞는다고 할 수 없다. 그러므로 시는 슬픔과 기쁨을 표현하되 예의의 한도 안에서 절제해야 한다.

不發乎情, 卽非禮義, 故詩要有樂有哀. 發乎情, 未必卽禮義, 故詩要哀樂中節. (유희재劉熙載 『예개藝概 · 시개詩概』)

방미두점防微杜漸

모자란 것, 문제 등을 맹아 단계에서 없애는 것. 미微는 은밀하고 명확하지 않다는 뜻으로 관찰하기 어려운 잠재적 상태에 있음을 가리킨다. 점漸은 징조, 현상이라는 뜻으로 사물이 각 싹을 드러내어 천천히 자라는 것을 의미한다. 바꿔 말하면 미연에 어려움을 막다防患於未然라고도 한다. 모든 것은 감추어져 있다가 드러나고 작은 것에서 큰 것으로 변하는 과정을 거치며 그 사이에는 여타 연쇄적인 반응이 나올 수 있다. 모자람, 문제 등에 있어서 사전에 막지 못하고 제때 각종 결함을 보완하지 않으며 일이 커질 때까지 기다리면 갑절에 달하는 대가를 치를 수 있으며 심지어는 총체적인 재난을 겪을 수도 있다. 따라서 사람들은 사물이 변하는 내재적인 규칙을 깊이 인식하고 정확히 이해할 필요가 있다.

예)

수재水災, 한재旱災가 비록 아직 일어나지 않았더라도 재능이 있는 사람은 이를 멀리 내다볼 수 있으며 나쁜 일을 초기 단계에서 멸할 수 있다.

水旱之災, 雖尚未至, 然君子遠覽, 防微慮萌. (『후한서後漢書 · 랑의郎顗』)

상과 벌은 군주의 손 안에 있는 두 권력이며 다른 이에게 부여할 수 없다. 이는 군주가 나쁜 일을 미연에 방지하고 화와 어지러움을 초기 상태에서 멸할 것을 보장하는 장치이다.

賞刑者, 人君之大柄, 不可以假人.所以防微杜漸, 消逆亂於未然也. (『자치통감資治通鑑 · 진기십팔晉紀十八 · 현종성황제함강육년顯宗成皇帝咸康六年』)

병에 갓 걸렸을 때 상태가 심각하지 않으면 고치기 쉽다. 시일이 오래 지나 병이 깊어지면 고치기가 어렵다. 『황제내경黃帝內經』에서 다음과 같이 언급한 바와 같다. "현명한 사람은 발병한 후에 고치는 것이 아니라 발병 전에 미리 다스린다."

病之始生, 淺則易治; 久而深入, 則難治. ≪內經≫雲 : "聖人不治已病, 治未病." (서대춘徐大椿『의학원류론醫學源流論 · 방미론防微論』)

방민지구防民之口, 심어방천甚於防川

백성의 입을 막는 일은 그들이 생각을 표현하지 못하게 막는 것으로 하류를 막아 일어나는 수해보다 더 위험하다. '방'은 '제堤'(역주: 둑, 제방)로 수류를 막는 시설이다. 여기서는 '방지하다, 가로막다, 저지하다'라는 뜻이다. 수로를 막으면 강물이 넘치거나 제방을 무너뜨려 건잡을 수 없는 수해를 일으키기 마련이다. 중국의 옛사람들은 이에 빗대어 민중이 말하지 못하게 하면 반드시 큰 피해를 입는다는 사실을 설명했다. 민중의 뜻은 힘이 있어서 막을 수 없으며 위정자는 반드시 민중이 자신의 뜻을 표현하는 것을 허용해야 하고 그렇지 않으면 민중의 거친 반발을 불러일으킨다는 뜻이다. 이는 '민유방본民惟邦本', '민심유본民心惟本', '재주복주載舟覆舟'의 이치와 통한다.

예)

백성의 입을 막는 것은 강물을 막는 것보다 더 위험하다. 강물이 막혀 둑이 터지면 많은 사람들이 피해를 입는다. 민심의 경우도 마찬가지다. 그러므로 강물을 다스리는 사람은 반드시 물의 흐름이 막히지 않고 원활하게 통하도록 해야 한다. 민중을 관리하는 사람은 반드시 장애물 없이 잘 통하게 하여 민중이 그들이 원하는 바를 말할 수 있게 해야 한다.

防民之ㅁ, 甚於防川. 川壅而潰, 傷人必多, 民亦如之. 是故爲川者決之使導, 爲民者宣之使言. (『국어國語 · 주어 상周語上』)

방원方圓

방형과 원형. 방원方圓은 연용되어 사물의 형상 혹은 모양을 가리키며 사물로 하여금 가지거나 둥글게 하는 방법, 규칙을 가리키기도 한다. 옛 사람들은 하늘은 둥글고 땅은 네모지며 하늘은 회전하고 둥글며 원만하다는 특징을 가지고 있으며 땅은 조용함, 강건함, 방정함 등의 특성을 가지고 있고 사람의 도리를 하려면 응당 천지의 특성을 본받아야 한다고 주장하였다.

예)

이루離婁의 노련한 시야와 공수公輸와 같은 높은 수준의 기교라 하더라도 양각기와 자 없이는 방형과 원형을 그려낼 수 없다. 사광師曠처럼 음을 판단하는 능력이 있다고 한들 육률六律을 쓰지 않으면 오음五音을 교정할 수 없다. 요순堯舜의 방법이 있다 하더라도 인정仁政을 행하지 않으면 천하를 잘 다스릴 수 없다.

離婁之明, 公輸子之巧, 不以規矩, 不能成方圓; 師曠之聰, 不以六律, 不能正五音; 堯舜之道, 不以仁政, 不能平治天下. (『맹자孟子 · 이루상離婁上』)

어떤 문장은 섬세하고 어떤 문장은 직설적인데 한유韓愈의 문장은 대다수가 섬세하고 유종원柳宗元의 문장은 대다수가 직설적이며 소식蘇軾의 문장은 직설적인 것은 적으나 섬세한 글은 많다.

文有圓有方, 韓文多圓, 柳文多方, 蘇文方者亦少, 圓者多. (『문장정의文章精義』)

해서와 초서를 언급하자면 각지고 둥근 것은 서체이기도 하고 활용 상의 변화이기도 하다. 해서楷書는 방정한 데에 가치가 있고 초서草書는 둥근 것에 가치가 있다. 방정한 서체는 둥근 기교를 창출해야 하고 둥근 서체는 방정한 기교를 창출해야 하는데, 이로써 절묘한 경지에 다다를 수 있다.

方圓者, 眞草之體用.眞貴方, 草貴圓.方者參之以圓, 圓者參之以方, 斯為妙矣. (강기姜夔『속서보續書譜 · 방원方圓』)

방편方便

방식, 방법. ‘방편’은 대체로 ‘선교善巧’(kauśalya)와 나란히 사용된다. 부처 혹은 보살이 중생을 교화하기 위해 주변 환경에 맞추어 설교하면서 절묘한 어휘와 서사 수법을 사용해 다양한 배경의 청중이 모두 불교의 교리를 이해하고 언어로 표현이 안 되는 깊은 뜻을 깨달을 수 있게 해주는 것을 가리킨다. ‘방편’이라는 개념은 대승 불교의 키워드이다. 불처의 설교를 포함한 모든 언어 표현은 이름과 외관의 개념에 의지하고 있어 궁극의 경지에 다다르지 못한다. 특정한 의미에서 언어 표현은 모두 달을 가리키는 손가락과 같은 수단이다. 그러므로 문자상의 이해에 그치면 안 되며 거기에 집착해서는 더욱 안 된다.

예)

내가 성불한 이래로 각종 다양한 인과 관계와 비유로 자세하게 교리를 연설했다. 수많은 절묘한 방법을 동원해 중생이 각종 집착으로부터 멀어지도록 인도했다.

吾從成佛已來, 種種因緣, 種種譬喩廣演言教, 無數方便引導衆生, 令離諸著. (『묘법연화경妙法蓮華經』 권1)

백마비마白馬非馬

하얀 말은 말이 아니다. ‘백마비마’는 명가名家가 제시한 중요한 명제로 공손용자公孫龍子(B.C. 320?~B.C. 250)는 이 명제에 대해 충분하게 설명했다. 그는 '말'이란 이름은 말의 형체를 가리킬 때 쓰이고, '하얀' 이란 이름은 흰 색을 가리킬 때 쓰인다고 여겼다. '하얀 말'은 말과 흰색을 동시에 가리키므로, '말'이 가리키는 것과는 서로 다른 물체이다. '하얀 말은 말이 아니다'라는 명제는 '말'이란 이름으로는 말 중의 흰 말, 노란 말, 검은 말이 가진 특수성을 명확하게 가리킬 수 없음을 지적하는 데 목적이 있다. 사물을 정확하게 지칭하기 위해서는 이름을 자세하게 분석하고 판단해야 한다.

예)
내가 이름나게 된 것은 바로 '하얀 말'에 대한 논설 때문이다.
龍之所以爲名者, 乃以白馬之論爾. (『공손용자 · 적부跡府』)

공손용자가 말했다. "말에게는 본래 색이 있으므로 흰색의 말이 존재할 수 있다. 만약 말에게 색이 없다면 단지 말만 있을 뿐이니 어떻게 하얀 말이 있다고 할 수 있는가? 그래서 하얀 말은 결코 말이 아니다. 하얀 말은 말과 흰 색을 가리킨다. 말과 흰 색이 말과 같은가? 그러므로 하얀 말은 말이 아니라고 하는 것이다."
曰: "馬固有色, 故有白馬. 使馬無色, 如有馬已耳, 安取白馬? 故白者非馬也. 白馬者, 馬與白也. 馬與白, 馬也? 故曰白馬非馬也." (『공손용자 · 백마론白馬論』)

백묘白描

중국화의 표현법 중 하나로, 먹선으로 대상의 윤곽을 그려 묘사하고 색을 입히지 않는다. 백묘는 주로 인물이나 화초를 그릴 때 사용된다. 먹물을 적게 쓰고 사물의 기운을 생생하게 표현한다(기운생동氣韻生動. 남제南齊의 사혁謝赫이 『고화품록古畫品錄』에서 제시한 그림을 그리는 여섯 가지 원리 중 첫 번째). 백묘는 고대의 '백화白畫'에서 유래한다. 일반적으로 같은 색의 먹을 쓰고 선의 길이, 굵기, 농담, 전환 등으로 사물의 질감과 움직임을 표현한다. 백묘는 진晉, 당唐 때 유행하다가 송宋 이후에 독립적인 스타일이 되었다. 진의 고개지顧愷之, 북송의 이공린李公麟, 원元의 조맹부趙孟頫 등이 철선묘鐵線描에 뛰어났고, 당의 오도자吳道子(도자는 자이고 이름은 도현道玄임), 북송의 마화지馬和之 등이 난엽묘蘭葉描(마황묘螞蝗描라고도 함)에 능했다. 백묘는 문학 창작의 주요 기법이기도 하다. 소박하고 간결한 필치로 대조나 과장 없이 선명하고 생생한 이미지를 묘사하는 방식을 가리킨다. 고전 소설 『수호전水滸傳』, 『삼국연의三國演義』 등에서 백묘 기법이 잘 드러난다.

예)

백묘화는 섬약하고 부드러워지기 마련이어서 강건하고 고일한 느낌을 표현하기 어렵다. 그런데 이 그림을 보니 선이 철사를 휘어놓은 듯 힘차다. 당의 염입체, 북송의 이공린, 원의 조맹부가 정립鼎立해 있다 할 만하다.

白描畫易纖弱柔媚, 最難遒勁高逸, 今觀此圖如屈鐵絲, 唐有閻令, 宋有伯時, 元有趙文敏可稱鼎足矣. (왕치등王穉登, 『「유마연교도維摩演教圖」 발跋』)

백희百戲

중국 고대 가무와 곡예 공연의 통칭이다. 무술, 마술, 동물조련, 노래와 춤, 활계희(滑稽戲. 익살스런 광대극) 및 공중 줄타기, 칼 삼키기, 불 밟기 등 각종 서커스를 포함하며 내용이 풍부하고 형식이 다양하고 표현이 비교적 자유롭다. 즐거움을 추구하며 민간적이고 통속적이다. 한대漢代부터 유행하기 시작하여 각 민족 문화의 교류와 융합에 따라 음악과 춤, 곡예, 연출 방식도 계속 융합되고 풍부해졌다. 남북조南北朝 시대 이후 그 의미가 '산악散樂'과 같아졌다. 당대唐代에 더욱 성행했고, 송대宋代 이후에는 산악은 주로 문인이 창작하고 예인이 공연하는 가무와 희극을 가리키고 백희는 민간의 잡기를 가리키게 되었다. 백희로 인해 본업을 소홀히 하거나 심지어는 풍조에 영향을 미쳐 통치자가 금지령을 내리기도 했다. 종합하자면 백희는 가무와 연극 등의 고상한 예술을 낳아 길렀고, 중국 잡기라는 무형의 문화유산을 남겨 사람들의 정신적인 문화생활을 풍요롭게 했다.

예)

진한이래로 여러 가지 잡기가 더해져 다양한 종류로 변화하고 발전하였으며 '백희'나 '산악'으로 통칭한다.

秦漢已來, 又有雜技, 其變非一, 名爲百戲, 亦總謂之散樂. (곽무천郭茂倩, 『악부시집樂府詩集』 56권의 『당서唐書 · 악지樂志』 인용부분)

번뇌煩惱

불교에서 중생이 심신의 유혹을 받아 생겨나는 미혹과 고뇌 등의 정신상태를 뜻한다. 번뇌는 사실상 잘못된 인식이 초래하는 정신상의 자아 속박이다. 범부凡夫는 미혹된 상태에서 자아의 망집妄執을 실제 있는 것으로 착각하여 사물에 대한 탐심과 미련이 생겨난다. 그리고 이를 구동력으로 하는 각종 행위가 업력業力을 만들고 윤회輪回를 불러온다. 번뇌는 그렇기에 속박으로 여겨진다. 가장 기본적인 번뇌는 탐貪, 진瞋(성냄), 치痴의 세 가지로 속칭 '삼독三毒'이라 한다. 불교는 번뇌에 대해 매우 정교하게 분류하고 있으며, 번뇌를 식별하여 하나하나 고치는 것만이 미혹과 고뇌의 상태에서 벗어나는 방법이라 믿는다.

예)

'번'은 방해를 받는다는 뜻이고 '뇌'는 어지럽다는 뜻이다. 중생을 흔들고 미혹하니 '번뇌'라고 이름한다.

'煩'是擾義', '惱'是亂義, 擾亂有情, 故名煩惱. (석규기釋窺基『성유식론술기成唯識論述記』 1권)

마음, 부처, 중생, 보살, 번뇌는 이름이 다를 뿐 본체는 같다. 너희들은 영혼이 신체적으로 소멸하든지 영원하든지 차이가 없고, 그 본질 역시 깨끗함과 더러움의 구분이 없음을 알아야 한다. 본래부터 순수하고 원만한 것으로, 범부와 성현은 이 점에서 차이가 없고 이러한 작용이 미치지 않는 곳이 없다.

心, 佛, 衆生, 菩提, 煩惱, 名異體一. 汝等當知自己心靈, 體離斷常, 性非垢淨, 湛然圓滿, 凡聖齊同, 應用無方. (석도원釋道原『경덕전등록景德傳燈錄 · 석두희천선사石頭希遷禪師』)

번욕繁縟

시문의 수식이 화려하고 묘사가 상세하다. '간결簡潔'과 상대되는 말이다. 서진 시기에 육기陸機를 대표로 문학 창작에서 어휘가 화려하고 사상이 번다한 경향이 생겼다. 육기의 작품은 전고와 대구를 많이 사용하며 문장을 정교하게 다듬고자 했으며 문사가 번잡하고 화려하다. 청신하고 유창하지 못하다는 단점도 있다. 남조 제량 시기에 유협은 『문심조룡文心雕龍』에서 '번욕'을 문장의 여덟 가지 풍격 중 하나로 뽑았다.

예)

번욕은 비유와 수식을 풍부하게 쓰고 세세한 부분까지 휘황찬란하게 꾸미는 것이다.

繁縟者, 博喩醲采, 煒燁枝派者也. (유협劉勰, 『문심조룡文心雕龍 · 체성體性』

수식이 화려하고 주제가 얽혀있으며 참신한 화려함이 가득하다. 비단을 수놓은 듯 빛나고 번잡한 현악기 소리처럼 처연하다.

或藻思綺合, 淸麗千眠. 炳若縟繡, 淒若繁弦. (육기陸機, 『문부文賦』)

범애泛愛

널리 사랑함. 어의학적으로 볼 때, '박애博愛'와 같다. 그러나 사상사의 측면에서 보면 '박애'는 일반적으로 모든 사람을 사랑함을 가리키지만 '범애'는 사람뿐 아니라 모든 사물을 사랑하는 것도 가리킨다. 맹자의 '인민애물'(仁民愛物. 사람과 생물을 모두 사랑하다), 장재의 '민포물여'(民胞物與. 세상 만물을 사랑함을 이른다)와 비슷하다.

예)

공자가 말했다. "제자들은 집에서는 부모에게 효도하고, 집을 나서서는 윗사람에게 공손하고 언행은 신중하고 정직하며 널리 뭇사람들을 사랑하고 인덕이 있는 사람을 가까이 해야 한다."

子曰: "弟子入則孝, 出則弟, 謹而信, 泛愛衆, 而親仁." (『논어論語 · 학이學而』)

널리 모든 사물을 사랑하라. 천지만물은 하나의 유기체이기 때문이다.

泛愛萬物, 天地一體也. (『장자莊子 · 천하天下』)

법法

법률과 법률제도. 고대에는 '법'과 '예禮'란 모두 사람의 행위에 대한 규범이었다. '예'란 예교로 목적은 양선(선을 퍼트림)에 있고, '법'은 형법으로 악을 벌하는데 뜻이 있다. '법'은 고대에는 灋로 썼는데 글자 형태 자체로 법의 근본정신을 표현하고 있다. '廌'은 곧 '해태解廌'이라는 전설 속의 야생 소와 유사한 신수神獸로 선악을 분별할 수 있으며 안건을 심리할 때 불법적이고 부정한 사람을 뿔로 받아 넘어뜨릴 수 있어 법률의 정의와 위엄을 상징한다. '氵'은 물이다. 물과 같이 평평함을 나타내고 법률의 공평함을 상징한다. 고대에 '법'은 비록 '군주君'가 제정하고 반포했지만 '군주'도 천하 사람들과 같이 반드시 함께 따라야 했다. 이것은 사실상 법률의 정의와 평등을 구현한 것이다. 대략 상 나라 시기에 중국은 이미 성문법이 있었다. 기원전 536년에 정나라의 재상 자산은 청나라의 법률 조문을 제후의 권력을 상징하는 정鼎으로 주조했으며, 이를 '주형서鑄刑書'라고 부른다. 중국 역사상 첫 번째로 성문법을 사회에 공포한 것으로 국가 법률의 보급과 집행의 추진에 중요한 의의가 있다.

예)

법이란 형벌로 난폭함을 금지하는데 쓰인다.

法者, 刑罰也, 所以禁強暴也. (환관桓寬, 『염철론鹽鐵論 · 소성詔聖』)

예의 역할은 나쁜 짓을 저지하는 것이고, 법은 나쁜 짓을 한 후에 처벌하는 것이다.

夫禮禁未然之前, 法施已然之後. (『사기史記 · 태사공자서太史公自序』)

법률은 천자와 천하 사람들이 모두 공통적으로 따라야 한다.

法者, 天子所與天下公共也. (『사기史記 · 장석지풍당열전張釋之馮唐列傳』)

법불아귀法不阿貴

법률은 모든 이에게 평등하며 권세 있고 지위가 높은 자에게도 결코 아부하거나 두둔하지 않는다는 뜻. 고대 법가에서는 나라를 다스릴 때는 귀하고 천함과 친근하고 소원함을 가리지 않고 모든 것을 법률 규정에 근거해 상벌을 시행해야 한다고 주장했다. 이 주장의 취지는 법을 공정하게 집행할 것을 강조해 법 앞에서는 모든 이가 평등하도록 하는 것이다. 이 주장은 대대로 추앙받아 '의법치국依法治國' 사상의 중요한 기원 중 하나가 되었다.

예)

법은 지위가 높은 권세자라 하여 그 편을 들지 않고, 먹줄은 굽은 곳을 따라서 굽지 않는다. 법률로써 제재하는 것은 지혜로운 이라 해도 회피할 수 없고 용기 있는 자라 해도 논쟁할 수 없다. 죄를 징벌하는 것은 대신도 피해 가지 않고, 선행을 장려하는 것은 필부도 빠뜨리지 않는다.

法不阿貴, 繩不撓曲. 法之所加, 智者弗能辭, 勇者弗敢爭. 刑過不避大臣, 賞善不遺匹夫. (『한비자 · 유도有度』)

법신法身

불교 교리 모음집. 신身은 모음집을 뜻한다. 불교는 종종 다른 방식으로 부처를 이해하는데 예를 들어 이신二身 삼신三身 내지는 십신十身 등으로 표현된다. 예를 들어 색신色身 혹은 생신生身은 구체적이고 형태가 있는 존재를 가리키며 물질적 측면을 강조한다. 법신法身은 무형이며 지혜의 총합으로 부처의 본질을 강조한다. 그 외에 응신應身은 중생을 위해 교화할 수 있음을 가리키는데 필요에 따라 변화하여 현현할 수 있는 형식이다. 중국 불교의 각종 각파는 법신에 대한 해석이 모두 다르나 모두 법신이 완벽하게 깨끗하고 효용이 무궁하다는 것을 중시한다.

예)

법신으로서의 보살은 이미 각종 번뇌를 끊어내고 여섯 가지 깊은 깨달음을 얻었다. 생신으로서의 보살은 번뇌를 아직도 끊어내지 못했으며 탐욕으로부터 약간 멀리 떨어져 있고 다섯 가지 깨달음을 얻었다.

法身菩薩斷結使, 得六神通; 生身菩薩不斷結使, 或離欲得五神通. (『대지도론大智度論』권삼십팔卷三十八)

승예僧叡의 『유마소維摩疏』에서 다음과 같이 해석한다. 소위 첫째는 법성생신法性生身, 둘째는 공덕법신功德法身, 셋째는 변화법신變化法身, 넷째는 허공법신虛空法身, 다섯째는 실상법신實相法身인데 자세히 고찰하여 분석해 보면 사실은 모두 동일한 법신이다. 첫째, 어떤 의미에서 생生이라 말하는 것인가? 법성의 기초에서 세워지는 것이므로 법성에서 생겨나는 법신이라 하는 것이다. 둘째, 법신이 생겨나는 것을 추구하는 조건은 각종 선행을 쌓아 성취하는 것이므로 공덕법신이라 부른다. 셋째, 법사의 감응을 언급하자면 법신이 느낄 수 없는 것은 없으며 현현하지 못함도 없기 때문에 변화법신이라 부른다. 넷째, 법신의 광대함을 찬미하기 위해 법신은 충만하게 허공 모두를 통섭하기 때문에 허공법신이라 부른다. 다섯째, 법신의 미묘함 즉 형태도 없고 상태도 없다는 특징 때문에 실상법신이라 부른다.

然叡公≪維摩疏≫釋雲: 所謂一法性生身, 二亦言功德法身, 三變化法身, 四虛空法身, 五實相法身, 詳而辯之, 即一法身也.何者言其生?則本之法性, 故曰法性生身.二推其因, 則是功德所成故,

是功德法身.三就其應, 則無感不形, 是則變化法身.四稱其大, 則彌綸虛空, 所謂虛空法身.五語其妙, 則無相無為, 故曰實相法身.(석징관釋澄觀『대방광불화엄경수소연의초大方廣佛華嚴經隨疏演義鈔』권사卷四)

법여시변法與時變, 예여속화禮與俗化

나라의 제도와 법령은 시대에 따라 달라지고, 사회의 예의범절은 풍속에 따라 변화한다. 법法은 제도와 법률로, 통치자가 반포한 각종 명령을 포함한다. 시時는 시대, 시세時勢를 뜻한다. 예禮는 주로 사회의 도덕규범 및 행위 준칙을 가리킨다. 속俗은 풍습, 풍조 외에도 국정과 민심을 포괄하는 개념이다. 이 용어는 모든 것은 변화하고 발전하며, 제도와 법령, 예의 역시 시대의 발전에 상응하여 조정되어야 한다는 의미이다. 이전의 것을 답습하지 않고 창의적인 변혁을 주장하며, 시대의 흐름, 국정과 민심의 변화에 순응하는 것을 통치의 기본 원칙으로 삼는다. 이는 『주역周易』의 '여시해행與時偕行' 사상의 실현이며, 유가에서 주장하는 '민본'사상도 내포하고 있다.

예)

그러므로 고대의 소위 현명한 군왕은 한 명뿐이 아니다. 그들이 상을 베풀 때 많고 적음이 있었고, 금지령을 내릴 때 무겁고 가벼움이 있었다. 그들의 사적이 완전히 똑같을 필요는 없으며 일부러 다르게 한 것도 아니다. 모두 시대의 발전과 풍속의 변화에 따라 달라진 것이다.

故古之所謂明君者, 非一君也, 其設賞有薄有厚, 其立禁有輕有重, 迹行不必同, 非故相反也, 皆隨時而變, 因俗而動.(『관자 · 정세正世』)

성인은 모두 국가의 안정과 혼란의 법칙을 알고, 인간사의 도리를 잘 아는 사람이다. 그들은 백성을 다스릴 때 백성에게 이익이 되기만을 바란다. 그래서 그들은 적정한 원칙을 세우고, 옛사람을 선망하지 않고 현재에 머무르지도 않으며, 시대의 흐름에 따라 변화하고 풍속의 변화에 따라 적응한다.

聖人者, 明於治亂之道, 習於人事之終始者也. 其治人民也, 期於利民而止. 故其位齊也, 不慕古, 不留今, 與時變, 與俗化.(『관자 · 정세』)

그러므로 성인은(성인이 국가를 다스릴 때는) 제도와 법령을 시대에 따라 다르게 하며, 예의를 풍속에 따라 변화시킨다. 의복과 기계 같은 것들은 모두 편의를 위해 사용하는 것이다. 법령과 제도는 모두 실제의 상황에 맞게 마땅한 방법을 제정하는 것이다.

故聖人法與時變, 禮與俗化. 衣服器械, 各便其用; 法度制令, 各因其宜.(『회남자淮南子 · 범론훈氾論訓』)

법자法者, 소이금폭이솔선인야所以禁暴而率善人也

법은 횡포를 금하고 민중을 선으로 이끌기 위한 수단이다. 이 말은 법과 도덕 교화의 공통점을 보여준다. 법의 목적은 악을 벌하고 선을 널리 떨치기 위함으로 도덕성이 있다. 법의 시행에는 시범성과 유도성, 즉 교육적 의미가 있다. 이와 같은 법에 대한 관념은 국경을 넘어 보편적인 의미를 지닌다.

예)

법은 국가를 치리하는 올바른 규범으로, 폭력을 금하고 민중을 선한 방향으로 이끄는 수단이다.

法者, 治之正也, 所以禁暴而率先人也. (『사기 · 효문본기孝文本紀』)

형벌은 횡포를 금하고 백성을 선하게 이끌기 위한 것으로 죄를 물어 죽이기 위한 것이 아니다.

刑者所以禁暴止邪, 導民於善, 非務誅殺也. (『명사明史 · 인종기仁宗紀』)

법자소이애민야法者所以愛民也

법은 백성을 사랑하는 수단이다. 즉 법률, 제도는 백성에게 혜택이 미치게 해야 한다. 이것은 법가에서 중점으로 가르치는 사상이다. 그 깊은 뜻은 법령과 제도를 개혁하거나 어떠한 법령과 제도를 확립할 때 '백성을 사랑함愛民'을 근거와 목적으로 삼아야 한다는 것이다. 법가는 비록 가혹한 형벌과 법률로 유명하고 유가의 '덕정德政'과는 거리가 있지만 '민본', '인애仁愛' 이념을 거스르지는 않는다.

예)

법률은 백성에게 혜택을 미치게 하는 것이 목적이고, 예법은 일을 편리하게 하는 것이 목적이다. 현명한 사람이 나라를 다스릴 때, 국가를 부강하게 할 수 있다면 오래된 법률을 답습할 필요가 없으며, 백성을 이롭게 할 수 있다면 오래된 예법을 따르지 않아도 된다.

法者所以愛民也, 禮者所以便事也. 是以聖人苟可以強國, 不法其故; 苟可以利民, 不循其禮. (『상군서商君書 · 경법更法』)

법자천자소여천하공공야法者天子所與天下公共也

법률은 통치자와 온 나라의 백성이 모두 똑같이 준수해야 한다. 다르게 말하면, 법률이 한 번 확정되면 어떤 사람이라도 신분의 높고 낮음과 귀천에 상관없이 모두 반드시 준수하여 시행해야 한다. 국가의 최고 통치자라 하더라도 천하의 모든 사람과 똑같이 이미 정해진 법률을 마음대로 고칠 수 없다. 이 사상은 고대 법가의 "법은 귀한 자에게 아부하지 않는다法不阿貴"는 사상에 대한 확대라고 볼 수 있다. 이것은 법률의 엄격함과 평등성뿐만 아니라, 권력과 정치에 관한 법률의 초월성도 강조한다.

예)

장석지張釋之가 말했다. "법률은 천자와 천하 사람들이 똑같이 지켜야 합니다. 현재 법률은 이렇게 규정하고 있으나 오히려 더 가중하여 처벌하려 하여, 그 결과 법률이 백성에게 신뢰를 잃고 말았습니다. ...... 정위廷尉는 천하 법률의 공평을 주관하는 사람입니다. 편파적인 실수가 조금이라도 있으면, 천하의 법을 집행하는 다른 사람들도 모두 마음대로 처벌을 경감하거나 가중하게 되어 백성들이 무엇을 지켜야 할지 모르게 되지 않겠습니까?

釋之曰: "法者天子所與天下公共也. 今法如此而更重之, 是法不信於民也. ...... 廷尉, 天下之平也. 一傾而天下用法皆爲輕重, 民安所錯其手足?" (『사기史記 · 장석지풍당열전張釋之馮唐列傳』)

법치法治

법으로 나라를 다스리는 것. 군주의 입장에 서서 군주가 법령과 규범을 제정하고 엄격히 집행하여 백성과 나라를 다스려야 한다고 주장하는 것으로서('인치人治'와 반대된다) 선진 시기 법가의 중요한 정치사상이다. 법가의 '법치' 사상은 상벌이 분명한 측면이 있어서 지나치게 강경하고 가혹한 폐단이 존재했다. 한나라부터 청나라까지 각 왕조는 '법치'와 '인치'를 함께 사용했다. 근대 이후로는 서양 학문의 전파로 인해 '법치'에 새로운 함의가 부여되었다.

예)

그래서 선왕은 나라를 다스리며 법 밖에서 자의적으로 함부로 행동하지 않았고 법 안에서 사적으로 은혜를 베풀지도 않았다.

是故先王之治國也, 不淫意於法之外, 不爲惠於法之內也. (『관자管子 · 명법明法』)

그래서 법치는 국가를 다스리는 최고의 모델이며 그것은 세계 모든 국가의 수천 년 역사 속에서 다 행해졌다. 그러면 최초로 법치주의를 발명해 일가를 이룬 사람은 누구일까? 바로 우리나라의 관자이다!

故法治者, 治之極軌也, 而通五洲萬國數千年間. 其最初發明此法治主義, 以成一家言者誰乎? 則我國之管子也! (량치차오梁啓超, 『관자 평전』)

변새시邊塞詩

변방의 풍경과 국경의 전쟁 및 군대 생활을 주요 창작 소재로 한 시가 유파이다. 그 작품들은 기이하고 선명한 변방 풍경을 묘사하거나 참담한 전쟁 장면과 힘든 변방 생활을 반영했다. 어떤 것은 변방을 지키는 군사들의 이별, 향수, 나라에 보답하고자 하는 마음 또는 배우자의 규원閨怨 및 전방의 가족에 대한 그리움 등을 중점적으로 그렸다. 변새시는 주로 작가의 전쟁에 대한 깊은 감회와 사색을 반영했고 개인 생명의 가치와 시대정신 사이의 장력을 표현했다. 변새시는 당대를 위주로 하며, 그 후에도 변새시가 있었지만 규모와 기상은 당대와 비교하기 어렵다.

예)

성당 시인들의 오언시는 그 정묘함을 주로 완적, 곽박, 도연명 등의 작품에서 본받았고 ...... 변새시는 포조와 오균의 작품을 본받았다. 당대의 시인들은 육조 사람들의 작품에서 조리가 없고 군더더기가 많은 병폐는 골라내고 정수만을 취했는데, 이는 옛사람들을 배우는 것의 모범으로 삼을 만하다.

盛唐諸公五言之妙, 多本阮籍, 郭璞, 陶潛 ...... 邊塞之作則出鮑照, 吳筠也. 唐人於六朝, 率攬其菁華, 汰其蕪蔓, 可爲學古者之法. (왕사정王士禎, 『거역록居易錄』 21권)

변체辨體

문학작품의 형식과 풍격을 분명히 가려 밝히는 것. 창작을 할 때 표현하고자 하는 생각과 감정에 근거해 적합한 문학 형식과 풍격을 선택해 내용과 형식이 높은 조화를 이룬 우수한 작품을 창작하는 것을 가리킨다. 고대의 문학가들은 문학작품을 창작할 때 종종 문장의 형식을 우선 고려하곤 했다. 위진 남북조 시대의 문학 비평가들은 각종 문체의 예술적인 특징과 예술적 규율을 철저히 탐구하여, 창작자가 생각 및 감정 표현의 필요에 근거해 상응하는 문체를 선택해 창작하고 선택한 문체의 창작 풍격과 언어 형식, 표현 기교를 엄격히 준수할 것을 강조하였으며 이렇게 해야만 우수한 작품을 쓸 수 있다고 보았다. '변체'와 상대되는 개념은 '파체破體'로 각종 문장의 형식과 풍격의 한계를 타파해 서로 융합시키는 것이다. '변체'는 간혹 고상한 문학적 품격과 경지를 판별하고 추구하는 것을 가리키기도 한다.

예)

작품에서 표현하는 생각과 정취가 서로 다르니 문장의 창작 방법도 그로 인해 변화해야 한다. 다만 이는 모두 생각과 감정에 따라 문장의 형식을 정하는 것이니 형식에 따라 문장의 기세가 형성되는 것이다. 문장의 이러한 기세는 문체 자체의 특징에 따라 창작해 형성되는 것이다.

夫情致異區, 文變殊術, 莫不因情立體, 即體成勢也. 勢者, 乘利而為制也. (유협『문심조룡 · 정세定勢』)

시인이 구상을 시작할 때 취한 경지가 고상하면 시 한 수 전체의 경지가 고상하며, 취한 경지가 가벼우면 시 한 수 전체의 경지가 가볍다.

夫詩人之思, 初發取境偏高, 則一首舉體便高; 取境偏逸, 則一首舉體便逸. (교연皎然『시식詩式』)

먼저 문장의 형식을 판명하고 형식이 규정하는 요구에 따른 후에야 마음 놓고 글을 쓸 수 있다.

先辨體裁, 引繩切墨, 而後敢放言也. (장타이옌章太炎『국고논형國故論衡 · 문학총략文學總略』)

변화變化

사물이 존재하는 기본 상태이다. '변'과 '화'는 같이 이야기될 수도 있고 개별적으로 논의될 수도 있다. 구별하자면 '변'은 확연한 변화이고 '화'는 은근하고 점진적인 변화이다. 인간과 사회를 포함하여 천지만물은 모두 '변화'의 상태에 놓여있다. 끊임없이 '변화'해야만 오랫동안 존재하고 발전할 수 있다. '변화'의 원인은 인간과 사물이 가진 대립적 속성이 서로 끊임없이 충돌하고 결합하는 데에 있다. 어떤 이는 '변화'가 불변의 법칙을 따르므로 인식하고 파악할 수 있다고 말한다. 하지만 또 어떤 이는 '변화'에는 항상성이 없어 파악하기 어렵다고 주장한다. 불교에서는 만물의 '변화'는 모두 거짓이며 만물은 고요하고 변하지 않는다고 인식한다.

예)

강함과 부드러움이 서로 갈마들어 변화가 생겨난다.

剛柔相推而生變化. (『周易주역 · 계사系辭 상』)

변은 확연한 변화를 이르고 화는 점진적 변화를 이른다.

變言其著, 化言其漸. (장재張載, 『횡거역설橫渠易說 · 계사系辭 상』)

별명別名

어떤 종류 또는 어떤 한 사물을 지칭하는 데 쓰이는 명칭이다. '별명'은 순자荀子(B.C. 313?~B.C. 238)가 사용하던 이름의 한 갈래로, '공명共名'과 대조된다. 이름은 실체를 가리키는 데 쓰인다. 동일한 유형 중에서 특수한 속성을 가진 사물의 갈래를 하나의 '별명'을 사용하여 부를 수 있다. 한 '별명'으로 지칭하는 사물 유형 중에 또 특수한 사물 유형이 존재한다면, 한 등급 더 높은 '별명'을 써서 가리킬 수 있다. 이런 방법으로 계속하여 더는 세세하게 분류할 수 없는 사물 유형에 도달할 때까지 한다. 사물의 큰 갈래 하나를 가리키는 '별명'을 '대별명大別名'이라고 부른다.

예)

어떤 유형의 사물을 부분적으로 가리키고 싶을 때는 그것을 '조수鳥獸'라고 부른다. '조수'는 가장 큰 '별명'이다. 연역적으로 추론하여 '별명'을 찾는다. '별명' 안에는 더 높은 등급의 '별명'이 있다. 더 높은 등급의 '별명'을 더는 추론할 수 없을 때까지 계속한다.

有時而欲偏擧之, 故謂之鳥獸. 鳥獸也者, 大別名也. 推而別之, 別則 有別, 至於無別然後止. (『순자 · 정명正名』)

별재별취別材別取

시가 마땅히 가져야 할 특수한 제재 및 인생에 대한 특별한 흥미를 가리킨다. 북송 때 황정견黃庭堅이 제창한 이래 강서시파江西詩派는 학문을 추구하며 의론으로써 시를 지어 시 자체의 감흥이라는 특징을 소홀히 했다. 남송의 엄우嚴羽는 이러한 풍조에 깊이 불만을 느끼고 『창랑시화滄浪詩話』에서 '별재별취'라는 개념을 제시했다. 그의 목적은 시와 시가 아닌 것의 경계를 명백히 구분하고, 그리하여 시의 본질은 감정을 노래하는 것이지 책에 있는 지식을 나열해 학문을 자랑하는 것이 아니며, 시의 중점은 감상을 표현하고 의미를 전달하는 것이지 단순히 도리를 설명하는 것이 아니며 시의 도리는 심미적 형상 속에 융화되어 있어야 함을 밝히는 데 있었다. '별재별취' 개념의 제시는 문학이론가들이 시 자체의 심미적 특성에 주목해 당시唐詩의 창작방식과 풍격으로 회귀하기를 주장했음을 설명한다.

예)

시에는 특수한 제재가 있으니 책 속의 지식과는 무관하고, 시에는 특별한 취지가 있으니 논리와는 관계가 없다.

夫詩有別材, 非關書也; 詩有別趣, 非關理也. (엄우 『창랑시화 · 시변詩辨』)

송나라 삼백 년간 사람마다 문집이 있고 문집에는 전부 시가 있고 시마다 각자 뛰어난 형식이 있다. 이 시들은 혹자는 도리와 정취를 숭상하고 혹자는 자기의 재능과 학문을 자부하고 혹자는 아는 것이 많아 논쟁하기를 뽐내는데, 적은 것은 천 편이요 많으면 만 수에 이르나 전부 유가 경서의 내용을 설명하거나 시정의 대책을 논술하는 문장이면서 운자만 맞추었을 뿐이니 이런 것은 전혀 시라고 할 수 없다.

三白年間雖人各有集, 集各有詩, 詩各自爲體; 或尙理致, 或負材力, 或逞辨博, 少者千篇, 多者萬首, 要皆經義策論之有韻者爾, 非詩也. (유극장劉克庄『죽계시서竹溪詩序』)

별집別集

어느 한 작가의 시문 작품을 모은 시문집(여러 사람의 시문을 모아 엮은 '총집總集'과 구별된다). 서한 시대 유흠劉歆의 책『칠략七略』의 '시부략詩賦略'에 굴원屈原, 당륵唐勒, 송옥宋玉 등 66인의 작품을 수록했는데, 모두 작가를 그 문집의 단위로 해 '별집'의 시초가 되었다. 동한 이후로 별집이 점점 늘어나 양한과 위진 남북조 시대에는『수서隋書 · 경적지經籍志』에 수록된 것만 해도 886부에 이르는데 역대 거의 모든 문인과 학자의 문집이 있다. 시만 수록한 것은 시집이라 하고 문장만 수록하거나 혹은 시와 문장을 모두 수록한 것은 문집이라 한다. 별집은 주로 작가의 성명, 자호, 시호, 본적, 거주지 등의 이름을 따 제목을 붙인다. 별집은 한 작가의 세상에 전해지는 모든 작품을 보존한 것으로, 작가의 영혼이 세상에 진실하게 드러난 것이자 후세 사람들이 작가의 사상과 문학적 성취를 인식하고 연구하는 주된 자료이다.

예)

별집이라는 명칭은 대략 동한 시기에 생겨난 것이다. 굴원 이래로 글을 쓰는 문사들이 대단히 많았으나 각자의 뜻과 숭상하는 바가 다르고 풍격과 여운 또한 크게 달랐다. 후대 사람이 문장을 통해 작가의 풍격과 기세를 고찰하고 이를 통해 그 내면 세계를 살펴보고자 하여 그들의 작품을 단독으로 한데 모아 엮은 것을 '집'이라 한다.

別集之名, 蓋漢東京之所創也. 自靈均已降, 屬文之士衆矣, 然其志尙不同, 風流殊別. 後之君子, 欲觀其體勢而見其心靈, 故別聚焉, 名之爲集. (『수서 · 경적지』)

병강이무의자잔兵強而無義者殘

군사력이 강하지만 정의를 행하지 않는 나라는 반드시 파괴적이다. '의義'란 곧 도의道義, 정의이고 '잔殘'은 재해, 재난이다. 예로부터 훌륭한 통치자는 모두 '부국강병(富國強兵, 나라를 부유하게 하고 군대를 강하게 함)'을 추구했다. 그러나 그보다 더 높은 원칙이 바로 '의'다. '의'는 중화민족이 모든 물질적인 이익보다 더 숭상하는 정신적인 경지이다. 만약 정의를 행하지 않는다면, 강한 군사력이 불러오는 것은 재난뿐이다.

예)

업적이 뛰어나도 신용을 지키지 않으면 반드시 위험에 처하게 되고, 군사력이 강해도 정의를 행하지 않으면 반드시 화를 부른다.

攻成而不信者, 殆; 兵強而無義者, 殘. (『관자管子 · 치미侈靡』)

병강즉멸兵强則滅

무력을 뽐낸즉 멸망하게 되다. 이것은 중국의 고대 철학자 노자老子의 '수유守柔'이념이 구체적으로 표현된 것이다. 노자는 모든 사물에 굳세고 부드러움, 강하고 약한 양면이 있다고 여겼고, 이 두 가지 측면은 절대적인 것이 아니며 일정한 조건 아래에서 서로 전환된다고 생각했다. 또한, 멀리서 볼 때 강해 보이는 것은 사실 이미 그 한계에 다다랐고, 부드러워 보이는 것은 오히려 더욱 생기와 활력으로 충만하여 상승하는 국면에 있다고 여겼다. 이는 마치 무력으로 사방에 위세를 부리는 국가가 결국은 패망하는 것과 같다. 그러므로 나라를 다스리고 인간관계를 다룰 때 결코 지나치게 완고하면 안 되며, 더욱이 힘으로 약자를 괴롭혀서는 안 된다. 부드러움으로 강함을 이기고, 부드러움 속에 강함이 있고, 강함과 부드러움이 서로 어우러져야만 안정적이고 조화로운 상태가 될 수 있다.

예)

사람이 살아 있을 때는 몸이 부드럽고, 죽었을 때는 딱딱해진다. 풀과 나무가 자랄 때는 연하지만, 죽고 나서는 마르고 시들어 버린다. 그래서 단단하고 강한 것은 죽음의 무리이며, 부드럽고 약한 것은 삶의 무리이다. 그러므로 무력이 강하면 멸망하게 되며, 나무가 강하면 부러지게 된다.

人之生也柔弱, 其死也堅强. 草木之生也柔脆, 其死也枯槁. 故堅强者死之徒, 柔弱者生之徒. 是以兵强則滅, 木强則折. (『노자 · 76장』)

| **병귀승**兵貴勝, **불귀구**不貴久

용병은 속히 이기는 것을 중요하게 여기며 싸움이 지체되어서는 안 된다. 이는 고대 군사가 손무孫武가 언급했던 작전원칙이다. 주체적으로 전쟁에 임하는 사람은 이 원칙을 중요하게 여긴다. 오랫동안 싸우고도 결판이 나지 않으면 사기가 떨어지고 전투력이 약해지며 각종 소모가 늘어나고 곤란한 일이 더할 것이며, 끝내 작전 목표를 달성치 못해 득보다 실이 크고 의외의 사태가 발생하며 국가의 안전이 위태로워지기 때문이다. 이는 정치, 경제 등 많은 요소를 종합해 형성한 총체적인 전쟁 사상이다.

예)

용병의 관건은 승리를 이끌어내는 것이며 일단 전쟁이 길어지면 군대가 지치고 예리함은 빛을 잃으며 성을 공격하는 것이 병력으로 실행될 수 없으며 국가 비용 조달도 어려움을 겪게 된다. 따라서 용병은 빨리 이기는 것이 중요하며 지체되어서는 안 된다. 이에 병법에 정통한 장수는 백성의 운명을 손에 쥐고 있으며 국가의 안위를 결정짓는 관건이 되는 인물이다. 其用戰也勝, 久則鈍兵挫銳, 攻城則力屈(jué), 久暴師則國用不足……故兵貴勝, 不貴久. 故知兵之將, 民之司命, 國家安危之主也. (『손자孫子 · 작전편作戰篇』)

병이의동兵以義動

도의를 위해 출병하다. 오늘날의 "정의를 위해 싸운다"라는 말과 비슷하다. 중국인은 예부터 '의병', '의군' 즉 '의義'를 지키기 위한 전쟁을 숭상했다. '의'라 함은 폭력을 반대하고 백성을 위해 해악을 제거하는 것이다. 비록 전쟁이 폭력 행위이지만, 그것이 주동적으로 폭력을 가하는 행위여서는 안되며 저항하고 폭력을 저지하기 위해 취하는 행위여야 한다. 병이의동은 중국인이 지켜온 도의와 인애의 정신을 드러낸다.

예)
폭력을 제지하고 혼란에서 백성을 구하는 군대를 의병이라 한다.
禁暴救亂曰義. (『오자吳子 · 도국圖國』)

군대는 폭력을 평정하기 위한 것이지 군대로 폭력을 행사해서는 안 된다.
兵者, 所以討暴, 非所以爲暴也. (『회남자淮南子 · 본경훈本經訓』)

오늘 의를 위해 출병하니 주저하여 진군하지 않으면 천하의 사람들을 실망시킬 것이다.
今兵以義動, 持疑而不進, 失天下之望. (『삼국지三國志 · 위서魏書 · 무제기武帝紀』)

병자兵者, 소이금폭제해야所以禁暴除害也

전쟁은 폭력을 막고 해를 없애기 위함이다. 중국의 고대인은 전쟁이 인성과 상반되는 흉사로써 부득이 취하는 비정상적인 방법이라고 여겼다. 어쩔 수 없이 전쟁을 수단으로 삼더라도, 일반적인 의미의 상호 쟁탈전, 죽고 죽이는 싸움에 치우치지 않고 전쟁 목적의 정의성을 고수했다. 이러한 전쟁관은 오늘날까지도 빛나는 인도주의적 가치를 보여주고 있다.

예)

저 군사를 움직이는 것은 폭력을 막고 해를 없애기 위함이며, 싸우고 빼앗기 위함이 아니다.

彼兵者, 所以禁暴除害也, 非爭奪也. (『순자荀子 · 의병議兵』)

전쟁은 폭력을 막고 변란을 정벌하기 위한 것이다.

夫兵者, 所以禁暴討亂也. (『회남자淮南子 · 병략훈兵略訓』)

옛사람은 다섯 가지 병기를 만들었는데 서로 해하기 위해서가 아니라 폭력을 제지하고 사악함을 토벌하기 위해서였다.

古者作五兵, 非以相害, 以禁暴討邪也. (『한서漢書 · 오구수왕전吾丘壽王傳』)

병자흉기兵者凶器, 쟁자역덕爭者逆德

병기는 살인의 도구이고 전쟁은 도덕을 위배하는 악행이다. '병兵'의 본뜻은 병기로 넓은 의미로 군대를 가리킨다. '쟁爭'은 충돌, 투쟁이라는 뜻으로 여기서는 전쟁을 가리킨다. '역덕逆德'은 인간의 본성을 거스른다는 뜻으로 인애지덕仁愛之德을 배반함을 이른다. 고대 중국인은 병가라 할지라도 무력과 전쟁을 부득이한 경우가 아니고서는 취하지 않는 비정상적인 수단인 흉사로 여겼다. 설령 전쟁이라는 수단을 선택했다 할지라도 인의라는 원칙을 지킬 것을 주장했다. 이는 중국인이 숭상한 인애와 평화를 담은 '문文' 정신의 표현이다.

예)

병兵은 흉기이고 쟁爭은 덕을 거스르는 것이다. 일에는 반드시 근본이 있어야 하니 현명한 군주는 폭동을 토벌함에 있어 인의를 근본에 둔다.

兵者, 凶器也. 爭者, 逆德也. 事必有本, 故王者伐暴亂, 本仁義焉. (『위료자尉繚子 · 병령兵令 상』)

병형상수兵形象水

병력을 부려 전쟁을 치르는 법은 물의 흐름과 같다. 고대 병가의 손무孫武(B.C. 545?~B.C. 470?)가 제시한 병학의 명제이다. 전쟁을 지휘할 때는 고정된 전법에 국한되지 않고 구체적인 상황에 따라 신속하게 변환하여 강점을 발휘하고 약점을 최소화해야 함을 뜻한다. 마치 물이 지형지세의 변화를 따라 흐르며 다양한 모양을 나타내는 것과 같다. 오늘날로 말하면 유연하고 탄력적인 전략과 전술로 전쟁의 주도권을 장악하는 것이다.

예)

병사를 부려 전쟁하는 법은 물의 흐름과 같다. 물이 흐르는 형세는 높은 곳을 피하고 낮은 곳을 향해 흐른다. 용병법은 적의 견실한 곳을 피해 그 약한 부분을 공격한다. 물은 지세의 고하로 인해 흐름에 제약을 받고, 용병은 적의 상황에 따라 승리를 위한 방법이 결정된다. 그래서 용병에는 고정불변하는 전법이 없다. 물이 고정된 형태가 없는 것과 마찬가지이다. 적의 상황에 따라 병법을 달리하여 승리하는 자는 용병술이 신의 경지에 올랐다 할 수 있다.

夫兵形象水. 水之形, 避高而趨下, 兵之形, 避實而擊虛. 水因地而制流, 兵因敵而制勝. 故兵無常勢, 水無常形, 能因敵變化而取勝者謂之神. (『손자병법孫子兵法 · 허실虛實』)

보민保民

백성의 생활을 안정시키다. '보민' 주장의 가장 이른 기록은 『상서尚書 · 강고康誥』이다. 고대 사람들은 천명天命이 지극히 높은 왕권의 소유권을 결정한다고 여겼다. 천명의 수여와 박탈은 일정한 원칙을 따르는데, 군주가 덕이 있으면 명을 부여하고 덕을 잃으면 천명을 박탈한다. 군주가 천명을 유지할 수 있게 하는 가장 중요한 덕행은 곧 '보민'이다. 보민은 통치하의 백성들이 안정적인 생활을 얻게 하는 데 뜻이 있으며 백성에 대한 군주의 관심과 돌봄을 나타낸다. '보민'은 고대의 정치와 통치의 핵심 목표가 되었다.

예)

이 밖에, 고대의 현명한 군왕들이 사용한 방법들을 찾아서 그것으로 백성의 생활을 안정시킨다.

別求聞由古先哲王, 用康保民. (『상서 · 강고』)

(제나라 선왕宣王이) 물었다. "덕행이 어때야 천하를 통일할 수 있습니까?" (맹자가) 대답했다. "백성이 편안히 살며 즐겁게 일하게 할 수 있다면 천하를 통일할 수 있고 그 누구라도 막지 못한다."

曰: "德何如則可以王矣?" 曰: "保民而王, 莫之能御也." (『맹자孟子 · 양혜왕상梁惠王上』)

보민이왕保民而王

백성이 편안히 살며 즐겁게 일하게 할 수 있다면 천하를 통일할 수 있다. '왕王'은 한 나라 또는 한 지역을 통치하는 사람을 가리킨다. 고대 중국어에서는 '왕'은 일반적인 의미의 최고 통치권을 장악한 사람을 가리키는 것이 아니라 하늘, 땅, 사람의 기본적인 원리를 통달하여 천하 사람들이 떠받들어 모시는 사람을 가리킨다. '보민'은 백성을 사랑하고 기르는 것으로, 백성이 사는 데 필요한 자원을 얻게 하고 교육을 받게 하며 안정적으로 생산하고 생활하게 하는 것이다. '보민'은 국가 또는 정권의 기본적인 기능으로 민심을 얻는 전제 조건이자 권력 정당성의 근거이다. 이것은 '민본民本'과 '인정仁政' 사상의 구체적인 구현이다.

예)

(제나라 선왕이) 물었다. "덕행이 어떠해야 천하를 통일할 수 있습니까?" (맹자가) 대답했다. "백성이 편안히 살며 즐겁게 일하게 할 수 있다면 천하를 통일할 수 있고 그 누구라도 막지 못한다."

曰: “德何如則可以王矣?” 曰: “保民而王, 莫之能御也.” (『맹자 · 양혜왕상』)

보제菩提

번뇌를 끊어내는 지혜. 의역하면 ‘깨닫다覺’의 뜻이며 여러 번뇌의 장애를 벗어나는 지혜를 의미한다. 보제는 각종 수행의 길에서 추구하는 목표이나, 서로 다른 경로를 통해 다다를 수 있는 보제의 등급에는 차이가 있다. 중국 불교에는 본각本覺, 진각眞覺의 사상경향이 있어서, 수행을 통해 얻는 결과는 사실 본래 가지고 있던 본성의 지혜로 여긴다.

예)

탐욕, 분노, 어리석음은 중생의 진실한 성품을 본체로 한다. 중생의 본성을 다하는 것이 곧 진정한 해탈이다. 그래서 경서는 말하길 범부가 부처가 되기 전에는 보제도 번뇌이고, 성인이 부처가 될 때는 번뇌도 보제로 변한다고 하였다.

貪瞋痴等用眞爲體, 窮其體性卽眞解脫. 故經說言, 凡夫未成佛, 菩提爲煩惱. 聖若成佛時, 煩惱卽菩提.(혜원慧遠 『유마의기維摩義記』 3권)

복화상의福禍相倚

복과 화는 서로 의지한다. ‘복화’의 본뜻은 행복, 경사와 재앙, 재해이다. 길흉, 이로움과 폐단, 득실, 좋고 나쁨 등 대립하는 두 가지 측면이다. 고대 중국인은 두 면의 대립관계는 상대적이고 그 사이에 동일성도 존재하다고 여겼다. 이들은 변증법적으로 통일되는 과정 가운데 사물 및 조건의 변화에 따라 서로 전환된다. 나쁜 일이 좋은 결과를 가져올 수 있고 좋은 일 역시 나쁜 결과를 가져올 수 있다. 이러한 변증법은 좋은 상황에서 나쁜 일이 일어나지 않도록 방지하고, 불리한 형세에서도 희망을 보고 때에 맞게 좋은 방향으로 전환해야 함을 사람들에게 보여준다. ‘물극필반物極必反’ ‘거안사위居安思危’ ‘새옹지마, 언지비복塞翁之馬,

焉知非福' 등의 사상과 연관된다.

예)
화에는 복이 의지하고 있으며, 복에는 화가 감추어져 있다.
禍兮, 福之所倚, 福兮, 禍之所伏. (『노자 58장』)

그러므로 복은 화로 변할 수 있고 화는 복으로 변할 수 있으니, 변화를 가늠하기 힘들고 깊이를 예측하기 어렵다.
故福之爲禍, 禍之爲福, 化不可极, 深不可測也. (『회남자 · 인간훈』)

본말本末

본래 뜻은 초목의 뿌리와 줄기 끝인데 파생되어 중국철학의 중요한 개념이 되었다. 그 함의는 3가지로 개괄된다. 첫째, 서로 다른 가치와 중요성을 지닌 사물로서 근본적이고 주된 사물은 '본'이며 근본적이지 않고 부차적인 사물은 '말'이다. 둘째, 세계의 본체 혹은 본원은 '본'이며 구체적인 사물 혹은 현상은 '말'이다. 셋째, 도가의 정치철학에서 무위無爲의 정치 아래의 자연적인 상태가 '본'이며 갖가지 구체적인 도덕과 삼강오상三綱五常은 '말'이다. '본말'의 상대적 관계에서 '본'은 근본적이고 주도적인 기능과 의의를 가지며 '말'은 '본'에서 생겨나 '본'에 의지하여 존재한다. 그러나 '본'의 기능이 발휘되려면 '말'이 매체가 돼야만 한다. 이 양자는 서로 구별되면서도 서로 의지한다.

예)
자하의 제자들은 청소하고, 접대하고, 응답하는 것은 잘하는데 이것은 지엽적인 것(末)에 불과하다. 근본적인 것(本)은 배우지 않으니 어찌된 일인가?
子夏之門人小子, 當灑應對進退, 則可矣, 抑末也. 本之則無, 如之何? (『논어·자장子張』)

자연과 무위의 근본을 숭상하여 도덕과 예법의 말단을 총괄한다.

崇本以擧其末. (왕필王弼, 『노자주老子注』)

본무本無

절대적인 무無. 동진 시기의 많은 학자들은 '본무'를 반야공般若空의 의미를 표현하고 사물이 근본적으로 존재하지 않음을 가리키는 데 사용했다. 이러한 관점은 승조僧肇(384 또는 374~414) 등이 보기에는 '무'를 실증하여 허무주의에 빠지게 될 위험이 있었다. 그래서 승조는 글을 통해 이를 비판하였고, 연기성공緣起性空의 중도관中道觀을 거듭 강조하였다. 후세의 작품 중에서도 동일하게 '본무'라는 말이 사용되나, 때로는 절대적 허무가 아닌 연기성공의 뜻으로 쓰이므로 주의하여 분별해야 한다.

예)

'본무'를 주장하는 교의는 '무'에 천착하여 무릇 꺼내는 말마다 모두 '없다'고 한다. 그래서 '유가 아니다非有'라는 말은 유가 곧 무이며, '무가 아니다非無'라는 말은 무 역시 무라는 뜻이라 한다. 그러나 그 근거가 되는 경전의 본뜻을 살펴보면, '유가 아니다'란 진짜 있는 것이 아니고 '무가 아니다' 역시 진짜 없는 것이 아니라는 말일 뿐이다. 어찌 '유가 아니다'라고 해서 존재하는 것이 애초에 없으며 '무가 아니다'라고 해서 존재하지 않는 것도 애초에 없다는 뜻이겠는가? 이는 그저 '무'를 말하기 좋아하는 사람의 담론일 뿐, 어찌 세상의 실제에 통하며 사물의 성질에 도달한다고 하겠는가.

本無者, 情尙於無, 多觸言以賓無. 故非有, 有即無, 非無, 無亦無. 尋夫立文之本旨者, 直以非有非眞有, 非無非眞無耳. 何必非有無此有, 非無無彼無? 此直好無之談, 豈謂順通事實, 即物之情哉! (승조僧肇 『조론肇論 · 부진공론不眞空論』)

본색本色

본래는 원래의 색깔을 가리켰으나 파생되어 원래의 모습이나 면모를 가리킨다. 문학비평용어로서는 주로 세 가지 뜻을 가지고 있다. 첫째는 문체가 규정하는 예술적인 특색과 풍격에 부합한다는 뜻이며, 둘째는 작가의 예술적 개성이 가진 특색과 풍격에 부합한다는 뜻이고, 셋째는 작품의 내용이 진솔하고 자연스러워 삶의 본래 면모에 가까우며 작가의 진실한 생각 혹은 감정의 품격을 드러낸다는 뜻이다. '본색'은 작가에 대한 요구일 뿐만 아니라 작품에 대한 요구이기도 하다. '본색'은 송나라 때의 문학 이론에서는 주로 문체의 특성을 평론하는 데 쓰였으며 명, 청나라 때의 문학 이론에서는 주로 시인과 작가의 개성과 풍격을 가리켰는데 이를 통해 꾸밈없이 삶의 본모습에 더욱 가까이 다가가는 창작 풍격을 제창하기도 했다. '본색'은 '당행當行'과 자주 이어서 쓰이며 '본진本眞'과 유사한 뜻이다. 이는 종종 도가의 자연지도自然之道 사상과 연관되어 과도한 수식을 하는 창작 태도 및 작품의 풍격을 반대하는 데 쓰인다.

예)

한유韓愈는 문장을 짓는 방법으로 시를 썼고, 소식蘇軾은 시를 짓는 방법으로 사를 썼다. 이는 교방의 예인인 뇌대사雷大使(뇌중경雷中慶, 송나라 때 교방의 예인)가 여자의 춤을 추는 것처럼 기교는 비할 바 없이 뛰어나지만 시와 사의 본색에 맞지 않는 것이다.

退之以文爲詩, 子瞻以詩爲詞, 如教坊雷大使之舞, 雖極天下之工, 要非本色. (진사도陳師道, 『후산시화後山詩話』)

요즘에는 시와 글을 쓰는 것은 마치 '입을 벌리면 목구멍이 보인다'는 속담처럼 그저 마음속의 생각을 그대로 쓰면 된다는 생각이 든다. 후세 사람들이 이런 작품을 읽으면 바로 작가의 진면목을 볼 수 있어 장점과 결점이 모두 가려지지 않으니 이것이 바로 본색이다. 본색을 나타낼 수 있는 작품이야말로 가장 좋은 글이다.

近來覺得詩文之事只是直寫胸臆, 如諺語詩所謂開口見喉嚨者. 使後人讀之, 如眞見其面目, 瑜瑕俱不容掩, 所謂本色. 此爲上乘文字. (당순지唐順之, 『여홍방주서與洪方洲書』)

세상사는 본색과 상색이 없는 것이 없다. 본색은 본래의 나 자신과 같으며, 상색은 대역과 같다.

世事莫不有本色, 有相色. 本色, 猶言正身也; 相色, 替身也. (서위徐渭, 『「서상西廂」 서』)

봉건封建

봉방건국封邦建國 혹은 봉토封土건국의 준말이다. 고대의 제왕은 작위, 토지, 인구를 친척과 공신에게 나눠주고 봉지封地 안에 나라를 세우게 했다. 각 봉국封國은 왕실 직할 영지보다는 규모가 작았고 왕실의 통치 질서를 따른다는 전제 아래 정치, 군사 영역에서 높은 자율성을 누렸으며 봉국끼리 상호견제하며 함께 왕실을 수호했다. 또한 봉국은 세습을 할 때 왕실의 확인을 거쳐야 했고 규정에 따라 왕실에 공물을 바쳤다. 일종의 정치제도인 봉건제는 황제黃帝 시대에 시작되었다고 하며 서주 시대에 완성되었다. 그것은 혈연 가문 제도를 바탕으로 형성된 종법제와 표리를 이루었고 등급화된 신분제 등을 파생시켰다. 나중에 진시황이 중국을 통일한 후 봉건제를 폐지하고 군현제를 실행했는데, 이때부터 청나라 시대까지 중국에서 주도적 위치를 차지한 것은 중앙집권제 혹은 전제군주제였다. 그러나 '봉건'은 전제군주제의 일종의 보조수단으로서 음으로 양으로 계속 존재했다.

예)

봉건제는 상고 시대의 성현인 요, 순, 우, 탕, 문왕, 무왕을 거치고서도 폐지되지 않았다.

彼封建者, 更古聖王堯, 舜, 禹, 湯, 文, 武而莫能去之. (유종원柳宗元, 「봉건론封建論」)

봉선封禪

주로 두 가지를 의미한다. 첫째, 고대 제왕이 태산에 올라 천지에 제사하면서 업적을 고하고 상서로운 일을 내려준 하늘에 감사하는 한편, 공적을 돌에 새기고 하늘의 명을 받았음을 천하에 선포하는 큰 행사이다. 그 중 태산 정상에 흙을 다져 단을 쌓고 하늘에 제사하는 것이 '봉', 양부梁父나 운운云云 등 작은 산에 장소를 내어 땅을 제사하는 것이 '선'이다. 전설 속 삼황오제, 우왕, 탕왕, 주무왕 등이 모두 봉선을 치렀고 진 이후로는 진시황(B.C. 259~B.C. 210), 한무제(B.C. 156~B.C. 87), 한광무제(B.C. 5~ 57) 등이 태산에서 봉선대전을 거행했다. 둘째, 봉선문封禪文을 가리킨다. 고대 제왕에게 봉선을 권하거나, 봉선대전을 기록하고 공덕을 찬양하는 일종의 문체이다. 서한 사마상여 (B.C. 179?~B.C. 118?)가 창시하였다. 남조 유협(465?~520)은 봉선문은 한 시대의 로써 그 체제가 장중하고 매우 크며 기세가 웅대하다고 하였고, 기록한 일은 믿을 만해야 하고 이치가 명확해야 하며 문장이 고상하고 우아해야 한다고 지적했다. 제왕의 위대함과 천지의 신비함을 찬양하기 위해, 봉선문의 작자는 수많은 문헌에서 고아하면서도 이해하기 쉬운 단어, 또는 참신하고 가볍지 않은 단어를 골라야 했고, 모든 상상력과 미사여구를 동원해야 했다. 봉선문은 이후 제전을 축하하는 축사와 각종 축전 행사를 기록하는 글로 변화되어 갔다. 유협의 기준에 따르면 축전의 글은 한 조직, 한 지역부터 한 국가의 정신과 기개를 나타낼 수 있으며, 우수한 축사 또는 축전을 기록한 시문 역시 시대의 수준을 대표하는 대작이 될 수 있다.

예)

사마상여의 『봉선』을 생각하면, 세밀하지만 고상함이 부족하다. 양웅의 『극진미신劇秦美新』은 고상하지만 사실적이지 않다. 그럼에도 모두 후세에 전해져 고전이 되었다.

伏惟相如『封禪』, 靡而不典, 揚雄『美新』, 典而亡實, 然皆游揚後世, 垂爲舊式. (반고班固 『전인典引』)

이 봉선이라는 문체는 한 시대의 제도와 법식이라 할 수 있다. 글을 구상하기 시작할 때는 마땅히 먼저 그 요점을 명확하게 해야 한다. 경전의 교훈을 따라 글의 골격을 세워야 하고, 웅대하고 풍부한 범위에서 말을 골라야 하며, 글의 뜻이 고전적이나 너무 심오하지 않고, 참신한 말을 쓰되 가볍지 않도록 해야 한다. 내용에서 광채가 나고 수식에서는 날카로운 예리함이 드러나면 위대한 작품이라 할 수 있다.

茲文爲用, 蓋一代之典章也. 構位之始, 宜明大體. 樹骨于訓典之區, 選言于宏富之路, 使意古而不晦于深, 文今而不墜于淺, 義吐光芒, 辭成廉鍔, 則爲偉矣.(유협『문심조룡 · 봉선』)

부비흥賦比興

『시경』 창작의 3가지 표현 수법. '부'는 사물을 펼쳐 직접적으로 서술하는 것이고 '비'는 공통적인 성질을 가진 두 가지 사물을 놓고서 하나를 다른 하나에 비유하는 것이다. 그리고 '흥'은 먼저 다른 사물을 언급하여 자신이 읊고자 하는 바를 끌어내는 것인데 두 가지 함의가 있다. 하나는 즉흥적으로 마음을 움직이는 것이고 다른 하나는 마음이 움직일 때 객관적인 경물을 빌려서 에둘러 어떤 생각과 감정을 표현하는 것이다. '부비흥'은 한대의 유가가 종합해 제시하였고 훗날 중국 고대 문학 창작의 기본 원칙이자 방법으로 발전했다.

예)

부, 비, 흥은 『시경』 창작의 수법이고 풍, 아, 송은 『시경』 체제의 정해진 유형이다.

賦, 比, 興是『詩』之所用, 風, 雅, 頌是『詩』之成形. (『시대서』 공영달 정의孔穎達正義)

부는 사물을 펼쳐 직접적으로 서술하는 것이고 비는 저 사물로 이 사물을 비유하는 것이며 흥은 먼저 다른 사물을 말한 뒤, 다시 읊고자 하는 사물을 끌어내는 것이다.

賦者, 敷陳其事而直言之者也; 比者, 以彼物比此物也; 興者, 先言他物以引起所詠之詞也. (주희, 『시집전詩集傳』)

부용출수芙蓉出水

아름다운 연꽃이 물속에서 피어나온다는 뜻으로 맑고 단아하며 자연스러운 아름다움을 형용하는 말이다. 수식의 아름다움을 말하는 '착채누금錯彩鏤金'과 상대되는 말이다. 위진 · 육조 시기에 자연을 숭상하는 분위기가 이러한 심미적 이상과 일치하여 예술 창작의 방면에서 사람들은 '부용출수'와 같은 자연적이고 청신한 풍격을 좋아하고 개인의 취향이 자연스럽게 드러나는 것을 중시하며 과도한 수식에 반대하였다.

예)

사령운의 시는 연꽃이 물에서 피어오른 것 같고, 안연지의 시는 색을 입히고 금을 조각한 것 같다.

謝詩如芙蓉出水, 顔如錯彩鏤金. (종영鍾嶸, 『시품詩品』 권중)

맑은 물에서 나온 연꽃, 자연스럽고 장식이 없구나.

清水出芙蓉, 天然去雕飾. (이백李白, 『난리를 겪은 뒤 황제의 은혜를 입어 야랑으로 유배가서 옛날 노닐던 일을 떠올리며 느낀 바를 적어 강하태수 위양재께 드리다經亂離後天恩流夜郎憶舊遊書懷贈江夏韋太守良宰』)

부전夫戰, 용기야勇氣也

싸움은 용기가 뒷받침된다. 용기勇氣는 군대의 전투 정신, 필승 의지, 두려움이 없는 기개이다. 용기는 한 병사의 정신적 상태를 가리킬 뿐 아니라 전투부대 전체의 정신과 기세를 가리키기도 한다. 용기는 종종 전쟁의 승리를 결정짓는 필요조건 혹은 선결조건이다. 싸운다는 것은 위험한 것이어서 충분한 용기가 없다면 여타 어떤 유리한 조건도 제 효용을 발휘할 수 없다. 여기에 다음과 같은 군사의 지혜가 담겨 있다. "많은 요소 중 인적 요소가 으뜸이며 사람의 수많은 요소 중 정신적 요소가 으뜸이다."

예)

용기는 싸움을 뒷받침한다. 첫 번째 돌격에서는 사기를 진작시킬 수 있고, 두 번째 돌격에서는 사기가 줄어든다. 세 번째 돌격에서는 사기가 완전히 없어진다. 적의 사기가 완전히 없어지면 우리의 사기는 최고조에 이르러 적군을 이길 수 있다.

夫戰, 勇氣也, 一鼓作氣, 再而衰, 三而竭.彼竭我盈, 故克之. (『좌전左傳 · 장공십년莊公十年』)

전쟁에서의 승리는 군대의 용감함에 달려있다. 전쟁에서 패배한다면 그것은 군대가 겁을 먹었기 때문이다.

戰而勝者, 戰其勇者也; 戰而北者, 戰其怯者也. (『여씨춘추呂氏春秋 · 결승決勝』)

부점불탈不黏不脫, 부즉불리不卽不離

영물시詠物詩를 쓸 때 사물 자체에 너무 집착하지 말아야 함을 가리킨다. 지나치게 사물에 연연하거나 벗어나지도 말고, 너무 가깝지도 완전히 떨어지지도 않아야 한다. '부점불탈, 부즉불리'는 두 가지 내용을 포함하고 있다. 하나는 작품에서 사용하는 언어 및 정서 등과 표현 대상과의 관계이고, 하나는 작품의 주제와 표현 대상과의 관계이다. 이 말은 만약 언어가 대상을 너무 가깝게 묘사하면 작품의 운치가 부족하고 깔끔하지 않으며, 주제와 대상이 부합하지 않으면 또한 바람이나 그림자를 잡으려는 것처럼 붕 뜬 느낌을 면하기 어려움을 강조하고 있다. 사물을 표현하는 것 말고도 영물시에는 우의寓意가 담겨 있어야 하는데, 억지로 의미를 부여해서는 안 되며 그렇지 않으면 교조敎條로 변질되고 만다. 미묘한 거리에서 형상과 느낌을 생동하듯 그려내야 좋은 영물 작품을 창작할 수 있다.

예)

영물시 창작의 어려운 점은 대상에 대해 너무 벗어나지도 집착하지도 않고, 자연스럽고 뛰어나며 우아하게 하는 데 있다.

詠物詩難在不脫不黏, 自然奇雅. (원매袁枚 『수원시화보유隨園詩話補遺』 6권)

영물 작품은 마땅히 선종에서 말하듯 집착하지도 벗어나지도 말아야 한다. 곧 대상에 너무 가까이 다가가지도 완전히 떠나지도 않는 것이 가장 좋다. 예로부터 지금까지 매화를 노래한 시가 많았는데, 임화정의 '은은한 향기暗香', '성긴 그림자疏影'라는 구절이 홀로 천고에 남는 명구가 되었다. 황정견은 '눈 온 정원에는 매화가 겨우 반 나무 피었는데, 물가의 대울타리에 문득 한 가지 걸쳐 있네' 라는 구절보다 못하다고 했다. 또한 소동파의 '대숲 밖으로 가지 하나 기울어져 더욱 좋네'라는 구절은 견식 있는 사람들이 소동파의 문장 외에도 특별히 뛰어나다고 여기는 부분이다. 그 이유는 시를 잘 아는 사람이라야 말할 수 있다.

詠物之作, 須如禪家所謂不黏不脫, 不卽不離, 乃爲上乘. 古今詠梅花者多矣, 林和靖 '暗香', '疏影'之句, 獨有千古, 山谷謂不如'雪後園林才半樹, 水邊籬落忽橫枝', 而坡公'竹外一枝斜更好', 識者以爲文外獨絕, 此其故可爲解人道耳. (왕사진王士禛『발 문인황종생매화시跋文人黃從生梅花詩』)

부진공不眞空

'공'은 절대적인 허무가 아니며, 사물은 허상이기에 공허하다. 부진공의 개념은 승조(384 또는 374~414)가 처음 표명하였고, 동진 시기 '본무'에 대한 오해로부터 생겨난 각종 '공' 관념을 주로 겨냥하고 있다. '부진공'에 대한 역대 주석가들의 해석은 대체로 두 가지 측면으로 나눌 수 있다. 첫째는 참되지 않기 때문에 공하다는 것으로, 모든 존재는 현상일 뿐 실체가 아니라는 종지를 확립했다. 둘째로 공 자체가 진짜가 아니라는 것으로, 거짓됨과 절대적 허무와의 차이를 강조했다.

예)

그러면 '부진공의 의미가 여기서 드러난다'는 말은, 진짜 있는 것이 아니기 때문에 '부진'이라 하며, 실재하는 것이 아니기에 '공'이라 부른다.

'然則不眞空義顯於茲矣'者, 正以非眞實有, 故言不眞, 旣非實有, 所以言空.(석원강釋元康『조론소肇論疏』)

북곡北曲

북방 희곡에서 기원했다. 북곡의 원형은 북송北宋, 심지어 더 이른 시기에 유행한 북방의 민간 곡조에서 유래하며, 곡조에 맞춰 지은 가사는 대부분 익살스럽고 통속적이다. 남송南宋 이후 북방 지역은 금金, 원元의 통치 아래 여진족과 몽고족 등의 가무와 음악적 요소를 대량으로 받아들였고, 점차 독특한 북곡의 체계를 형성하게 되었다. 동시에 문인들이 계속해서 창작에 참여함에 따라 우수한 작품이 다수 탄생하였다.

송대 문인들의 사詞와 비교해 보면 북곡은 소박하고 직설적이며 구어를 많이 사용한다. 격률格律과 조식調式은 더욱 자유롭다. 주된 공연 방식은 소령小令과 투수套數이다. 북곡으로 공연하는 희곡 형식을 잡극雜劇이라 한다. 원대의 문인들은 사회적 지위가 낮았기에 북곡을 빌려 뜻을 토로하였고, 북곡 창작은 전에 없던 성황을 이뤘다. 대표적인 인물로 '원곡사대가元曲四大家'라 불리는 관한경關漢卿, 마치원馬致遠, 백박白樸, 정광조鄭光祖가 있다.

예)

송대의 소위 사詞와, 금과 원 시기에 유행한 남곡과 북곡은 비록 상고시대부터 전해진 음악은 아니지만, 역시 궁, 상, 각, 치, 우의 구분이 있다. 어떤 사람은 이러한 곡을 지을 수 있고, 듣는 사람은 음률이 정확한지 분간할 수 있으니, 사실 이는 현재의 음악에서 고대의 음악으로 거슬러 올라가는 것이자 속악俗樂에서 아악雅樂으로 들어가는 것이다. ...... 그 노래하는 소리로 음률을 연구하고, 다시 바른 음률을 통해 악기의 소리를 추측해내니, 하, 은, 주 3대 음악이 모두 회복되었다.

宋世所謂詩餘, 金元以來所傳南北曲者, 雖非古之遺音, 而猶有此名目也, 夫人能爲之, 而聞之者亦能辨別其是否, 誠因今而求之古, 循俗而入於雅......因聲以考律, 正律以定器, 三代之樂亦可復矣.(구준丘濬『대학연의보大學衍義補』 44권)

노래하는 사람은 두 명뿐이다. 말니末泥는 노래하는 남자 배역, 단아旦兒는 노래하는 여자 배역이다. 그 외 등장인물이 입장하면 대사만 있고 노래는 하지 않는데, 이를 '빈백

賓白'이라 한다. '빈賓'은 '주主'와 상대되며 대사는 '빈'의 일이고 공연은 '주'의 일이다. 원말명초元末明初에 이르면 북곡은 남곡의 영향으로 변화하여 모든 등장인물이 노래하게 되었고 다시 '빈'과 '주'를 나누지 않았다.

唱者只二人, 末泥主男唱, 旦兒主女唱. 他若雜色入場, 第有白無唱, 謂之"賓白". "賓"與"主"對, 以說白在 "賓", 而唱者自有"主"也. 至元末明初, 皆北曲爲南曲, 則雜色人皆唱, 不分賓主矣. (모기령毛奇齡『서하사화西河詞話』 2권)

분分

일정한 질서 속에서 타자와 구별되는 속성, 상태 및 한도를 분分이라 한다. 분은 사물 자체의 특질을 드러내고 타자와 구분되는 한계를 설정하기도 하는데 예를 들어 하늘과 사람의 다름, 공과 사의 다름, 죽음과 삶의 다름 등이 있다. 분은 자연 규칙에서 나오기도 하고 인위적 명명 혹은 규범에 달려있기도 한다. 사물과 천성의 본성을 논하자면, 소위 성정性分이라는 것이 있다. 인륜질서에는 특정 신분이 지니는 직책을 직분職分이라 부른다.

예)

사물의 이름은 많은 경우 그것이 지칭하는 것과 부합하지 않으며 행하는 일 또한 많은 경우 그 목표가 가지는 효용과 부합하지 않기 때문에 군주는 사물의 명분을 살펴야 한다.

夫名多不當(dàng)其實, 而事多不當其用者, 故人主不可以不審名分也.

也. (『여씨춘추呂氏春秋 · 심분審分』)

사람과 사물은 각자의 천성과 한계가 있으며 이것에서 벗어날 수도 이것을 바꿀 수도 없다.

天性所受, 各有本分, 不可逃, 亦不可加. (『장자주莊子注』권이卷二)

불망백성지병不忘百姓之病

백성의 고통을 늘 잊지 않는다. 유가에서는 관리가 되어 정치하는 목적이 백성의 삶을 편안하게 하고 즐겁게 일하게 하는 데 있고, 위정자는 늘 '걱정하는 마음(憂思)'을 품어야 하며, 백성의 괴로움으로 인해 근심하고 백성이 고통을 벗어나도록 노력해야 한다고 여긴다. 이것은 유가의 '인정仁政' 이념과 중화 인문 정신, 그리고 어진 사람과 뜻 있는 사람들이 세상을 번영시키고 백성의 삶을 편안하게 한다는 책임감 있는 정신을 드러낸다. 송대 범중엄范仲淹(989~1052)의 『악양루기岳陽樓記』 중, '먼저 천하의 괴로움으로 인해 걱정하고, 그 후에 천하의 즐거움으로 인해 기뻐한다'라는 구절은 이러한 정신을 잘 표현한 것이다.

예)

몸을 다치게 할 수는 있으나 그의 뜻은 바꾸지 못한다. 위험에 처할지라도, 여전히 어떻게 자기의 포부를 실현할지를 항상 생각하며 언제나 백성의 고통을 잊지 않는다.

身可危也, 而志不可奪也; 雖危, 起居竟信其志, 猶將不忘百 姓之病也. (『예기禮記 · 유행儒行』)

불분불계不憤不啟, 불비불발不悱不發

학생이 이해하고자 노력하는데 잘되지 않을 때가 아니면 지도하지 말며, 학생이 말하고자 하는데 표현이 잘되지 않을 때가 아니면 말해주지 않는다. '憤분'은 이해할 듯 말 듯 하여 매우 조급한 상태이다. '계啓'는 지도한다, 이끈다는 뜻이다. '비悱'는 표현하고 싶으나 표현하지 못해 마음이 답답한 상태이다. '발發'은 설명한다, 명백히 한다는 뜻이다. 이는 공자가 제시한 교육의 지혜로, 배움의 과정에서 학생의 주체적 역할을 강조한다. 현대 중국 교학론의 '계발성 원칙'이 이에 근원을 두고 있다.

예)

공자께서 말씀하셨다. "이해하고자 노력하는데 잘되지 않을 때가 아니면 지도하지 말며, 말하고자 하는데 표현이 잘되지 않을 때가 아니면 말해주지 않는다. 한 가지를 가르쳤을 때 이를 통해 세 가지를 유추하지 못하면 더 이상 가르쳐주지 않는다."

子曰, "不憤不啟, 不悱不發, 一隅不以三隅反, 則不復也."(『논어論語 · 술이述而』)

불사지사不似之似

예술작품의 외형이 묘사하는 대상과 매우 흡사하도록 애쓰지 않아도, 그 의미와 정서가 전달되며 더 높은 수준의 유사성을 보여주는 것을 말한다. '불사이사不似而似'라고도 한다. 당송 및 원대의 회화이론은 외형을 정확하게 표현하는 '형사形似'보다 대상의 느낌과 정신을 드러내는 '신사神似'를 중시했다. 명대에 이르러 석도石濤(1641~1718?)를 대표로 하는 화론 관점은 신운神韻을 자찬하며 의미를 중시하고 외형은 소홀히 하는 경향과, 형태적 유사성에 매달리는 경향에 모두 반대했다. 그들이 생각한 가장 이상적인 상태는 '불사지사'였다. '불사'란 외형을 실제처럼 묘사하기에만 치중했던 과거의 작법에서 벗어나 붓끝의 정취를 자유롭게 펼쳐냄을 뜻한다. '사'란 삶의 실상이 기초가 되어 진실한 감정과 의미를 담아내기까지 도달함을 가리킨다. '불사지사'란 예술적 진실과 삶의 진실 가운데 오묘한 평행을 이루는 것과 같다.

예)

오늘날의 사람들 중 어떤 이는 마음대로 몇 번 붓을 놀리고선 스스로 고상하고 간결하다고 여긴다. 어떤 이는 침대를 겹치고 옥상을 포개듯이 번잡하여 어설프기만 하다. 그들은 걸핏하면 '형사'를 구하지 않는다고 하나, 옛사람이 '형사'를 추구하지 않는다던 말이 실은 '불사지사'의 뜻인 줄은 알지 못한다. 저처럼 간결함과 번잡함도 잘 다루지 못하는 이들을 어찌 옛사람과 함께 거론할 수 있겠는가.

今人或寥寥數筆, 自矜高簡, 或重床疊屋, 一味顢頇. 動曰不求形似, 豈知古人所云不求形似者, 不似之似也. 彼繁簡失宜者, 烏可同年語哉! (왕불王紱『서화전습록書畫傳習錄』4권)

명산은 유람할 뿐 그려서는 안 된다. 너무 비슷하게 그리면 산은 분명 이상하게 보일 터이다. 오직 모호한 가운데 그 신비한 변화를 분별해낼 수 없을 때에야, 그려낸 산은 닮지 않은 듯 닮은 모습으로 엎드려 절할 것이다.

名山許遊不許畵, 畵必似之山必怪. 變幻神奇懵懂間, 不似似之當下拜. (석도石濤『대척자제화시 발大滌子題畵詩跋』1권)

천지가 혼연히 하나로 융합되고 다시 비바람과 사계절이 나뉘어, 밝고 어두움과 높고 낮음, 멀고 가까움이 있으니, 닮지 않은 듯 닮은 것이야말로 진정으로 비슷한 것이다.

天地渾溶一氣, 再分風雨四時. 明暗高低遠近, 不似之似似之. (석도『대척자제화시 발』1권)

불섭리로不涉理路, 불락언전不落言筌

이치와 논리에 간섭받지 않고, 언어로부터 속박받지 않는다. 전筌은 대나무로 만든 일종의 어구漁具로 속박, 제약을 의미한다. '언전言筌'은 언어와 문자의 속박을 가리킨다. 이는 송대 엄우嚴羽가『창랑시화滄浪詩話』에서 제시한, 시의 학습 및 창작에 대한 요구이다. 이 말은 '묘오妙悟(오묘한 깨달음)'에 대한 해석에 해당한다. 시에는 독특한 사유방식과 심미적 요소가 있다. 그 본질은 사람의 성정을 노래하는 것이며, 도리를 설명하거나 학문을 뽐내는 것이 아니라 바로 그 순간의 감각을 중시한다. 시를 배울 때에도 논리와 언어 및 문자의 속박을 벗어나야 한다.

예)

시에 특별한 제재가 있음은 책 속의 지식과 관계가 없고, 시에 특별한 흥취가 있음은 논리와 관계가 없다. 그러나 책을 많이 읽지 않고 도리를 깊이 알지 못하면 지극한 경지에 다다르지 못한다. 이른바 논리에 간섭받지 않고, 문자에 옥죄이지 않는 시야말로 수준이 높은 시이다.

夫詩有別材, 非關書也, 詩有別趣, 非關理也. 然非多讀書, 多窮理, 則不能極其至. 所謂不涉理路, 不落言筌者, 上也. (엄우嚴羽『창랑시화滄浪詩話·시변詩辯』)

통발은 물고기를 잡기 위한 것이니 물고기를 잡으면 통발을 잊는다. 올무는 토끼를 잡기 위한 것으로 토끼를 잡으면 올무를 잊는다. 말이란 뜻을 전하기 위한 것이니 뜻을 얻으면 말을 잊는다.

荃者所以在鱼, 得鱼而忘荃. 蹄者所以在兔, 得兔而忘蹄. 言者所以在意, 得意而忘言. (『장자 · 외물外物』)

불성佛性

중생이 깨달음을 얻을 가능성을 뜻한다. 불교의 경전은 중생은 누구나 깨달음을 얻어 성불할 가능성이 있다고 인정하고 있으며, 이것이 곧 불성이다. 단어의 의미상 불성은 부처의 기본 요소이다. 그리고 바로 이러한 기본 조건이 있기에, 범부는 여러 해 여러 겁劫 동안 수련을 통해 완전한 깨달음이라는 목표에 도달할 수 있다. 또 다른 보편적인 개념으로 '여래장如來藏'(tathāgatagarbha)이 있는데, 해탈론적 의미에서 '불성'과 거의 동일하나 단지 주안점에 차이가 있다. 여래장은 중생의 본성이 원래 청정하며, 그 본질적 특성이 드러나야 함을 강조한다.

예)

나는 늘 설명하기를 모든 중생은 성불할 가능성이 있으며, 설사 선의 뿌리가 끊어진 일천제(이찬티카)까지도 불성이 있다고 했다. 일천제 등은 선의 뿌리가 끊겨 축적된 선업이 없지만, 기본으로 있는 불성은 선하다. 미래에 여전히 선업을 쌓을 수 있기 때문에, 이런 사람들도 모두 불성이 있는 것이다.

我常宣說一切衆生悉有佛性, 乃至一闡提等亦有佛性. 一闡提等無有善法, 佛性亦善, 以未來有故, 一闡提等悉有佛性. (『대반열반경大般涅槃經 · 사자후보살품 제십일師子吼菩薩品第十一』)

불언지교不言之教

말하지 않음으로써 행하는 가르침. 노자가 제시한 '무위無爲' 원칙에 부합하는 교화 방식이다. 고대에 일반적인 의미의 교화는 통치자가 말로 표현한 각종 명령과 훈시로, 백성의 언행부터 정신까지 예법에 맞추라는 요구였다. 노자는 이처럼 '유위有爲'한 교화 방식을 반대했다. 그는 통치자는 자기 뜻대로 백성에게 명령하거나 훈시해서는 안 되며, '무위無爲'와 '무언無言'의 방식으로 백성의 자연스러운 모습을 유지하고 보존해야 한다고 여겼다. 이후 '불언지교不言之教'는 주로 자신의 품행을 통해 다른 사람에게 영향을 주거나 리더십을 발휘하는 사람을 가리키는 말로 많이 사용되었다.

예)
그러므로 성인은 '무위'의 방식으로 일을 처리하며, '불언'의 방식으로 가르침을 행한다.
是以聖人處無爲之事, 行不言之教.(『노자 · 2장』)

'불언'의 가르침과 '무위'의 유익은 천하에 이룰 수 있는 자가 많지 않다.
不言之教, 無爲之益, 天下希及之.(『노자 · 43장』)

불이不二

양 극단에서 떠나있음. 모든 구별을 초월하며 모든 현상에 평등한 것을 뜻한다. 이분법적으로 세상의 현상을 이해한다면 상常과 무상無常, 득得과 무득無得과 같은 대립이 생긴다. 불교는 이분법은 구분이 없는 세계의 모습을 만들어 내며 똑바로 세상의 참된 상황을 반영하지 못한다고 한다. 언어개념의 기초 위에 세워진 인식은 이러한 구분을 피할 수 없다. 따라서 양 극단에서 멀어지면 명언名言의 잘못된 지도를 벗어나서 평범한 구별을 벗어나 평등과 공空의 지혜를 얻게 된다.

예)
모든 만물이 언급되지 않은 바가 없고 보이지 않은 곳이 없으며 알지 못한 바 됨이 없고 각종 문답과 판단에서 멀리 떨어져 있어야 불이不二의 지경에 도달했다고 할 수 있다.
於一切法無言無說, 無示無識, 離諸問答, 是為入不二法門. (『유마힐소설경維摩詰所說經 ·

입불인법문품入不仁法門品』)

불전이승不戰而勝

싸우지 않고 이미 적을 이김. 고대 저명한 군사전문가 손무에게 유래되었다. 손무는 최고의 용병전술은 '싸우지 않고 적을 이기는 병술'이라고 주장했다. 방법은 두 가지인데 첫째는 '벌모伐謀'로 적군을 이기는 계책으로 적군이 수를 쓸 수 없게 만드는 것이고, 둘째는 '벌교伐交'로 적군의 책략을 망치는 외교로 적군을 고립무원하게 만드는 것이다. 이로써 적군은 반드시 패배하게 하고 아군은 반드시 승리하는 전략적인 태도로, 최종적으로는 적군이 굴복하도록 몰아붙이는 것이다. 이것은 정치, 군사, 외교를 하나로 합친 넓은 군사관으로 역대로 실력 있는 병법가들이 추종한 것이다. 요즘 이 사상은 국제관계, 기업의 '상업전쟁' 등 많은 영역에서 광범위하게 응용되고 있다. 그 핵심은 스스로를 바로하고 연합을 잘하는 것이다.

예)

백전백승은 최고의 용병술이 결코 아니다. 교전하지 않고 적을 굴복시키는 것이 최고의 용병술이다. 그래서 용병의 상책은 적군의 계책을 무력화시키는 것이고, 둘째는 적군의 외교를 망치는 것이고, 그 다음은 적군의 군대를 공격하는 것이다. 가장 낮은 방책은 적의 성읍을 공격하는 것이다. 성을 공격하는 것은 부득이할 때 취하는 방법이다.

百戰百勝, 非善之善者也; 不戰而屈人之兵, 善之善者也. 故上兵伐謀, 其次伐交, 其次伐兵, 其下攻城. 攻城之法, 爲不得已. (『손자孫子 · 모공謀攻』)

불전재아不戰在我

만약 승산이 없다면 적과 싸우지 않는다. 교전여부가 나에게 달렸다면 적에게 제약을 받지 않는다. 이것은 옛사람들이 제시한 군사사상이다. '싸우지 않는다'는 것은 소극적으로 전쟁을 피하는 것이 아니다. 형세가 나에게 불리하고 적에게 유리할 때는 마땅히 적과의 정면승부를 피해야 하며 특히 전략적인 결전을 피해야 한다는 의미이다. 적군의 도발로 인해 조급하게 교전하거나 피동적으로 전쟁에 임하면 안 되고, 오래도록 방어하여 적을 피로하게 만드는 동시에 적을 도발하는 방법을 써서 적이 약점을 노출하게 하고 그 후에 틈새를 타서 출격하고 반격하여 싸워 이겨야 한다. 이것은 전쟁 중에 주도권을 꽉 잡아 자신 없는 전쟁을 치르지 말 것을 강조한다.

예)

그래서 전쟁을 잘 지휘하는 사람은 적을 도발하되 적에게 도발되지 않을 수 있어야 한다.

故善戰者, 致人而不致於人. (『손자병법孫子兵法 · 허실虛實』)

손무가 말했다. "나는 싸우고 싶지 않으면 진을 치고 방어를 한다. 적은 나와 교전할 방법이 없게 되고, 이로써 적의 진공방향을 바꾼다." 적군이 강하면 교전에서 승리할 수 없다. 승산이 없으면 적과 교전하지 않는다.

孫武雲: "我不欲戰者, 畫地而守之, 敵不得與我戰者, 乖其所之也." 敵有人焉, 則交綏之間未可圖也, 故曰不戰在我. (『이위공문대李衛公問對』 하권)

불평즉명不平則鳴

사물을 평평하게 두지 않으면 소리가 난다는 뜻으로 사람이 불공정한 대우를 받으면 불만의 목소리를 내게 됨을 가리킨다. 당나라의 문장가 한유韓愈(768~824)는 문학 작품의 창작이 시작되는 과정을 설명하기 위해 이 용어를 사용하였다. 작가가 외부 세계의 자극을 받으면 마음속에 '불평지기不平之氣'가 생겨나며 이러한 불평지기가 작가로 하여금 문학의 언어로써 표현을 하도록 촉진한다. 이와 같은 창작론은 공자

孔子(B.C. 551~B.C. 479)의 '시가이원詩可以怨'과 사마천司馬遷(B.C. 145 혹은 B.C. 135?~?)의 '발분저서發憤著書'를 계승하여 발전시킨 것이다. 북송의 구양수歐陽脩는 더 나아가 '시궁이수공詩窮而後工'이라는 견해를 제시하여, 시인이 고통스럽고 곤란한 환경에 처해 마음에 울분이 쌓여야 아름다운 시가 작품이 나온다고 주장했다.

예)
대체로 사물이 평평한 상태에 놓이지 못하면 소리를 내게 된다.
大凡物不得其平則鳴. (한유韓愈, 『송맹동야서(送孟東野序)』)

태사공이 말했다. "『세난』, 『고분』은 성현이 발분하여 지은 것이다." 이를 볼 때 옛 성현은 울분이 없으면 저작을 남기지 않았다. 울분이 없는데 저작을 남긴다면 이는 춥지 않은데 몸을 떨고 병이 없는데 신음을 하는 것과 같으니 저작을 남긴다 한들 볼만한 가치가 있겠는가?
太史公曰, "『說難』, 『孤憤』, 賢聖發憤之所作也." 由此觀之, 古之賢聖, 不憤則不作矣. 不憤而作, 譬如不寒而顫, 不病而呻吟也, 雖作, 何觀乎? (이지李贄, 『「충의수호전忠義水滸傳」서序』)

불학시不學詩, 무이언無以言

『시경詩經』을 배우지 않으면 다른 사람과 소통하고 표현하는 능력을 키우기 어렵다는 뜻이다. 공자가 살았던 시대에 『시경』은 한 사람의 사회적 신분과 문화적 소양을 상징했다. 『시경』을 안 배우고는 군자들 사이의 각종 교류에 참여할 수도, 언어 표현 능력을 높일 수도 없었다. 『시경』과 사회적 교류의 관계에 대한 공자의 이 말은 문학의 교육적 기능, 혹은 문학이 교육에서 차지하는 중요한 위치를 잘 설명해준다.

예)
공자가 일찍이 홀로 서 있는데 아들 백어伯魚가 정원을 지나갔다. 공자가 "『시경』을 배웠느냐?"라고 묻자, 백어는 "아직 못 배웠습니다."라고 답했다. 이에 공자는 "『시경』

을 안 배우고는 남과 이야기할 수 없다."고 말했다.

嘗獨立, 鯉趨而過庭, 曰: "學『詩』乎." 對曰: "未也." "不學『詩』, 無以言." (『논어 · 계씨季氏』)

비개悲慨

슬픔과 분개. 개慨는 감개, 분개이다. 만당晩唐의 시인 사공도司空圖가 개괄한 시의 24가지 풍격 중 하나이다. 주로 시에서 표현되는 비극적 정서를 뜻한다. 시인은 기구한 운명이나 곤경에 빠져 있을 때, 아니면 장대한 경관이나 크나큰 사건에 직면해 자신의 힘이 보잘것없다고 자각할 때 우수와 비애와 감상과 격분의 감정을 느끼고 그것을 시 창작에 투사해 '비개'의 풍격을 형성한다. 이 용어는 서양 문학이론의 '비극' 범주에 가까운 것처럼 보이는데 실제로는 도가 사상의 영향을 상대적으로 많이 받았으며 마지막에는 흔히 속수무책의 감정이나 아무것에도 구애받지 않는 감정으로 기울어진다.

예)

거센 바람이 세찬 물결을 일으키고 나무가 꺾여 부러진다. 마음이 슬프고 괴로워 죽고 싶은 생각뿐이며 잠시라도 쉬고 싶지만 그러지 못한다. 백년 세월이 강물처럼 영원히 흘러갔고 부귀와 영화도 적막과 먼지가 되었다. 세상의 도는 나날이 퇴색하는데 현세의 뛰어난 인재는 누구일까? 장사가 검을 뽑고 하늘을 우러러 탄식하니 더욱 애달프네. 마치 낙엽이 우수수 떨어지고 새는 빗물이 푸른 이끼 위에 뚝뚝 떨어지는 것 같네.

大風卷水, 林木爲摧. 適苦欲死, 招憩不來. 百世如流, 富貴冷灰. 大道日喪, 若爲雄才. 壯士拂劍, 浩然彌哀. 蕭蕭落葉, 漏雨蒼苔. (사공도, 『이십사시품二十四詩品·비개』)

탄식을 하고서 그는 시를 써 내게 위로와 당부를 했는데, 경물景物을 빌려 마음속 슬픔과 분개를 나타내면서 어려움을 당해도 원망하지 말고 운이 잘 풀려도 교만하지 말라고 했다.

感歎之餘, 作詩相屬, 托物悲慨, 阨窮而不怨, 泰而不驕. (소식蘇軾, 「화왕진경병서和王晋卿竝敘」)

비공非攻

의롭지 않은 전쟁을 반대하고 금지한다는 뜻. '비공'은 묵가의 기본 주장 중 하나이다. 묵가는 도의를 위반한 공격 전쟁은 큰 해가 된다고 보았다. 공격받은 국가가 크게 파괴당하는 것뿐만 아니라 공격한 국가 역시 전쟁으로 인해 인명과 재산에 막대한 손실을 입게 되므로 의롭지 못한 전쟁을 응당 금지해야 한다고 주장했다. 묵가는 실제 행동을 통해 국가 간의 공격을 반대하고 저지했을 뿐만 아니라 공격을 방어하는 전술과 기구를 연구하기도 했다.

예)

지금 인의를 시행하고 뛰어난 선비를 구하려 하면 위로는 성왕의 도에 부합해야 하고 아래로는 국가와 백성의 이익을 꾀해야 한다. 그러자면 비공이라는 주장을 자세히 살펴보지 않으면 안 된다.

今慾爲仁義, 求爲上士, 尙欲中聖王之道, 下欲中國家百姓之利, 故當若非攻之爲設, 而將不可不察者此也. (『묵자 · 비공 하』)

비극태래否極泰來

나쁜 일이 극에 달하면 좋은 일로 바뀐다. '태'와 '비'는 『주역周易』에 나오는 두 괘 이름으로 각각 긍정적 의미와 부정적 의미를 지닌다. 예를 들어 통함과 막힘, 순과 역, 좋음과 나쁨 등이다. 고대에는 만물이 순환하고 반복되는 변화의 과정에 있다고 생각했다. 일정한 임계점에 다다르면 사물 내부의 대립하는 두 속성이 전환을 일으킨다. '비극태래'는 사물이 발전하고 변화하는 과정의 변증법을 보여준다. 어려움을 겪고 있을 때 정신적 지지와 희망을 주며 낙관하고 분발하게 해서 기회를 붙잡아 상황을 전환할 수 있게 한다. 변증법적으로 보면 이는 근심의 특징이기도 하다.

예)

건이 밑에 오고 곤이 위에 오니 태 괘이다. 곤이 밑에 오고 건이 위에 오니 비 괘이다. 태는 통함이고 비는 막힘이다. 태는 열림이고 비는 닫힘이다. 겨울과 여름, 밤과 낮이 서로 번갈아 오듯이 사물에 일어나는 평범한 현상으로 천지와 성인이라 할지라도 그 변화에서 벗어날 수 없다.

乾下坤上, 所以爲泰也, 坤下乾上, 所以爲否也. 泰者, 通也, 否者, 塞也, 泰者, 辟也, 否者, 闔也. 一通一塞, 一闔一辟, 如寒暑之相推, 如昏明之相代, 物理之常, 雖天地聖人有不能逃也. (임율林栗, 『주역경전집해周易經傳集解』 권6)

비덕比德

동식물을 포함한 자연물의 어떠한 특성으로써 사람의 도덕과 성품을 비유하는 것. 이 술어는 문학의 심미적 영역에까지 파생되어 일반적으로 아름다운 사물로써 고상한 인격과 정신을 직접 비유해 자연현상을 사람의 어떠한 정신적인 품성의 표현이자 상징으로 보는 것을 가리킨다. '비덕'은 심미성과 문예를 도덕화하는 유가의 사유방식을 드러낸다. 인간을 자연에 '비덕'한다는 것은 자연에 대한 감상이 사실은 인간 자신, 특히 인간이 가지고 있는 윤리적 품격에 대한 감상임을 의미한다. 나중에는 일종의 수사법 및 시 창작 방식이 되었다.

예)

옛날에 군자의 도덕과 인격을 아름다운 옥에 비유했는데, 온유하면서도 광택이 있으니 이는 인仁을 드러낸 것이다.

昔者君子比德於玉焉, 溫潤而澤, 仁也. (『예기禮記 · 빙의聘義』)

굴원의 『귤송』에 이르러서는 감정과 문학적 재능이 모두 뛰어나며 귤로써 유비類比하고 우의를 담았으니 세세한 사물의 묘사에까지 뻗어 닿은 것이다.

及三閭『橘頌』, 情采芬芳, 比類寓意, 乃覃及細物矣. (유협劉勰 『문심조룡文心雕龍 · 송찬頌讚』)

비명非命

인간사가 운명에 의해 결정된다는 것에 반대하는 관념. '비명'이란 묵가의 기본적인 주장 중에 하나이다. 묵가는 백성의 빈부, 국가의 태평과 분란은 모두 사람 스스로에 의한 것으로 운명에 의해 결정되는 것이 아니라고 주장했다. 인간사를 운명에 위탁하는 것은 행위 주체로서의 책임을 저버리는 것으로 국가를 어지럽히며 백성을 가난하게 만들 뿐이다.

예)

운명이 인간사를 결정한다고 주장하는 사람은 세상에 매우 해롭다. 그래서 묵자는 그들의 주장에 반대했다.

執有命者, 此天下之厚害也, 是故子墨子非也. (『묵자墨子 · 비명중非命中』)

비이부당比而不党

도의로써 사귀며, 작당하여 사리사욕을 꾀하지 않는다. '비比'에는 가까운 관계라는 뜻이 있으며 여기서는 도의를 이해 결성된 무리를 가리킨다. '당黨'는 사적인 정에 치우침, 붕당이라는 뜻으로 여기서는 사사로운 정, 사익을 위해 결성된 무리를 말한다. 전자는 공적인 마음으로 행동하는 것으로 건설적이며 역대 정직한 인사들에게 추앙받았다. 후자는 권리를 이용해 사리사욕을 채우는 것으로 파괴적이며 역대 정직한 인사들이 지양한 바이다.

예)

듣건데 임금을 섬기는 자는 비比하며 당黨하지 않는다. 충신으로 의리 있는 사람을 천거하는 것은 비比이고 사사로운 사람을 천거하는 것은 당黨이다. …… 임금을 섬기며 당을 짓는다면 내가 어찌 정사를 할 수 있겠는가?

吾聞事君者比而不黨. 夫周以舉義, 比也. 舉以其私, 黨也. …… 事君而黨, 吾何以從政? (『국

어國語 · 진어晉語 5』)

빙례聘禮

처음에는 천자天子와 제후諸侯 간 혹은 제후와 제후 간의 방문 및 회견 시의 외교적 예의였고 고대 정치 생활 속의 중요한 예의였다. 외국에 방문하러 가는 사람과 그 방문을 맞이하는 사람의 신분, 방문 사유, 횟수 등의 요소가 각각 달라서 빙례聘禮는 조朝, 빙聘, 문問 등의 상이한 등급으로 나뉘었다. 정치 형세의 변화에 따라 빙례는 이후 국가 간 혹은 기타 상대적으로 독립된 정치적 주체 간의 상호 방문 시의 외교적 예의도 가리키게 되었다. 빙례는 조현朝見, 방문訪問 과정 중의 예의를 설계함으로써 예를 행하는 사람이 대표하는 상이한 정치적 주체의 지위와 상호관계를 규범 짓고 드러냈다. 빙례는 이후에 남녀가 정혼 시 남자 측이 여자 측에 납폐를 보내는 예의도 가리키게 되었다.

예)

무릇 제후諸侯 간의 국교라 하면 매년 서로 방문하여 예를 갖추고 몇 년 정도씩 걸러서 빙례를 행하고 군주 세대 교체 시에도 조례를 행해야 한다.

凡諸侯之邦交, 歲相問也, 殷相聘也, 世相朝也. (『주례周禮 · 추관秋官 · 대행인大行人』)

빙례 규정에 의하면 높은 귀족은 일곱명을 보내 주객의 말을 전해야 하며 제후와 백작은 다섯 명을 보내고 자작과 남작은 세 명을 보낸다. 이로써 신분의 높고 낮음을 드러낸다.

聘禮, 上公七介, 侯伯五介, 子男三介, 所以明貴賤也. (『예기禮記 · 빙의聘義』)

ㅅ

사곡詞曲

음악에 맞추어 노래로 부를 수 있는 장단구의 시체인 사詞와 역시 음악과 함께 노래로 부를 수 있는 운문체인 곡曲, 두 가지 문학 형식을 함께 지칭하는 말이다. 『사고전서四庫全書』에서는 집부集部의 가장 마지막 순서로 사곡류詞曲類가 나온다.(곡은 유類만 있고 목目은 없음) 이렇게 배열한 이유는 고대의 문학 관념에 깔린 시문을 정통으로 보아 시문은 비교적 공식적인 내용을 표현할 수 있고 사곡은 개인의 재능를 전시하는 잔재주라는 인식에 있다. 그 외에 '사곡詞曲'으로 병칭함으로써 희곡戲曲과 설창說唱을 지칭하는 경우도 있다.

예)

사와 곡, 두 형식은 문장과 기예 사이에 있다. 그 등급이 낮은 편이고 작가 또한 중요하게 여기지 않는다. 단지 문학에 재능 있는 자들이 아름다운 언어를 사용하며 서로 추어줄 뿐이다.

詞曲二體, 在文章, 技藝之間. 厥品頗卑, 作者弗貴, 特才華之士, 以綺語相高耳. (『사고전서총목제요四庫全書總目提要 · 집부集部 · 사곡류詞曲類』)

사기도모寫氣圖貌

문학을 창작할 때 사물의 외부 형태의 묘사하여 사물의 내재적 기세와 분위기를 전달하는 것을 가리킨다. 이것은 문학 창작은 단순히 사물의 외형만 묘사할 뿐 아니라 마음으로 대상을 파악해야 하고, 물체와 자아가 서로 융합되는 경지에 도달하여 사물의 기세와 분위기 또는 사물에 대한 사람의 내재적 정감을 표현하기 위해 힘쓸 것을 강조한다. 이렇게 해야만 우수한 작품을 써낼 수 있다.

예)

사물의 외형적 특징 및 내재적인 기세와 분위기를 묘사하려면, 경물의 차이에 따라 굴곡과 변화가 있어야 한다. 말의 수식과 음률을 더하여 자기 내면의 느낌에 따라 반복하여 퇴고해야 한다.

寫氣圖貌, 既隨物以宛轉; 屬採附聲, 亦與心而徘徊. (유협, 『문심조룡 · 물색物色』)

사단四端

인, 의, 예, 지 등 네 가지 덕의 시초와 맹아를 말한다. 맹자는 인, 의, 예, 지의 뿌리는 마음에 있다고 보았다. 측은지심惻隱之心은 인의 시초이며 수오지심羞惡之心은 의의 시초이고, 사양지심辭讓之心은 예의 시초이며 시비지심是非之心은 지의 시초이다. '사단'은 모든 이가 천성적으로 지니고 있는 것으로 사람이 사람으로서 존재하는 본질적 특징이다. 사람은 자기 마음속에 있는 고유의 선한 실마리를 충분히 확충하고 발휘하기만 한다면 인, 의, 예, 지 사덕을 성취하여 군자 내지는 성인이 될 수 있다.

예)

무릇 '사단'을 지닌 사람이라면 이를 확충할 줄 알아 불길이 일고 샘이 솟아나는 것과 같게 된다. '사단'을 확충할 수 있다면 천하를 안정시킬 수 있으며 '사단'을 확충할 수 없다면 부모를 봉양하기에도 부족하다.

凡有四端於我者, 知皆擴而充之矣, 若火之始然, 泉之始達. 苟能充之, 足以保四海; 苟不充之, 不足以事父母. (『맹자 · 공손추公孫丑 상』)

사달辭達

말을 하거나 글을 쓸 때는 마음속의 뜻을 간단명료하게 표현할 수 있어야 한다는 뜻. 공자는 화려한 문체를 과도하게 추구하는 것을 반대하고 글은 확실하고 간결하게 생각과 감정을 전달할 수 있으면 된다는 것을 강조하며 '문질빈빈文質彬彬'(우아하면서도 질박하다)이라는 심미적 관념을 제창하였다. 이 술어는 나중에 유협, 한유, 소식 등을 거치며 부단히 계승되고 발전해 간결함과 자연스러움을 추구하며 과도한 수식을 반대하는 중국문학의 미학적 취지와 풍격을 형성하였다.

예)
공자가 말하기를, '말은 뜻을 명확히 표현할 수 있으면 그만이다'라 하였다.
子曰: 辭達而已矣. (『논어 · 위령공衛靈公』)

문장이 뜻을 전달할 수 있으면 문학적 재능을 무궁무진하게 운용할 수 있게 된다.
辭至於能達, 則文不可勝用矣. (소식『답사민사서答謝民師書』)

사례射禮

화살을 쏠 때의 예의. 고대 사람들의 인륜 생활 속에서의 중요한 예의였다. 사射는 활쏘기를 뜻하며 고대 학생들이 정복해야 하는 여섯 가지 기본 기능 중 하나였다. 사례射禮는 특정한 의정儀程에 따라 손님과 주인이 돌아가면서 활을 쏘는 것을 가리킨다. 사례에서의 활을 쏘는 활동은 과녁을 정확히 맞히는 것 외에도 쏘는 사람의 몸가짐과 마음이 단정해야 했으며 과녁을 맞히지 못할 시에는 심신의 상태를 돌아보아야 했다. 이러한 활쏘기 시 필요한 사항과 스스로 돌아보는 태도는 도덕 수양 시의 요구사항과 정확히 부합한다. 따라서 사례는 활쏘기 기예 이외에 도덕 수양도 돕는다는 의의를 지닌다.

예)

인자는 활쏘기 하는 자와 같은데, 활 쏘는 이는 먼저 스스로 자세를 단정하게 하고 활을 쏘아야 하며 활이 과녁을 맞히지 못하면 자신보다 성적이 나은 사람을 질투하는 것이 아니라 돌이켜 스스로 돌아본다.

仁者如射, 射者正己而後發; 發而不中, 不怨勝己者, 反求諸己而已矣. (『맹자孟子 · 공손추상公孫丑上』)

따라서 활 쏘는 자는 나아가고 물러나고 몸을 돌릴 때 반드시 예의규범에 부합해야 하며 심지는 단정하고 몸은 곧게 펴야 하고 그 다음에는 활을 잡고 안정적으로 조준한 후에야 과녁을 맞힐 수 있다. 이로써 활쏘는 자의 덕행을 관찰할 수 있다.

故射者, 進退週還(xuán)必中禮, 內志正, 外體直, 然後持弓矢審固, 持弓矢審固, 然後可以言中, 此可以觀德行矣. (『예기禮記 · 사의射義』)

사명私名

특수한 사물의 이름. '사명'은 묵가의 명칭에 대한 분류의 일종이다. 묵가는 이름[명名]의 변별을 중시하여 사물을 적합한 이름으로 지칭해 명실상부를 실현해야 함을 강조했다. 묵가에서 사용하는 이름은 '달명', '유명類名', '사명私名' 세 가지로 나뉜다. '사명'은 어떤 사물의 고유한 명칭으로, 예를 들어 어떤 사람의 이름은 특정 사람을 지칭하는 데 사용된다.

예)

명은 달명, 유명, 사명으로 나뉜다.

名, 達 · 類 · 私. (『묵자墨子 · 경상經上』)

'장臧'이라고 명명하는 것은 하나의 사명이다. 이 이름은 이 실물에 한하여 사용된다.

命之臧, 私也, 是名也止於是實也. (『묵자 · 경설 상經說上』)

사목입신徙木立信

큰 나무를 옮긴 자에게 상금을 주어 위신을 세우다. 『사기史記』의 기록에 따르면 상앙商鞅(B.C. 390?~B.C. 338)이 변법變法 시행 전에 백성에게 믿음을 얻기 위해 도성의 시장 남문에 세 길 높이의 큰 나무를 세우고, 누구든지 그 나무를 북문으로 옮겨놓으면 풍성한 상금을 받게 되리라고 선포했다. 누군가 용기를 내어 나무를 옮겨놓자 상앙은 곧바로 상금을 내렸다. 사람들은 이후 상앙이 말한 것은 반드시 지킨다고 믿게 되었고, 덕분에 새 법은 순조롭게 시행되었다. 여기서 가장 중요한 것은 '입신'으로, 백성에게 믿음을 얻는 것이다. 국가의 법령이 순조롭게 이행되기를 바란다면, 먼저 법령대로 반드시 집행된다는 믿음을 얻어야 한다. 그래야만 백성의 지지와 인정을 받을 수 있다.

예)

법령은 이미 준비되었으나 공포하지 않았다. 상앙은 백성이 믿지 못할까 걱정하여 도성 시장의 남문에 세 길 높이의 큰 나무를 세우고 백성에게 알리길, 누군가 나무를 남문에서 북문으로 옮기면 10금(약 200냥)을 내리겠다고 했다. 백성들은 이상하다고 여기고 감히 나무를 옮기지 않았다. 상앙은 다시 옮기는 사람에게 50금(약 1천냥)을 주겠다고 선포했다. 한 사람이 나무를 시장 북문으로 옮겨놓자, 상앙은 곧바로 그에게 50금을 주어 속이지 않았음을 분명히 했다. 그리하여 상앙은 신법을 반포하였다.

令旣具, 未布, 恐民之不信, 已乃立三丈之木於國都市南門, 募民有能徙置北門者予十金. 民怪之, 莫敢徙. 復曰 "能徙者予五十金". 有一人徙之, 輒予五十金, 以明不欺. 卒下令. (『사기 · 상군열전商君列傳』)

사무사思無邪

생각이 순수하고 사악함이 없다. 공자가 『시경試經』을 평가하면서 제시한 관점이다. 공자가 생각하기에 『시경』의 시 300편의 주지를 한 문장으로 개괄한다면 즉 작품의 사상이 순수하고 올바르며 사악한 생각이 없다고 할 수 있다. 공자와 『시경』은 중국의 역사에서 중요한 지위를 차지하므로 역사학자들은 이 이념을 중시했고 종종 이를 기준으로 작가와 작품을 비평했다.

예)
공자가 말했다. "『시경』의 300편 시를 한 문장으로 개괄하자면 '생각에 사악함이 없다'라고 말할 수 있다."
子曰 "『詩』三百, 一言以蔽之, 曰'思無邪'. "(『논어論語 · 위정爲政』)

사문斯文

'문' 혹은 '인문', 즉 예악교화와 전장제도를 포함하여 시서, 예악, 법도 등 정신문명이 창조한 제반 분야 및 이와 관련된 서로 차등이 있으면서도 또한 조화되는 사회질서를 말한다. '사'는 '이것'을 뜻한다. 나중에 '사문'이라고 함께 쓰여 지식인 혹은 문인을 가리키게 되었으며 또한 여기에서 파생되어 우아하다는 뜻을 가지게 되어 일종의 교양 혹은 품격을 형용하는 말로 쓰이게 되었다.

예)
하늘이 만약 주나라의 예악제도를 없애려 했다면 나는 이 문화를 파악할 수 없었을 것이다.
天之將喪斯文也, 後死者不得與於斯文也. (『논어 · 자한子罕』)

사법지화師法之化

교육과 법도를 통한 교화. '사법지화'는 순자荀子(B.C. 313?~B.C. 238)가 한 말이다. 순자는 인간이 천성적으로 외물에 대한 욕구를 지니며 이것이 인간의 욕구라고 생각했다. 만약 인간의 이러한 본성을 내버려

둔다면 사람들은 서로 분쟁을 일으키고 사회는 혼란에 빠지고 만다. 그러므로 후천적인 교화를 통해 인간의 욕망을 적절하게 안정시키고 동시에 도덕과 예법에 대한 인식을 확립할 필요가 있다. 교화의 기본 방식은 교사의 가르침과 법도의 규범화를 통해 인간의 욕망과 언행을 이끄는 것이다.

예)

인간의 본성을 방임하고 인간의 욕망에 순종하면 반드시 다툼이 일어나고 명분을 위반해 질서를 어지럽히게 되어 결국에 폭동을 초래한다. 그러므로 반드시 교육과 법도를 통해 교화하고 예의로써 인도해야 한다. 그런 후에야 서로 사양하고 언행이 문명 질서에 부합해 사회가 안정을 이루게 된다.

然則從人之性, 順人之情, 必出於爭奪, 合於犯分亂理而歸於暴. 故必將有師法之化, 禮義之道, 然後出於辭讓, 合於文理, 而歸於治. (『순자 · 성악性惡』)

사史

갑골문과 금문에서 '사史'의 자형字形은 손에 붓이나 문서를 잡은 모양이며, 역사적 사실을 기록하는 관리라는 뜻을 갖고 있다. 동한東漢 허신許愼(58?~147)의 『설문해자說文解字』는 '사史는 역사를 기록하는 사람이다. 손에 중中을 잡고 있는 모양이다. 중은 바름을 뜻한다(史, 記事者也. 從又(手)持中. 中, 正也.)'라고 기록하고 있다. 후에 사관이 기술한 일 또는 사실, 그리고 일정한 원칙에 의해 편집 및 정리한 각종 기록과 평론 역시 '사'로 불리게 되었고, 곧 오늘날의 '역사'가 되었다. 허신에 의하면 '사'자는 '손에 중을 잡고' 있다. '중을 잡다'는 말은 곧 객관적이고 공정하며 편향되지 않는 원칙이 있음을 뜻한다. 중국은 역사를 중시하는 전통이 있어서, 사관은 오랜 시간 동안 집권자도 간섭할 수 없는 특수한 지위에 있었다. 사관은 붓을 통해 집권자가 언행을 조심하도록 일정한 제약을 형성할 수 있었고, 다른 한편으로는 역사적 인물과 사건에 대해 정리하고 평가하며 얻은 경험과 교훈을 집권자에게 본보기로 제공할 수 있었다. 이 전통은 중국인의 인문주의 및 합리주의가 형성되는 데 큰 영향을 주었다.

예)

이 사람들은 모두 감정이 억압되어 풀지 못하고 그 도에 통하지 못했으니, 이에 옛일을 기록하여 장래의 사람들에게 그들의 지향점을 알려주고자 한다.

此人皆意有所鬱結, 不得通其道, 故述往事, 思來者.(사마천司馬遷『보임안서報任安書』)

천고에 나라가 흥하고 망하는 도리는 책 속에서 모두 찾을 수 있으며, 수백여 제왕의 선하고 악한 행동의 이유도 경전과 사서의 기술 중에서 들을 수 있습니다. 그 가운데 음란하면 화가 닥치고 선을 행하면 복을 받는 일은 그림자가 형태를 따라다니듯 뗄 수 없으며, 그림같이 선명하고 해와 달처럼 빛납니다.

千古興亡之理, 得自簡編; 百王善惡之由, 聞於經史. 其間禍淫福善, 莫不如影隨形, 煥若丹靑, 明如日月. (조보趙普『상태종청반사上太宗請班師』)

사思

마음이 지니고 있는 사고하고 분별하는 능력. 유가에서는 '사'가 사람의 마음만이 가지고 있는 특유의 중요한 기능이라고 보았다. 마음은 '사'를 할 수 있기 때문에 눈이나 귀 등의 기관처럼 외부의 사물에 이끌리거나 속지 않을 수 있다. 사람은 마음의 '사'를 통해서만 마음속에 내재된 도덕적 품성의 기초를 발견할 수 있으며 이로써 '천도'에 통달해 사람을 사람답게 하는 본질을 확립할 수 있다. 만약 '사'하는 노력이 부족하다면 사람은 주체성과 독립성을 잃게 된다.

예)

배우기만 하고 사색하지 않으면 혼미하여 밝지 못하고, 사색만 하고 배우지 않으면

의혹에 빠져 위태롭게 된다.

學而不思則罔, 思而不學則殆. (『논어 · 위정爲政』)

귀나 눈과 같은 기관은 사색할 수 없어 외부 사물에 속고, 외부 사물과 접촉하면 이끌려 간다. 마음은 사색을 하는데 사색을 하면 얻는 것이 있으나 사색하지 않으면 얻는 것이 없다. 이는 하늘이 나에게 부여해 준 것이니 우선 마음을 큰 기능으로서 확립하면 귀나 눈 등의 기관의 욕망에 속지 않을 것이다.

耳目之官不思, 而蔽於物, 物交物則引之而已矣. 心之官則思. 思則得之, 不思則不得也. 此天之所與我者, 先立乎其大者, 則其小者不能奪也. (『맹자 · 고자告子 상』)

사詞

당 · 오대 시기에 시작되어 송대에 와서 새로운 문학 형식으로 발전하였다. '곡자사曲子詞', '악부樂府', '장단구長短句' 등으로도 불린다. 시의 발전 과정에서 볼 때 사의 주요한 특징은 음악을 붙여 노래로 부른다는 점이다. 모든 사 작품에는 '사패詞牌'라고 하는 곡조의 이름(조명調名)이 붙어있다. 각 사패에는 구절 수, 한 구절의 글자 수, 평측, 압운에 대한 엄격한 규칙이 있다. 사는 편폭을 기준으로 소령小令, 중조中調, 장조長調로 나뉜다. 음악적 형식의 측면에서 사는 일반적으로 상, 하 두 단段(요즘 노래 가사에서 '절'과 유사한 개념)으로 구성된다. 고대에는 '결闋' 혹은 '편片'이라고 불렀다. 서너 개의 단으로 구성되는 경우도 있고 단이 하나만 있는 경우도 있다. 단의 구성에 따라 음악도 한 번 혹은 여러 번 연주되는 등의 차이가 생긴다. 풍격의 측면에서 사는 기본적으로 완약파와 호방파 둘로 나뉜다. 완약파는 완곡하고 함축적이고 애정을 주제로 한 작품이 많다. 호방파는 인생이나 나라에 관한 내용을 사에 담아 웅장한 면이 보인다. 송대에 수많은 문인이 곡조에 가사를 붙여 노래를 만드는 일을 좋아해서 사의 발전에 큰 영향을 미쳤다. 후대에 이르러 사는 더 이상 노래로 불리지 않고 기본적으로 악보(보譜)에 맞추어

가사를 채워 넣는 문학 형식의 하나로 자리 잡았다.

예)
사는 곡의 가사이고, 곡은 사에 붙는 가락이다.
詞即曲之詞, 曲即詞之曲。(유희재劉熙載, 『예개藝概 · 사곡개詞曲概』)

송 · 원 시기에 사와 곡은 하나였다. 글로 쓰면 사가 되고 거기에 맞추어 음악을 만들면 곡이 된다.
宋元之間, 詞與曲一也。以文寫之則爲詞, 以聲度之則爲曲. (송상봉宋翔鳳, 『악부여론樂府餘論』)

사상四象

'팔괘八卦' 형성 과정 중에 '양의兩儀'에서 갈라져 나온 4가지 형상 혹은 특성. 『주역周易 · 계사繫辭 상』에 이르길 "역에는 태극이 있으니 양의를 낳고 양의는 사상을 낳고 사상은 팔괘를 낳는다"라고 했다. '양의'가 계속 나뉘어 형성된 서로 구별되나 연관이 있는 4가지의 형상 혹은 특성이 '사상'이다. '사상'의 구체적인 내용에 대해 옛사람들은 여러 견해가 있다. 첫째, 만물이 형성되는 각도에서 보면, '사상' 또는 춘, 하, 추, 동의 사계절 혹은 금, 목, 수, 화의 4가지 기본 원소를 가리킨다. 둘째, 점술의 관점에서 이해하면 '사상'은 시초蓍草 점을 칠 때 4묶음으로 나뉘어진 시초 또는 괘를 그릴 때 확정된 태음太陰, 태양太陽, 소음少陰, 소양少陽 등의 4가지 괘상爻象을 가리키기도 한다.

예)
대연의 수는 50인데 그중에서 49개의 시초만 쓴다. 이것을 두 묶음으로 나눈 것은 '양의'를 상징한다. 그 중의 한 묶음에서 한 개의 시초를 뽑아내어 천 지 인의 '삼재三才'를 상징하고, 나머지 시초는 4개로 한 묶음으로 나누어 사계절을 상징한다.
大衍之數五十, 其用四十有九. 分而爲二以象兩, 掛一以象三, 揲之以四以象四時. (『주역周易 ·

계사상繫辭上』)

이른바 "양의가 사상을 낳는다"는 것은 금목수화의 4가지 기본 원소를 가리키며, 하늘과 땅의 영향을 받아 존재하게 되었기 때문에 "양의가 사생을 낳는다"고 한 것이다.

"兩儀生四象"者, 謂金木水火, 禀天地而有, 故云"兩儀生四象." (『주역周易 · 계사상繫辭上』 공영달孔穎達의 정의)

사상체요辭尙體要

문장은 표현하고자 하는 생각이나 주요 내용을 정확하고 간결하게 전달해야 한다. '체요'는 요점을 드러낸다는 뜻이다. 『상서尙書』에 나온 말로, 원래는 법령이나 법규를 적은 글이 요점을 드러내거나 정확하고 간단명료해야 함을 일컬었다. 유협劉勰(465?~520?)은 이를 문학 비평으로 가져와 문장이 적절하면서 정확해야 하고 문장의 요지를 드러내야 함을 강조했다. 이 용어는 중국 문화가 숭상한 '상간尙簡'의 전통을 나타낸다. 상간이란 간결하고 정확한 글로 충실하고 개괄적인 내용을 전달하며, 기발한 표현을 추구해 글이 원래 표현하고자 한 내용을 소홀히 해서는 안 된다는 뜻이다. 이러한 기준은 이후에 고문 작문의 기본적인 기준이 되었으며 문학 창작을 이끄는 중요한 역할을 했다.

예)

나라의 정사에서 중요한 것은 안정이고 나라의 문장에서 중요한 것은 정확함과 간결함으로 기발함을 추구해서는 안 된다.

政貴有恒, 辭尙體要, 不惟好異. (『상서尙書 · 필명畢命』)

『주서』에서 문장에 대해 논할 때 요지를 드러내는 것을 중요하게 여겼고, 공자가 교훈을 진술할 때 이단 사설을 미워하였다.

蓋『周書』論辭, 貴乎體要, 尼父陳訓, 惡乎異端. (유협劉勰, 『문심조룡文心雕龍 · 서지序志』)

사생취의捨生取義

생명을 바쳐 도의를 사수하다. 『맹자』에서 나온 주장이다. 맹자(B.C. 372~B.C. 289)는 '의'가 사람이 사람일 수 있는 본질적 특징 중 하나라고 여겼고, '의'를 버리는 자는 사람됨이 부족하다고 여겼다. 생명이 비록 중요하지만, 생존은 사람이 사는 목적이나 의미라 할 수 없다. 그래서 생명 유지와 도의 수호 간 충돌이 일어날 때, 사람은 의를 저버리고 구차한 삶을 택할 것이 아니라 생명을 희생하여 도의를 수호해야 한다.

예)

생명은 내가 바라는 것이요 의도 내가 바라는 것이되, 두 가지를 겸하여 얻을 수 없을 때는 생명을 버리고 의를 취할 것이다.

生亦我所欲也, 義亦我所欲也, 二者不可得兼, 捨生而取義者也. (『맹자 · 고자告子 상』)

사서四書

『논어論語』『맹자孟子』『대학大學』『중용中庸』 등 유가의 네 경전을 아울러 가리키는 말이다. 『대학』과 『중용』은 본래 『예기』에 들어 있는 두 편인데 당나라 이전까지는 그다지 중시되지 않았다. 당, 송나라를 거치면서 유학이 부흥하여 당나라 때에 한유와 이고李翶가 『대학』과 『중용』을 널리 알리고 송나라 때에는 이정二程과 주희朱熹가 이를 숭앙하며 새로운 의의를 부여해 점차 그 지위가 높아져 『논어』『맹자』와 함께 '사서'라 불리게 되었다. 주희는 그의 저서 『사서장구집주四書章句集注』에서 '사서'의 경전으로서의 지위를 확립하였다. '사서'는 송나라 명리학자들이 자신의 사상을 수립하고 설명하는 중요한 소재가 되었으며 후세의 유학 발전에 깊이 영향을 미쳤다.

예)
『대학』『중용』『논어』『맹자』의 네 경전에 적힌 도리는 명확하여 이해하기 쉽다.
如『大學』『中庸』『語』『孟』四書, 道理粲然. (『주자어류朱子語類』 권십사)

사세지류事勢之流, 상격사연相激使然

세상사의 변화나 태세는 여러 가지 요인과 힘이 상호 작용을 일으킨 결과이다. 이는 고대 역사가인 사마천司馬遷(B.C. 145 혹은 B.C. 135 ?~?)이 제시한 역사 명제이다. '사세事勢'는 세상사의 기본 흐름과 태세이다. '유流'는 원래 물의 흐름, 강의 흐름을 가리키는 말로 사물이 변화하는 과정을 비유한다. 사마천에 따르면 역사는 사람의 이야기인데 특정한 개인이나 무리의 의지대로 변화하지 않는다. 세상사의 변화가 종국에 어떤 모습으로 나타나는지는 근본적으로 이 과정에 참여하는 여러 가지 요소 혹은 힘의 상호 충돌이나 격발에 의해 정해진다. 여기에는 역사 합리론이라는 사상이 담겨 있다.

예)
세상사의 흐름은 여러 가지 요인이 서로 충돌하여 불러일으킨 결과이니 이상할 것이 뭐가 있겠는가?
事勢之流, 相激使然, 曷足怪焉?(『사기史記 · 평준서平准書』)

세상사의 흐름은 하늘에 의해 정해지니 사람의 수가 많고 적음에 마음을 두지 않아도 된다.
事勢在天, 無以眾寡爲意. (『주서周書 · 양충전楊忠傳』)

사여경해思與境偕

시인의 주관적인 생각과 작품에서 묘사되는 객관적인 경물이 한데 어우러지는 것을 가리킨다. 당나라 때 사공도司空圖(837~908)가 동시대 시인 왕가王駕의 오언시를 평론하며 사용한 용어이다. '사思'는 시인의 생각, 정서, 감정 등을 뜻한다. '경境'은 심미적 주체와 상대되는 객관적 경물을 뜻하며 작품이 창조한 심미적 의경을 뜻하기도 한다. '해偕'는 합일에 도달한다는 뜻이다. 마음속의 '사思'와 외면의 '경境'이 하나가 되면서 주객의 경계가 허물어지고 시 작품 안에서 혼연일체의 의경이 드러난다. '사여경해'는 후세의 비평가들에게 의경 이론의 핵심으로 여겨졌다.

예)

황하黃河와 분하汾河 지역 산천의 뛰어남이 오랜 세월 이 지역을 둘러싸며 축적돼 왔으니 뛰어난 시인이 나오는 것이 당연하다. 지금의 왕가王駕가 이곳에 거처하며 그 속에 스며들어 있은 지 오래되어 그가 쓴 오언시에 성취가 있으며 사여경해에 능하니 바로 시인들이 추앙하는 바이다.

然河汾蟠鬱之氣, 宜繼有人. 今王生者, 寓居其間, 浸漬益久, 五言所得, 長於思與境偕, 乃詩家之所尚者. (사공도, 『여왕가평시서與王駕評詩書』)

문학을 창작하는 일은 내적으로는 자신의 생각과 감정을 표현하고 외적으로는 타인을 감동시키는데, 이는 '의意'와 '경境'이 있기 때문이다. 최고의 작품은 '의'와 '경'이 혼연일체가 되고, 두 번째로 좋은 작품은 '경'에서 특출나거나 혹은 '의'에서 특출나다.

文學之事, 其內足以攄己, 而外足以感人者, 意與境二者而已. 上焉者意與境渾, 其次, 或以境勝, 或以意勝. (번지후樊志厚, 『<인간사을고人間詞乙稿>서序』)

사의寫意

중국화의 표현법 중 하나이다. 간결한 필묵의 선으로 사물의 형상과 분위기를 묘사하고 작가의 취향과 개성을 표현하는 것을 중시한다. 붓의 사용이 민첩하며 세밀하거나 사실적인 묘사를 추구하지 않는다(또 다른 화법인 '공필工筆'과 대비됨). 사의는 거칠고 제멋대로인 것처럼 보이지만 사실은 엄밀하고 준칙을 내재하고 있다. 창작하기 전에 사물을 깊이 관찰하고 체험하고 화면 속 사물들의 위치 관계를 전략적으로 배치해야 할 뿐만 아니라 정밀하고 숙련된 기술적 기초를 갖추어야 뜻이 붓을 움직이기는 일에 우선하여 사물의 정취가 형태로 표현될 수 있다. 사의에는 작은 사의와 큰 사의라는 구분이 있으며 후자는 발묵潑墨이라는 기법을 주로 사용한다. 사의는 후대의 희곡 창작 및 연기의 수법에 상당한 영향을 끼친다. 희곡에서 사의는 주로 허구성과 도식화를 통해서, 그리고 일정한 노래와 무용 퍼포먼스와 융합되어 무대 예술의 심미적 형상을 구현하는 것이다.

예)

승려 중인이 묵운으로 매화를 그렸는데 꽃의 그림자와 같았다. 이러한 화법이 일가를 이루니 사의라고 이른다.

(僧仲仁)以墨暈作梅, 如花影然, 別成一家, 所謂寫意者也. (하문언夏文彦, 『도회보감圖繪寶鑑』 권3)

세상 사람들이 손이 가는 대로 채소, 과일, 화초 등을 그린 것을 보고 사의라고 부고 세밀하고 정교하게 그리는 것을 사생이라고 부른다.

世以畫蔬果花草隨手點簇者, 謂之寫意, 細筆點染者, 謂之寫生. (방훈方薰, 『산정거화론山靜居畫論』 권하)

사재삼장史才三長

역사를 편찬하거나 연구하는 사람이 갖춰야 할 사재史才, 사학史學, 사식史識 등 3가지 전문 능력을 가리킨다. 당나라의 유명한 사학 이론가 유지기劉知幾가 제시한 견해이다. '사재'는 사서를 편찬하는 능력을 가리키고 '사학'은 풍부한 역사 지식과 자료이며 '사식'은 역사를 분석하고 평가, 판단하는 사상 지식을 가리킨다. 유지기는 역사를 편찬하거나 연구하는 사람이라면 반드시 이 3가지 능력을 다 갖춰야 하며 그중

'사식'이 가장 중요하다고 생각했다.

예)

이른바 '사재'는 3가지 능력을 갖춰야 하는데...... 그 3가지 능력은 '사재', '사학', '사식'이다.

史才須有三長...... 三長, 謂才也, 學也, 識也. (『구당서舊唐書 · 유자현전劉子玄傳』)

사직社稷

고대의 제왕, 제후가 제사를 올렸던 토지의 신과 오곡의 신이다. '사'는 토지의 신이고 '직'은 오곡의 신이다. 토지의 신과 오곡의 신은 농업을 근본으로 삼았던 한족이 가장 중요하게 생각한 원시 숭배물이다. 고대의 군주는 나라의 태평과 풍성한 수확을 기원하기 위해 매년 토지의 신과 오곡의 신에게 제사를 올렸다. 그래서 '사직'은 국가와 정권의 상징이 되었다.

예)

천자는 왜 토지의 신과 오곡의 신을 숭배하는가? 천하의 백성들이 신에게 복을 빌고 신의 공덕에 보답하게 하기 위해서이다. 토지가 없으면 사람이 생존할 수 없고 오곡이 없으면 사람이 먹을 것이 없다. 그리고 토지가 넓어서 모두가 공경할 수 없고 오곡이 많아서 모두가 제사지낼 수 없다. 그래서 흙을 쌓아 제단을 만들고 토지의 신을 받드는 한편, 직(稷. 기장을 뜻하기도 함)이 오곡 중 가장 중요한 것이어서 직을 오곡의 신으로 세워 제사를 지낸다.

王者所以社稷何? 爲天下求福報功. 人非土不立, 非穀不食. 土地廣博, 不可遍敬也; 五穀衆多, 不可一一祭也. 故封土立社示有土尊; 稷, 五穀之長, 故立稷而祭之也. (『백호통의白虎通義 · 사직』)

사직위장師直爲壯

군사를 일으킬 때 정당한 이유가 있으면 사기가 높아지고 전투력이 강해진다. '사'는 군대를 가리키며 여기서는 출병, 진군하여 정벌함을 이른다. '직'은 정正으로 명의, 이유가 정당함을 뜻한다. '장'은 장대하다는 뜻으로 힘이 있다는 말이다. 고대 중국인은 전쟁을 가볍게 말하지 않았다. 전쟁의 정의로움을 중시하였으며 정의를 위해 싸우는 군대는 반드시 사기가 높고 가는 곳마다 당할 자가 없다고 믿었다.

예)

출병하여 전쟁을 일으킬 때 이유가 정당하면 사기가 높아지고 이유가 정당하지 못하면 사기가 떨어지니 어찌 밖에서 오래 나가 있었다고 해서 그런 것이겠는가?

師直爲壯, 曲爲老, 豈在久乎? (『좌전左傳 · 희공僖公 28년』)

사출유명師出有名

군사를 일으켜 전쟁을 시작하는 데는 정당한 명분과 이유가 있어야 한다는 뜻. 일을 하는 데는 정당한 이유가 있어야 함을 널리 가리키는 말이다. 이 말은 두 가지 뜻을 포함하고 있다. 첫째는 정당한 이유를 가지고 군대를 일으켜야만 그 사기가 왕성하고 전투력이 강할 것이며 그렇지 않으면 신망을 얻기 어렵다는 뜻이다. 둘째는 적이 없으면 군대를 일으켜서는 안 된다는 뜻으로 욕심이나 분노 때문에 무력을 휘두르는 것을 방지하는 의미이다. 이 말의 핵심은 전쟁의 정의성에 있다. 이는 문명정신을 표현한 것이다.

예)

군대를 일으키는 데는 반드시 정당한 이유가 있어야 한다.

師必有名. (『예기 · 단궁檀弓 하』)

덕을 따르는 자는 번창하고 덕을 거스르는 자는 망한다. 군사를 일으키는 데 정당한 명분이 없으면 일이 성공하지 못한다.

順德者昌, 逆德者亡. 兵出無名, 事故不成. (『한서 · 고제기高帝紀 상』)

정의를 희망하는 목소리가 널리 전파되어 이유가 정당하고 기세가 웅장하며 병사를 일으키는 데 정당한 명분이 있어야만 대업을 이룰 수 있다.

庶幾義聲昭彰, 理直氣壯, 師出有名, 大功可就矣. (주정朱鼎 『옥경태기玉鏡台記 · 문계기무聞鷄起舞』)

사해四海

전국 각지 혹은 세계 각지를 말한다. 옛사람들은 중국 영토의 네 면이 바다로 둘러싸여 있다고 생각해 각각 방위에 따라 '동해', '남해', '서해', '북해'라 칭하고 이를 '사해'라 병칭했다. 이는 고대 중국인들이 중국과 세계에 대해 가지고 있었던 지리적 상상을 내포하고 있다. '구주九州'는 '천하'의 가운데에 있으며 '천하'는 '구주'와 그 주변의 '사해'로 구성되어 있다. 중국은 '해내'이며 외국은 '해외'이다. 옛사람들에게 있어 '사해'는 대체로 천하를 통칭하는 말이지만 어떤 해역을 특정해 가리키지는 않는다. '사해'는 때로 육지를 둘러싼 네 바다를 가리키기도 하고 때로 '사해'로 둘러싸인 육지를 가리키기도 한다.

예)

군자는 일에 임할 때 진지하여 실수가 없고 사람을 대할 때 공경하여 예의에 맞으니 그리하면 천하의 모든 이가 그의 형제가 된다.

君子敬而無失, 與人恭而有禮, 四海之內皆兄弟也. (『논어 · 안연顔淵』)

사해지내개형제四海之內皆兄弟

온 천하의 사람이 형제처럼 가깝다. '사해개형제四海皆兄弟'라고도 한다. '사해'는 동해, 서해, 남해, 북해이다. 고대에는 '하늘은 둥글고 땅은 모나다'라는 전제에 중국이 육지의 가운데에 있고 육지의 네 모서리가 네 바다로 둘러싸였다고 인식했다. '사해지내'는 그 당시까지 알려진 인간의 생활 공간이며 '천하'라고 말한다면 전국 혹은 전 세계를 의미한다. 겸제천하兼濟天下(천하를 두루 구제함)의 넓은 도량과 자애롭고 호의적인 인문 정신을 드러내고 있다.

예)

자하가 말했다. "…… 군자가 몸가짐을 삼가서 실수가 없고 남에게 공손하고 예의를 지키면 온 세상 사람이 모두 형제가 될 것입니다. 군자가 어찌 형제가 없다고 근심하겠습니까?"

子夏曰, "……君子敬而無失, 與人恭而有禮, 四海之內皆兄弟也. 君子何患乎無兄弟也?" (『논어論語 · 안연顔淵』)

사화詞話

주로 하기와 같은 두 가지 의미를 지닌다.

첫째로 시를 짓는 사람, 사작, 사화를 평론하는 것을 가리키는데 사詞의 기량 및 관련하여 고증해 교정한 저작을 기술하며 중국 고대 시학 문헌의 구성요소이다. 사화詞話는 시화詩話를 거울로 삼아 나온 것으로 북송 시기에 처음 나오기 시작했고 남송 시대에 성숙하였다. 저명한 사화 작품으로는 청나라 진정작陳廷焯(1877～1927)의 『백우제사화白雨齋詞話』, 왕국유의 『인간사화人間詞話』 등이 있다. 『인간사화人間詞話』는 왕국유가 서양 미학이론을 받아들인 후 중국과 서양의 미학 사상을 혼합하여 참신한 시각으로 중국의 문사詞人와 사작詞作에 대해 집필한 평론이다. 표면상으로는 해당 평론은 중국 전통 시화, 사화 류의 작품 체제를 따르지만 실제로는 이론 체제를 이미 갖춰나가기 시작했으며 청나라 말 이래로 가장 영향력 있는 문예 비평 저작에 속한다.

둘째, 원명元明 시기에 성행했던 설창說唱 예술 형식(그 중 사詞는 주로 사곡을 가리켰다)을 가리키며 예를 들어 『대당진왕사화大唐秦王詞話』가 있다. 설과 창이 있으며 운문과 산문을 병용한다. 송나라 때부터 설화 기예가 발전한 이래로 명나라 중엽 이후 점차 彈詞와 고사鼓詞라는 두 체계로 변하였고 사화라는 명칭을 대체하였다. 또한 명나라 후기와 청나라 전기의 사화는 『금병매사화金甁梅詞話』와 같이 사곡詞曲을 혼합한 장회체章回體 통속소설을 지칭하는 데에도 쓰였다.

예)
달을 찬미하는 새로운 시는 정말로 흥미롭지만 대당大唐 시기 흥기한 사화를 읊조리고 부르는 것은 청중들에게 더욱 흥미롭다.
玩月新詩偏有趣, 興唐詞話更消閒. (『대당진왕사화大唐秦王詞話』제사십육회第四十六回)

사화는 사림詞林의 전고를 기록하는 데 쓰이고 사의 품격의 변천을 판별, 분석하며 사가詞家의 장단점을 평론한다.
詞話者, 紀詞林之故實, 辨詞體之流變, 道詞家之短長也. (사지발謝之勃『논사화論詞話』, 『국전계간國專季刊』 제일기第一期)

산수시山水詩

산수가 빼어난 곳을 주요 소재로 묘사한 시가의 한 유파. 주로 자연의 산과 하천의 아름다움을 묘사했고, 이것을 빌려서 한가한 심정과 안일한 정취를 서술했으며 경치와 사물의 묘사가 매우 진짜 같이 정교하고 언어 표현은 화려하고 참신한 것이 특징이다. 동진 시기에 남쪽으로 건너온 사대부들이 자연 산수 중에서 정신적 위로와 해탈을 찾았으며 산수시 창작의 영감을 촉발했다. 그 창시자는 진말 송초의 대시인 사령운으로 그는 자연의 아름다운 경치를 시가 창작으로 끌어들였고, 시가를 무미건조한 현리玄理 중에서 해방시켰고 사조謝朓와 하손何遜, 음경陰鏗 등의 실천적인 창작으로 점차 시가 역사상 중요한 시의 한 유파가 되었다. 당대, 특히 성당시기에 이르러 산수시의 창작은 더욱 대성황을 이루어 왕유, 맹호연 등 저명한 산수시인이 쏟아져 나왔고 중당시기의 유장경劉長卿, 위응물韋應物, 유종원 등의 창작 또한 특색이 있었다. 산수시는 새로운 시의 풍모를 개척했고, 새로운 심미적 관념의 탄생을 상징한다.

예)

남조 송 초기의 시문으로 풍격 상의 계승도 있고 혁신도 있다. 노장사상을 표현한 현언시가 시단에서 퇴출되고 산수시가 막 떠올랐다. 문인들은 수백 자의 변려문으로 미사여구를 써냈고, 참신하고 기이한 한 구절을 위해 서로 비교하며 우열을 가렸고, 외부 사물을 묘사할 때는 형상에 극도의 생동감을 부여하려 애썼으며 글자를 고르고 문장을 지을 때는 전력을 다해 참신함을 추구했는데, 이것은 바로 근대 사람들이 서로 경쟁하며 추구하는 목표이다.

宋初文詠, 體有因革. 莊老告退, 而山水方滋; 儷采百字之偶, 爭價一句之奇, 情必極貌以寫物, 辭必窮力而追新, 此近世之所競也. (유협劉勰, 『문심조룡文心雕龍 · 명시明詩』)

삼계三界

불교는 중생이 있는 세계를 욕계, 색계. 무색계의 3종류로 나누고 통틀어 '삼계'라 부른다. 욕계 속의 중생은 감각기관을 통한 욕망의 조종을 받아 움직인다. 색계 속의 중생은 식욕과 음욕을 멀리하나, 여전히 형식과 개념의 속박을 받는다. 무색계의 중생은 일체의 명칭과 개념을 벗어나서 살아간다. 삼계의 중생들은 모두 업을 짓고 받는 까닭에 윤회 가운데 있으며, 그래서 삼계를 고륜苦輪(고뇌의 수레바퀴)이라 한다. '삼계'는 불교의 우주관이면서, 다른 한편으로는 불교의 참선 및 수양 세계의 서로 다른 경지를 구현하고 있다.

예)

삼계의 모든 것은 마치 꿈과 같다. 나는 마땅히 노력하고 정진하여 바른 깨달음을 얻은 후에, 반드시 삼계의 중생을 위해 설법해야 하겠다.

三界所有皆如夢耳. 我當精進, 成阿惟三佛已, 當爲三界衆生說法. (『방광반야경放光般若經』 14권)

삼불휴三不朽

세상에서 3가지 영원히 소멸하거나 영원히 사람에게 기억되고 칭찬받는 업적이다. 즉 '덕을 세움立德', '공을 세움立功', '말을 세움立言'으로, '삼립'이라고도 부른다. 최고는 '입덕'으로 모범적인 도덕을 확립하여 후세에 길이 모범이 되는 것이고, 그 다음은 '입공'으로 위대한 공훈을 남겨 국가와 백성이 이익을 얻게 하고 해를 제거하는 것이고, 마직막이 '입언'으로 정확한 인식과 투철한 견해의 언론으로 후대 사람들을 일깨우거나 저술을 하여 한 일가를 이루는 것이다. 『좌전左傳』의 기록에 의하면 '삼불휴'는 노나라의 숙손표叔孫豹가 제기했다고 한다. 숙손표가 볼 때 개인 혹은 가족의 사적인 이익은 재물이든 관직, 지위이든 상관없이 모두 시간의 흐름에 따라 점차 사라지게 된다. 나라와 백성을 이롭게 하는 '덕', '공', '언'이야말로 장기적으로 전해지고 썩지 않는다. '삼불휴'는 훗날 고대의 지식인들과 모든 포부가 있는 사람들이 추구하는 필생의 과제가 되었다.

예)

최고의 경지는 모범이 되는 도덕을 확립하는 것이고, 그 다음이 위대한 공훈을 세우는 것이고, 그 다음이 정확한 언론을 세우는 것이라 들었다. 세가지는 오랜 세월을 지나더라도 폐기되지 않으며 이것이 이른바 '불휴'라는 것이다.

豹聞之, 大上有立德, 其次有立功, 其次有立言. 雖久不廢, 此之謂不朽. (『좌전左傳 · 襄公二十四年』)

삼사이행三思而行

원뜻은 세 번 생각한 후에 실행에 옮기는 것이다. 지나치게 신중하게 일을 처리하는 태도를 말한다. 실행하기 전에 적절히 생각하는 것은 올바른 언행의 전제이지만 생각이 지나치게 신중하면 염려와 망설임이 생기기 쉬워 사적 이익을 향한 관심이 도의를 지키는 일에 영향을 줄 수 있다. 『논어論語』에서 서술하기로 노나라 대부 계문자가 "세 번 생각한 후에야 행동에 옮겼는데" 이에 대해 공자는 계문자가 두 번만 생각해도 괜찮으며 세 번까지 생각할 필요가 없다고 여겼다. 후대에 '삼사이행'이라는 표현을 쓸 때 어떤 이는 과도하게 신중하다는 의미를 퇴색시키고 실행에 신중하다는 의미만 사용해 말이나 행동으로 옮기기 전에 충분히 생각해서 도덕에 부합하는 선택을 해야 함을 강조한다.

예)

계문자는 세 번 생각한 후에야 행동에 옮겼다. 공자가 그 이야기를 듣고 말했다. "두 번만 생각하면 된다."

季文子三思而後行. 子聞之, 曰, "再, 斯可矣." (『논어 · 공야장公冶長』)

삼성오신三省吾身

여러 번 반복해 자신의 모습을 반성하다. '삼성오신三省吾身'은 유가에서 주장한 도덕 수양의 관념이다. 유가에서는 덕행의 확립이 자신의 추구와 노력에 의해 결정된다고 여겼다. 그러므로 사람은 수시로 자신의 언행과 마음을 반성하고, 이것을 도덕 수양의 기본적인 방법으로 삼아야 했다. 특히 증자曾子는 매일 다른 사람을 위한 일에 최선을 다했는지, 신용 있게 사람을 대했는지, 학습한 것을 반복하여 공부했는지 여러 번 돌이켜 보고 부족한 점이 있다면 고치고, 없다면 더욱 노력해야 한다고 주장했다.

예)

증자가 말했다. '나는 매일 여러 번 내 자신을 반성한다. 타인을 위해 일할 때 최선을 다했는가? 친구와 사귐에 신용을 지켰는가? 가르침 받은 것을 복습했는가?'

曾子曰: "吾日三省吾身. 爲人謀而不忠乎? 與朋友交而不信乎? 傳不習乎?"(『논어 · 학이』)

삼재三才

'삼재'는 천天, 지地, 인人을 가리킨다. 『역전易傳』에서 『주역周易』의 괘상을 해석할 때 '삼재'라는 이론을 제시했다. '—'(음효) 혹은 '- -'(양효) 여섯 획으로 구성된 괘 중에서 맨 아래의 초효(일효)와 이효는 땅을 상징하고 중간의 삼효, 사효는 하늘과 땅 사이에서 생활하는 인간을 상징하고 맨 위의 오효와 육효는 하늘을 상징한다. 여섯 획이 하나의 괘로 합쳐지는 것은 천, 지, 인이 하나의 총체임을 상징한다. 셋은 공통된 법칙을 따르고 있으나 각자의 영역에서 법칙이 구체적으로 구현될 때는 차이가 있다.

예)

하늘의 도를 세워 음과 양이라 하고 땅의 도를 세워 유와 강이라 하며 사람의 도를 세워 인과 의라 한다. 삼재를 모으고 각각 두 개씩 두었기 때문에 『주역』에서 여섯 획이 한 괘를 이루게 되었다.

是以立天之道曰陰與陽, 立地之道曰柔與剛, 立人之道曰仁與義. 兼三才而兩之, 故『易』六畫而成卦. (『주역周易 · 설괘說卦』)

『주역』의 한 괘는 삼재를 갖추고 있다. 음과 양이라는 기는 '천'이 되고, 강함과 부드러움이라는 기질은 '지'가 되고, 어짐과 의로움이라는 덕은 '인'이 된다.

『易』一物而三才備, 陰陽氣也, 而謂之天. 剛柔質也, 而謂之地. 仁義德也, 而謂之人. (장재張載, 『횡거역설橫渠易說』 권3)

삼표三表

말(주장)의 정확함을 판단하는 세 가지 기준이다. '표'는 기준, 준칙이다. 묵자는 말의 옳고 그름을 판단할 때 '삼표'를 기준으로 삼아야 한다고 주장했다. 첫 번째는 역사에서 성인이 성공한 경험을 기준으로 삼는다. 두 번째는 백성이 실제로 경험한 것을 기준으로 삼는다. 세 번째는 말을 적용하여 실현했을 때 발생하는 효과가 나라와 백성에게 이로운지를 기준으로 삼는다. 묵자는 '삼표'를 근거 삼아 자신의 학설을 세웠고 그것을 기준으로 다른 학파의 주장을 고찰하고 비평했다.

예)

말하는 데 반드시 기준을 세워야 한다. 말하는 데 기준이 없는 것은 비유하자면 계속해서 돌아가는 도자기 만드는 물레 같은 대 위에 조석으로 서서 살피는 것과 같다. 옳고 그름과 이익과 손해를 정확하게 판단할 수 없다. 따라서 반드시 세 가지 기준이 있어야 한다.

言必立儀, 言而毋儀, 譬猶運鈞之上而立朝夕者也, 是非利害之辨, 不可得而明知也, 故言必有三表. (『묵자墨子 · 비명非命 상』)

삼현三玄

『노자』『장자』『주역』 등 세 저작을 아울러 부르는 말. 한나라 때는 오경지학五經之學(『시경』『상서』『주역』『예기』『춘추』 등 유가의 다섯 가지 경서를 연구하는 학문을 이르는 말)이 성행했으나 위진 때에는 사상이 크게 변하여 『노자』『장자』『주역』이 학자들로부터 주목받게 되었다. 하안何晏, 왕필王弼, 향수向秀, 곽상 등의 학자가 주해를 달아 이 경전들에 새로운 의의를 부여했다. '삼현'은 위진 시대의 명사들이 담론하던 중심 내용이었을 뿐만 아니라 현학가들이 자기의 철학사상을 발휘하기 위해 차용하는 기본 소재이기도 했다. '삼현'을 연구하는 학문에서는 개체의 생명과 외재 세계 사이의 모순에 대해 집중적으로 토론했으며 유가와 도가 사상 사이의 충돌 및 상호보완 역시 충분히 드러내었다.

예)

양梁나라 때에 이르러 이러한 풍조가 다시 크게 일어나 『장자』『노자』『주역』 등 세 저작을 '삼현'이라 총칭하였다.

洎於梁世, 兹風復闡, 『莊』『老』『周易』, 總謂 '三玄'. (안지추顔之推 『안씨가훈顔氏家訓 · 면학勉學』)

상공치미병上工治未病

최고의 의사는 발병하기 전에 치료한다. 상공上工은 뛰어난 최고의 의사를 가리킨다. 미병未病은 질병이 약간의 징후를 보이나 아직 발병하지는 않은 상태를 가리킨다. 중의학의 중요한 원칙으로서 이 원칙은 의사가 병리와 치료에 능하고 병의 증세, 병세, 병의 경과 등에 대한 예견력, 판단력 그리고 제어력이 강하며 조기 발견, 예방, 치료를 할 것을 요구하며 그 핵심은 예방 즉 발병을 예방하고 질병 전이와 변화 그리고 확산을 예방하는 데에 있다. 이 원칙은 또한 중국 위생의학의 기초 이념이며 중국인의 미우주무未雨綢繆(비가 오기 전 창문을 고치다) 및 방환어미연防患於未然(미연에 환란을 예방하다) 등의 처세의 지혜를 보여준다.

예)

따라서 현명한 사람은 발병 후에 치료하지 않고 발병 전에 치료를 해 둔다. 동란이 일어난 후에 혼란을 다스리는 것이 아니라 동란이 일어나기 전에 방비를 한다.

是故聖人不治已病, 治未病; 不治已亂, 治未亂. (『황제내경黃帝內經 · 소문素問 · 사기조신대론四氣調神大論』)

최고의 의사는 발병 전에 침술을 행하고 그보다 못한 의사는 병세가 위중해지기 전에 침술을 행하며 그보다도 못한 의사는 병세가 이미 약해졌을 때 침술을 행한다. 따라서, 뛰어난 의사는 발병 전에 미리 치료를 하지 발병 후에 치료를 하지는 않는다고 하는 것이다.

上工, 刺其未生者也; 其次, 刺其未盛者也; 其次, 刺其已衰者也.……故曰上工治未病, 不治已病, 此之謂也. (『황제내경黃帝內經 · 영구靈樞 · 역순逆順』)

의술에 정통한 사람은 병세가 위중할 때 반드시 그 병이 퍼질 것이라는 것을 알아서 미리 예방 조치를 행하여 병세가 몰리는 것을 피하고 확산을 막아 여러 질병이 동시에 일어나는 것을 막는데, 이는 뛰어난 의사가 병을 사전에 막는 기본개념이다.

善醫者, 知病勢之盛而必傳也, 預為之防, 無使結聚, 無使氾濫, 無使並合, 此上工治未病之說也. (서대춘徐大椿『의학원류론醫學源流論 · 표리상하론表裏上下論』)

상동尚同

옳고 그름의 기준을 상위 통치자와 같게 한다. '상동'은 묵가墨家의 기본 주장 중의 하나이다. 묵자는 국가와 정치가 없을 때는 사람들의 옳고 그름에 대한 기준이 혼란스러웠기 때문에 서로 간에 비난과 투쟁이 초래되어 상해를 입혔다. 그래서 어질고 능력 있는 사람을 천자 및 각급 관리로 세우고, 모든 사람의 언행의 옳고 그름의 기준은 모두 윗사람을 따르게 하며 최종적으로는 천자와 동일하게 하고, 천자는 하늘의 요구에 복종할 것을 주장했다. 묵가는 '상동'을 나라를 잘 다스리는 데 있어 중요한 수단으로 여겼다.

예)

윗사람이 맞다고 한 것은 반드시 긍정해야 하고, 윗사람이 틀리다고 한 것은 반드시 부정해야 한다. 자기에게 좋은 주장이 있다면 열심히 윗사람에게 간언해야 한다. 윗사람에게 과오가 있으면 권면한다. 표준이 아니면 모두 윗사람과 같이 하고, 아랫사람과 억지로 비교하려는 생각은 버려야 한다.

上之所是, 必亦是之. 上之所非, 必亦非之. 己有善, 傍薦之. 上有過, 規諫之. 尚同乎其上, 而毋

有下比之心. (『묵자墨子 · 상동중尙同中』)

상례喪禮

사자를 보내고 애도하는 예. 인륜 생활에서 매우 중요한 예의이다. 고대의 '상례'는 고인과 예를 행하는 사람 간의 관계에 따라 기간과 복식, 궤적인 예의범절에 모두 상세한 규정을 두었다. 사람들은 '상례'를 통해 고인에 대한 애통함과 그리움을 표현한다. 동시에 '상례'는 감정의 표출을 절제함으로써 과도한 슬픔으로 몸이 상하는 일을 방지하기도 한다. 또한 '상례'는 예를 행하는 사람의 신분과 그에 상응하는 예절을 구분하여, 인륜 관계에 대한 고대인의 이해 및 규범을 드러낸다. 현대 사회에서는 생활방식의 변화로 인해 '상례'의 형식과 그를 통해 나타나는 인륜관계 모두 서로 다른 수준으로 변화하였다.

예)

임방이 예의 근본에 대해 물었다. 공자가 말했다. "중대한 문제를 물었구나! 예는 사치하게 치르기보다 차라리 절약하고 검소하게 행하고, 상례는 예절을 두루 지키기보다 차라리 애통하고 슬퍼함이 낫다."

林放問禮之本. 子曰 "大哉問! 禮, 與其奢也, 寧儉. 喪, 與其易也, 寧戚." (『논어 · 팔일』)

"삼년상은 어떻게 정해진 것입니까?" 말하기를, "사람의 정에 따라 정한 예의이다. 이를 통해 인륜의 질서를 규정하고 친소와 귀천의 관계를 구별한 것으로 마음대로 덜하거나 더해서는 안 된다."

三年之喪, 何也? 曰, 稱情而立文, 因以飾群, 別親疏貴賤之節, 而弗可損益也. (『예기 · 삼년문三年問』)

상반상성相反相成

대립 관계에 놓인 두 사물이 서로 배제하면서 동시에 서로 보완하며 변화한다. 모든 사물은 타자와 대립하는 상황에 놓인다. 대립하는 양측은 상반되는 성질이나 의미를 지니고 있어서 서로 배제하는 관계가 된다. 있고 없음, 길고 짧음, 높고 낮음, 선과 악, 아름다움과 추함 등이 그러하다. 하지만 동시에 사물의 성질 혹은 의미가 자신과 대립하는 사물로 인하여 성립되기도 하며, 대립하는 두 사물이 일정한 조건 속에서 서로 변화하기도 한다. 이런 생각은 이미 선진先秦 시기에 등장했고 반고班固가 『한서漢書 · 예문지藝文志』에서 '상반상성'으로 정리했다.

예)

모든 사람이 아름다운 사물이 아름다운 이유를 알아서 추함을 생각하게 되었으며 모두가 선한 행동이 선한 이유를 알아서 선하지 않다는 개념이 생겼다. 따라서 있음과 없음은 서로 불러일으키고, 어려움과 쉬움은 서로 만들어내고, 길고 짧음은 서로 모습을 드러내 주고, 높고 낮음은 서로 포함하고, 음과 성은 서로 조화하고, 앞과 뒤는 서로 따른다.

天下皆知美之爲美, 斯惡已, 皆知善之爲善, 斯不善已. 故有無相生, 難易相成, 長短相形, 高下相傾, 音聲相和, 前後相隨. (『노자老子 · 2장』)

인은 의와, 경은 화와 서로 반대되면서 서로 보완한다.

仁之與義, 敬之與和, 相反而皆相成也. (『한서 · 예문지』)

상병벌모上兵伐謀

병사를 부리는 상책上策은 적의 계획을 무너뜨리는 데 있다. '상병벌모上兵伐謀'는 손자(B.C. 545?~B.C.470?)가 제시한 군사적 원칙이다. 손자에 따르면 군사 간의 경합은 여러 측면에서 전개되고, 각각의 충돌은 모두 전쟁의 승패에 큰 영향을 미친다. 그 중 무력을 통한 정벌은 쌍방에 모두 지대한 피해를 주므로 어쩔 수 없는 선택에 해당한다. 용병술에 능한 사람은 무력적 충돌이 일어나기 전에 지략을 발휘하여 적의 공격 위협을 차단하거나, 아군의 무력 정벌에 대한 장애 요소를 미리 제거함으로써 가장 작은 대가로 전략적 목표를 달성한다.

예)

그러므로 용병의 상책은 적군의 계책을 좌절시키는 것이고, 그 다음은 적의 외교를 무력화하는 것이며, 그 다음이 적의 군대를 공격하는 것이고 가장 하책은 적의 성읍을 공격하는 것이다. 공성계는 다른 방법이 없을 때 취하는 방법이다.

故上兵伐謀, 其次伐交, 其次伐兵, 基下攻城. 攻城之法, 爲不得已. (『손자 · 모공謀攻』)

상常

변함없는 법칙. 고대인의 시각에서 천지 만물과 인륜 생활의 운행은 모두 어떠한 영원불변하는 법칙을 따른다. 이러한 법칙을 '상'이라 하며, 때로는 '상도常道' 또는 '상리常理'라고도 부른다. '상'은 '변變'과 대비되면서도 밀접한 관련이 있다. '상'은 사물이 따라가는 법칙으로써 항상 변하지 않으나, 이처럼 영원한 법칙은 또한 사물의 다채로운 변화 속에서 드러난다. 인간은 바로 사물의 끊임없는 변화 가운데 한결같은 법칙을 탐색하고 파악한다.

예)

하늘의 운행에는 그 상도常道가 있으니, 요왕 때문에 있거나 걸왕을 위해 없어지지 않는다.

天行有常, 不爲堯存, 不爲桀亡. (『순자 · 천론天論』)

만물이 무성하게 자라나 각자 그 근본으로 돌아간다. 근본으로 돌아감을 정靜이라고 하며, 이는 곧 생명의 본래 상태를 회복하는 것이다. 본래의 상태를 되찾음을 상常이라 하고, 변함없는 상의 법칙을 아는 것을 명明이라 한다.

夫物芸芸, 各復歸其根. 歸根曰靜, 是謂復命. 復命曰常, 知常曰明. (『노자 제16장』)

상象

보이지만 형체가 없는 현상 혹은 도형. '상'에는 크게 네 가지 다른 의미가 있다. 첫째는 '도'가 드러난 형태이다. 노자는 '도'를 '무물지상無物之象'이라고 기술했으며 '대상大象'이라고도 지칭했다. 둘째는 사물이 드러난 형태이다. '상'이 구체화하고 고정화하는 정도는 유형의 사물보다 약해야 한다. 주로 '천상天象(천문 현상)' 즉 일월성신의 운행, 비바람 등 날씨의 변화를 가리킨다. 셋째는 인간의 기상 즉 정신, 의지가 언행, 태도로 드러난 것이다. 넷째는 상징 혹은 천지 만물을 모사한 도형이다. 고대인은 각종 '상'의 체계를 만들고 '상'을 관찰하고 해석함으로써 자연과 사회의 운행과 변화 그리고 그 법칙을 설명했다. 그중 『주역周易』의 괘상 체계가 후대에 미친 영향이 가장 크다.

예)

도는 위라고 하여 밝지 않고 아래라고 하여 어둡지 않다. 끊임없이 길게 이어져 이름을 붙일 수 없으며 아무것도 없는 상태로 돌아간다. 외형이 없는 형상이며 물질이 없는 상으로 황홀이라 이른다.

其上不皦, 在下不昧. 繩繩不可名, 複歸於無物. 是謂無狀之狀, 無物之象, 是謂惚恍. (『노자老子 · 14장』)

하늘에서 상을 이루고 땅에서 형을 이루니 변화가 나타난다.

在天成象, 在地成形, 變化見矣. (『주역周易 · 계사系辭 상』)

성인이 천하의 복잡한 현상을 보고 그 형용을 모사하면서 적당한 사물로 상징하였기에 이를 상이라고 일렀다.

聖人有以見天下之賾, 而擬諸其形容, 象其物宜, 是故謂之象. (『주역周易 · 계사系辭 상』)

상선벌악賞善罰惡

선한 자에게 상을 주고 악한 자에게 벌을 내리다. 고대인은 국가와 사회를 잘 다스리려면 반드시 선을 추구하고 악을 배척함으로써 바람직한 풍조를 널리 발전시켜야 한다고 생각했다. 선악은 법에 따라 구분하고 상벌은 법에 따라 행해져야 한다. 합리적, 합법적으로 공을 세우면 선이고, 뒤에서 법을 어겨 죄가 있으면 악이다. 상과 벌은 나라와 군대를 다스리는 중요한 수단으로, 지도자가 장악하는 중요한 권리이다. 상벌은 시범적 작용을 한다. 상은 선을 권장하기 위해, 벌은 악을 징벌하기 위해 사용된다. 그러므로 필히 규칙에 따라 하고 상벌이 적절하며 선악이 분명해야 한다. 그랬을 때 비로소 건강하고 진취적인 사회풍조가 형성된다. 상선벌악은 성실의 정신과 선악 관념의 유기적 통일체이다.

예)
선한 자는 상을 받고 악한 자는 벌을 받으면 국가가 반드시 잘 다스려진다.
善人賞而暴人罰, 則國必治矣. (『묵자墨子 · 상동하尙同下』)

현명한 사람을 높이고, 재능 있는 사람을 쓰고, 공 있는 사람에게 상을 주고, 죄 있는 사람에게 벌을 준다...... 이는 선행을 기꺼워하고 악행을 미워함의 구체적인 표현이다. 국가의 통치는 이와 같아야 하며 고금에 마찬가지다.
夫尙賢使能, 賞有功, 罰有罪...... 善善惡惡之應也. 治必由之, 古今一也. (『순자 · 강국强國』)
성왕은 법치를 확립하니 그 상은 선행을 권할 만하고 형벌은 폭란을 제어할 만하다. ...... 선은 봄과 같이 생장하고 악은 가을과 같이 사멸한다.
聖王之立法也, 其賞足以勸善, 其威足以勝暴...... 善之生如春, 惡之死如秋. (『한비자韓非子 · 수도守道』)

상선약수上善若水

가장 훌륭한 선은 물과 같은 품성을 지녀 만물을 이롭게 하지만 만물과 서로 싸우지 않는다는 뜻. 『노자』에 나온 말인데 노자는 물의 이러한 유약한 성질을 가장 선한 위정자가 마땅히 갖추어야 할 인품과 덕성에 비유했다. 위정자는 백성에 대하여 마치 물이 만물에 대해 그러하듯이 백성을 도와 자연스러운 상태를 이루어 주어야 하지만 백성과 싸워서는 안 된다. 나중에는 주로 사람의 처세에 있어 물처럼 만물을 이롭게 하고 자신이 할 수 있는 한 타인을 도우면서도 명예와 이익을 구하지 않거나, 혹은 무거운 책임을 지고 꿋꿋이 견디면서도 겸손하게 자신을 낮추는 성품을 가리키게 되었다.

예)

최고의 선은 물과 같은 품성을 지니고 있다. 물은 만물을 이롭게 하는 데 뛰어나지만 만물과 다투지 않고, 모든 사람이 싫어하는 낮은 곳에 머문다. 그러므로 물은 도에 가깝다.

上善若水. 水善利萬物而不爭, 處衆人之所惡, 故幾於道. (『노자 · 팔장』)

상수象數

시초점이 근거로 삼는 형상과 숫자. '상象'은 처음에는 거북점 중의 나타난 무늬를 가리켰으며 '수數'는 시초점 중의 시초로 미루어 추론하는 숫자를 가리켰다. '상수'는 길흉을 판단하는 기본적인 근거이다. 『주역周易』의 의미 체계에서 '상'은 괘효卦爻 부호 및 그것이 상징하는 사물을 가리키고 '수'는 음양 및 짝수 홀수의 숫자와 시초점으로 추산한 숫자를 가리킨다. 『주역』의 어떤 해석자들은 '상수'를 통해 천지 만물의 변화를 추론한다고 주장한다.

예)

거북의 껍데기 위의 무늬가 '상'이고, 시초의 숫자가 '수'이다. 만물이 생성된 후에 '상'이 있고 '상'이 생겨난 뒤에 물상이 늘어나며, 물상이 늘어난 뒤에 '수'가 있다.

龜, 象也; 筮, 數也. 物生而後有象, 象而後有滋, 滋而後有數. (『좌전 · 희공15년僖公十五年』)

셋 혹은 다섯으로 변화가 발생하고 음양의 수가 뒤얽혀 모인다. 괘효의 변화를 통달하면 천하 만물의 질서를 이해하며, 괘효의 숫자를 꿰뚫어 천하 사물의 형상을 확정한다.

參伍以變, 錯綜其數. 通其變, 遂成天下之文; 極其數, 遂定天下之象. (『주역 · 계사상』)

상신벌필賞信罰必

상을 주어야 할 때는 반드시 상을 주고 벌을 주어야 할 때는 반드시 벌을 준다. 후대에 와서 일 처리가 공정하고 분명함을 형용하는 표현으로 사용되었다. '상벌엄명賞罰嚴明', '상벌분명賞罰分明'과 같다. 옛사람들은 상벌이 나라를 다스리는 중요한 원칙이자 방법이라고 생각했다. 상벌은 시범을 보이는 효과가 있다. 선을 권하기 위해 상을 주고 악을 응징하기 위해 벌을 준다. 그러므로 반드시 규율에 따라 선과 악을 분명하게 가리고 사사로운 정에 매여 한쪽 편을 들어서는 안 되며 상벌이 타당해야 한다.

예)

주 문왕周文王이 강 태공姜太公에게 물었다. "포상은 사람을 격려하는 것이고 징벌은 사람을 경계하는 것입니다. 한 사람을 포상해 백 명의 사람을 격려하고 한 사람을 징벌해 수많은 사람을 경계하려면 어떻게 해야 하는가?" 태공이 대답했다. "포상은 신뢰를 지키는 것이 중요하고 징벌은 반드시 행하는 것이 중요합니다. 상을 줄 때 신뢰를 지키고 벌을 줄 때 반드시 행하는 것은 사람들이 귀로 들을 수 있고 눈으로 볼 수 있는 행위입니다. 그러면 보지 못하고 듣지 못한 행동도 이와 함께 은연중에 감화됩니다."

文王問太公曰 "賞所以存勸, 罰所以示懲. 吾欲賞一以勸百, 罰一以懲眾, 爲之奈何?"太公曰 "凡用賞者貴信, 用罰者貴必. 賞信罰必於耳目之所聞見, 則所不聞見者莫不陰化矣. "(『육도六韜 · 문도文韜 · 상벌賞罰』)

선량한 사람에게 상을 주고 간악한 사람에게 벌을 주는 것이 나라의 큰 법이다.

賞善罰奸, 國之憲法也. (『국어國語 · 진어晉語 9』)

선행을 좋아하고 악행을 싫어하며 상벌을 엄격하고 분명하게 시행하는 것은 정치의 중요한 수단이다.

好善嫉惡, 賞罰嚴明, 治之材也. (왕부王符, 『잠부론潛夫論 · 실공實貢』)

상외지상象外之象, 경외지경景外之景

시 감상 과정에서 생겨나는, 텍스트에 묘사된 형상 밖의 2차적 예술 형상으로서 독자의 연상을 통해 형성되는 정신적 이미지이다. 앞의 '상'과 '경'은 시 작품에 직접적으로 묘사된 사물과 경치의 형상이고 뒤의 '상'과 '경'은 그것이 독자의 연상을 촉발시켜 만들어내는 새로운 이미지이다. 도가와 『주역』은 '언'(언어), '의意'(사상이나 의미), '상'(어떤 깊은 의미를 상징하는 구체적 형상), 이 3자의 관계에 대한 학설을 발전시켰다. 위진부터 당나라까지의 시학이 '상외지상, 경외지경'의 시학을 제창한 것은 텍스트 밖의 정신적 함의와 이미지의 아름다움을 추구하기 위해서였다.

예)

시에 묘사된 경치는 남전(藍田. 좋은 옥의 생산지)에 햇빛이 따뜻할 때 숨은 옥에서 안개가 피어나는데 그 옥을 멀리서 바라볼 수는 있지만 눈앞에서 볼 수 없는 것과 같다. 시에 묘사된 사물과 경치 밖의 사물과 경치를 어찌 표현하기가 쉽겠는가!

詩歌之景, 如藍田日暖, 良玉生煙, 可望而不可置於眉睫之前也. 象外之象, 景外之景, 豈容易可談哉! (사공도, 「여극포서與極浦書」)

대체로 시가 시일 수 있는 까닭은 신운神韻이 물상物象 밖에 존재하고, 물상이 언어 밖에 존재하고, 언어가 의미 밖에 존재하는 데 있다.

蓋詩之所以爲詩者, 其神在象外, 其象在言外, 其言在意外. (팽로彭輅, 『시집자서詩集自序』

상의의국上醫醫國

뛰어난 의사는 국가의 질병을 고칠 수 있다. 상의上醫는 상공上工과 의미가 같으며 고명하고 뛰어난 의사를 가리킨다. 의국醫國은 국가의 각종 질환을 다스리고 없앰을 가리킨다. 이 표현은 본래 고명한 정치가가 사람의 병을 치료하듯이 국가 치리에 있어 존재하는 각종 문제와 병폐를 해결함을 비유하여 쓰였다. 지금도 고명한 의사가 자신의 재주를 살려 (각종 전염병과 같은) 국가의 중대한 질환을 막는 것을 돕고 백성의 생활과 복지를 보장함을 설명할 때 쓰인다. 이 표현은 두 가지 기본 관념을 내포한다. 첫째, 국가를 다스림과 병을 다스림은 기본 원리상 공통분모가 있다. 둘째, 의사는 뛰어난 의술 뿐 아니라 사람을 구하고자 하는 마음과 나라를 염려하는 마음을 지녀야 한다.

예)

뛰어난 의사는 국가의 질환을 다스릴 수 있고 그보다 못한 의사는 사람의 병만 고칠 수 있는데, 이는 본래 의사의 직책이다.

上醫醫國, 其次疾人, 固醫官也. (『국어國語 · 진어팔晉語八』)

고대에 병 고침에 뛰어난 의사 중에서 고명한 의사는 국가의 질환을 다스릴 수 있었고 중등 의사는 사람의 질환을 고쳤으며 하등 의사는 신체 질환 밖에 고치지 못했다.

古之善為醫者, 上醫醫國, 中醫醫人, 下醫醫病. (손사막孫思邈『천금방千金方 · 논진후論診候』)

상제上帝

주로 두 가지 함의를 가지고 있다. 첫째, 상고 전설에서 우주의 만물과 모든 일을 주재하는 최고의 천신을 가리키며 '천제天帝'라고도 한다. 상, 주나라 시기에는 무당이 사람과 상제를 연결해 주는 매개체였는데 무당은 점을 쳐서 상제에게 지시를 청해 그 뜻을 받아 전달했다. 둘째, 제국 혹은 왕조의 최고 통치자, 즉 제왕과 군주를 뜻하며 먼 옛날의 군주 혹은 사망한 군주 역시 포함한다. '천자天子'라고도 한다. 기독교가 중국에 유입된 후로는 선교사들이 그들이 숭배하는 신, 즉 God을 '상제'라는 말로 번역하기도 했다.

예)

선대의 군주는 이에 음악을 짓고 공덕을 찬미하며 성대한 의식을 열어 상제에게 봉헌하고 조상의 신령에 제사를 지냈다.

先王以作樂崇德, 殷薦之上帝, 以配祖考. (『주역 · 단상』)

위대하신 상제여, 인간 세상을 분명히 굽어보시어 천하 사방을 살펴보시고 백성들의 안정을 찾으셨다.

皇矣上帝, 臨下有赫. 監觀四方, 求民之莫. (『시경 · 대아 · 황의皇矣』)

상주사파常州詞派

청대 중엽 이후에 가장 큰 영향을 미친 사학詞學의 갈래로 상주 문인 장혜언張惠言(1761~1802)를 수장으로 한다. 장혜언은 『사선詞選』을 편찬했으며 사詞가 『시경詩經』의 풍아風雅, 비흥比興의 전통을 계승했다고 여겼고, 사의 '깊이 있고 아름다우며 내용이 풍부하고 어휘 선택에 신중함', '말속에 뜻을 숨김' 등의 심미적 특징을 강조했다. '사' 문체를 추존하여 사의 문학적 지위를 크게 높였다. 그 후에, 주제周濟(1781~1839)가 장혜언의 사론을 발전시켜 『송사가사선』 등을 편찬하여 '사란, 기탁하지 않으면 쓰지 않고, 기탁하되 분명하게 하지 않는다', '혼화(渾化, 자연스러움)' 등의 이론을 제시했다. 담헌譚獻(1832~1901), 진정작陳廷焯(1853~1892), 황주이況周頤(1859~1926)는 상주사파의 3세대로 여겨지며, 그들의 대표 작품은 『복당사화復堂詞話』, 『백우재사화白雨齋詞話』, 『혜풍사화蕙風詞話』 등으로 사를 품평하고, 짓는 방법을 더욱 풍부하게 했다. 상주사파의 최대 공헌은 사가 사상을 담고 뜻을 표현하는 영역에서 지닌 가치를 이론적 입장에서 설명하여 사를 경전, 시문과 나란히 하는 문체가 되게 만든 것이다.

예)

사는 한 가지 기예로 그리 중요한 것은 아니다. 그러나 사의 역사를 고찰하면 북송의 사를 정통으로 하는 사람이 있고 남송사를 정통으로 하는 사람도 있다. 요즘의 정황으로 미루어 검증하면, 상주(강소江蘇)와 절강의 두 개의 큰 유파가 발전하게 된 것은 역사적인 원인이 있다. 같은 고향 사람인 장혜언, 휘경惲敬 두 사람이 사학의 새로운 길을 개척한 이후로 『시경 · 국풍國風』, 『이소離騷』의 뜻과 흥취를 사용하고 온정균溫庭筠, 위장韋莊, 주방언周邦彥, 신기질辛棄疾 등의 예술적 풍모風貌를 재현하여, 한때 사인들이 쏟아져 나왔고 그중에서도 동사석董士錫은 여러 대가들의 장점을 다 갖추었다.

詞之爲技小矣. 然考之於昔, 南北分宗, 徵之於今, 江浙別派, 是亦有故焉. 吾郡自皋文, 子居兩先生開闢榛莽, 以『國風』, 『離騷』之旨趣, 鑄溫, 韋, 周, 辛之面目, 一時作者競出, 晉卿集其成. (주제周濟, 『존심헌사자서存審軒詞自序』)

다른 사람에게 방법을 가르칠 때는 주제의 『사변詞辯』이 적당하다. 잡다한 관점들을 정리해서 사체의 바른 기원과 변화를 설명하니, 마치 사의 정원을 밝은 등불 하나가 영원히 밝히는 것과 같으므로, 이것은 주제가 쓴 『송사가사선宋四家詞選』의 사평詞評에 공을 돌려야 한다.

金針度, 『詞辨』止庵精. 截斷衆流窮正變, 一燈樂苑此長明, 推演四家評. (주조모朱祖謀, 『망강남望江南』)

상하동욕자승上下同欲者勝

위부터 아래까지 마음을 모아 협력해야만 승리를 얻을 수 있다. 중국 고대 군사가 손무孫武가 제시한 중요한 사상이다. 크게는 국가와 군대, 작게는 작은 조직에까지 직위의 높고 낮음을 막론하고 모두 같은 소원과 뜻과 목표를 품어야만 많은 사람의 지혜를 모아 최대의 전력을 발휘할 수 있다. 이는 사람의 정신적 작용과 단결의 힘을 강조하며 "사람이 근본이다"라는 중화적 사유의 특징을 드러낸다.

예)

승리를 예견하는 방법은 다섯 가지가 있다. 어떤 조건에서는 싸워도 되고 어떤 조건에서는 싸울 수 없는지를 알면 이길 수 있고, 병력의 많고 적음에 따라 유연하게 전법을 활용할 줄 알면 승리를 거둘 수 있고, 위아래가 마음을 합쳐 협력하면 승리를 얻을 수 있고, 준비된 군대로써 준비가 안 된 적을 공격하면 이길 수 있다. 장수가 지휘에 재능이 있으며 군주가 간섭하지 않는다면 승리할 수 있다.

故知勝有五: 知可以戰與不可以戰者勝, 識衆寡之用者勝, 上下同欲者勝, 以虞待不虞者勝, 將能而君不御者勝. (『손자孫子 · 모공謀攻』)

상현尚賢

어진 사람을 존경함. 중국 고대의 많은 학파들이 모두 '상현'이나 이와 유사한 주장을 제기했다. '상현'은 집정자에게 어질고 능력 있는 선비를 존중하며 그의 덕행과 재능에 따라 상응하는 정치권력과 지위를 부여하고 그가 국가를 통치하는 중에 그 기능을 충분히 발휘할 수 있게 하기를 요구하는 것이다. 훌륭한 덕과 재능이야말로 관리를 임명하는 우선적인 원칙이어야 한다. 유가에서 '상현'은 '가족을 친밀히 사랑하는(親親)' 원칙을 보충한다. 묵가에서는 상현을 '상동尚同'의 정치를 실현하는 중요한 조건으로 여겼다.

예)

그래서 어진 인재를 존경하고 능력 있는 사람을 임용하며, 존귀하고 비천함에 따라 차이를 두고 친밀함과 소원함을 구분 지으며, 나이가 많은 사람과 나이가 어린 사람은 순서가 있게 하니 이것이 선왕이 지키던 원칙이다.

故尚賢使能, 等貴賤, 分親疏, 序長幼, 此先王之道也. (『순자荀子 · 군자君子』)

그래서 고대의 성왕은 상현의 원칙을 매우 숭상하여 어질고 능력 있는 사람을 임용하였고, 아버지와 형제끼리 무리를 짓지 않고, 신분이 높고 부유한 사람에게 치우치지 않으며 용모가 뛰어난 사람을 총애하지 않았다.

故古者聖王甚尊尚賢, 而任使能, 不黨父兄, 不偏貴富, 不嬖顔色. (『묵자墨子 · 상현중尚賢中』)

색色

불교적 배경에서 색은 사람에게 느껴질 수 있는 모든 것을 말한다. 유형의 물질과 함께 형식만 있고 무형인 것들을 포함한다. 색은 처음에 유형의 물건만을 가리켰는데, 시각 기관으로 인식하는 대상이다. 색은 또한 '명名'과 상대되며, 12연기緣起에서 이 둘을 합쳐 '명색名色'이라 칭하는데, 생명이 있는 개체가 한 번의 윤회 가운데 가지는 정신과 물질의 총합을 의미한다. 보통 '색'은 느낄 수 있고, 형태가 있으며, 극미極微(불교에서 더 이상 작게 나눌 수 없는 최소의 단위)로 이루어져 손상 및 소멸할 수 있는 모든 물질을 뜻한다. 그러나 어떤 맥락에서 불교는 또한 '무표색無表色' 등의 개념을 사용하여, 형식과 효용을 가졌으나 말로 표현할 수 없는 것을 볼 수 있는 물질과 구별하기도 한다.

예)

승조가 말했다. "유형의 물질은 그 자체가 곧 공이다. 이런 것들이 소멸되기까지 기다려 공이라 할 필요가 없다. 그러므로 유형의 사물이 '공'과 다르다고 여기는 사람은 법상法相을 이분하는 것이다.

肇曰, 色卽是空, 不待色滅然後爲空. 是以見色異於空者, 則二於法相也. (『주유마힐경注維摩詰經』 8권)

생생生生

사물이 끊임없이 생장하고 번성하며 쉼 없이 변함. 『주역周易 · 계사상繫辭上』에 이르길 "생생은 변화를 일컫는다"라고 했다. 『주역』에서 말하는 '생생'은 두 가지 뜻을 포함한다. 첫째, 만물의 존재로 말하자면 '생생'은 천지만물이 영원히 생성되고 변화하는 가운데 음양陰陽의 상호작용으로 '생생'의 내재적인 동력이 구성됨을 가리킨다. '생생'은 천지만물의 근본적인 속성이고 도덕적인 선행의 근원이다. 둘째, 점치는 것으로 말하자면 '생생'은 홀수 획과 짝수 획이 서로 교차하는 것을 가리키며 괘효의 형상이 끊임없는 변화 중에 있음을 가리킨다.

예)
사물이 끊임없이 생장하고 번성하며 쉼 없이 변함을 '역'이라 부른다.
生生之謂易. (『주역周易 · 계사상繫辭上』)

사물이 끊임없이 생장하고 번성하며 쉼 없이 변하는 것은 천도(天道. 천지자연의 법칙)의 내용이다. 하늘은 생생불식를 원칙으로 하며 생생불식의 이치를 받드는 것이 바로 선이다.
生生之謂易, 是天之所以爲道也. 天只是以生爲道, 繼此生理者, 即是善也. (『이정유서二程遺書』 2권 상)

서계書契

두 가지 의미가 있다. 첫째는 간독簡牘에 쓴 문자를 의미한다. 둘째는 종이가 발명되기 이전에 대나무로 만들어진 증거 문건이나 증명서를 가리키는데, 대나무 정면에 문자로 내용을 기록하고 측면에 특정한 기호를 세기며 보통 두 부가 있어 당사자인 두 사람이 각자 한 부씩 가지고 이후에 재확인할 수 있게 하였다. 양한兩漢 이후에 간독은 점차 역사의 뒤안길로 사라졌으나 증명서로 사용되는 죽간 계약서는 계속해서 사용되었다.

예)
상고시기의 사람들은 보통 결승結繩(역자 주: 끈으로 매듭을 짓는 행위 또는 그 매듭)이라는 방법을 통해 일을 기록했다. 후세의 성인은 문자 기록[서계書契]으로써 결승을 대체했다.
上古結繩而治, 後世聖人易之以書契. (『주역周易 · 계사 하系辭下』)

'서書'는 문자를 가리키며 '계契'는 대나무 측면에 세긴 특정 사안과 관련된 표식을 가리키므로 '서계'라고 이른다. 또 다른 해석으로는 특정 사안에 대해 계약을 맺는 문서라는 뜻이다.

書者文字, 契者刻木而書其側, 故曰"書契"也. 一云 以書契約其事也. (육덕명陸德明, 『경전석문經典釋文 · 상서음의 상尚書音義上』)

서곤체西昆體

북송 초기에 나타난 화려한 문체와 대우가 잘 맞는 것을 추구하는 것을 주요 특징으로 하는 시가의 유파이다. 송나라 초기에 양억楊億, 유균劉筠, 전유연錢惟演 등이 황제가 책을 보관하는 비각祕閣에 모여서 역대 정치에 관한 사적을 편찬한 책으로 천자가 하사한 이름은 『책부원귀册府元龜』이다. 그들이 책 편찬 이외의 시간에 시를 지어 창화하고 모아서 『西昆酬唱集』로 엮으니 당시 사람들이 이를 '서곤체'라고 불렀다. '서곤체' 시인은 이상은李商隐을 본 받는 것을 장려했으며, 전고의 정교한 사용과 의미의 심원함을 추구하고 음율과 대유법을 중시했다. 그들의 작품은 표현이 정교하고 아름다우며 음조가 곱고 낭랑하며 대구를 세밀하게 맞추니, 만당 오대 이후의 직설적이며 경박한 시풍을 한 번에 쓸어버려 시가 발전사에 영향을 끼쳤다. 서로 창화한 작품이기 때문에 대부분 자구를 지나치게 수식하여 진실된 감정이 부족하고 자주 겉만 화려하게 되므로 후대 사람들에게 비난을 받았다.

예)

대략 양억과 유균으로부터 창화하기 시작했다. 『西昆酬唱集』으로 성행하니 후배 학자들이 서로 모방했다. 시풍이 이로써 변화가 생기니 그것을 '곤체'라고 불렀다. 이 이후부터 당대 시인의 시집은 사람들에게 거의 잊히고 전해지지 않았다.

蓋自楊, 劉唱和, 『西昆集』行, 後進學者爭效之, 風雅一變, 謂之昆體. 由是唐賢諸詩集幾廢而不行. (구양수歐陽修, 『육일시화六一詩話』)

서도書道

서예 창작을 통해 심신의 합일을 추구하고 나아가 우주와 생명의 진리를 체득하고자 하는 예술 경지. 공자孔子(B.C. 551~B.C. 479)의 "도에 뜻을 두고 덕에 의거하고, 인에 의지하고, 예에 노닌다[志於道, 據於德, 依於仁, 遊於藝]"는 사상에 영향을 받았다. 특히 장자莊子(B.C. 369?~B.C. 286)의 "기예가 최고에 이르면 도에 닿는다[技進乎道]"라는 미학 정신에 이끌린 서예가들은 서예에 있어서 더 높은 예술의 경지를 추구해, 서예의 형식과 기예를 추월해서 '도'의 경계에 이르고자 희망했다. 당나라 때 서예가들은 글을 쓰는 필법, 기법을 중시하여 '서법書法'이라고 이른다. '서법'은 '서도'의 초급 단계로 기법적, 유형적, '형이하학적' 범주에 속한다. '서도'는 '서법'의 최고 단계로 보편적, 추상적, '형이상학적' 범주에 속한다. 서법이라는 용어는 이후에 일본에 전해져 더 많은 수신修身, 양성養性, 오도悟道 등 방면의 의미가 부여되었다. 이는 다시 중국 근현대 서법 예술의 발전에 영향을 미쳤다.

예)

당대唐代 중엽 이후에 서도가 쇠락하기 시작해 최고의 서예 작품이 많이 나오지 못했다.

唐中葉以後, 書道下衰之際, 故弗多得雲. (황백사黃伯思, 『동관여론東觀餘論 · 발하가고정거사비후跋伖柯古靖居寺碑後』)

예서는 전서에서 나왔는데 사실 전서의 불초한 자식이라고 하니, 왜 그러한가? 전서의 일 획畫, 일 직直, 일 구鉤, 일 점點에는 흔히 말하는 지시指事, 상형象形, 해성諧聲, 회의會意, 전주轉注, 가차假借라는 의리의 법칙이 담겨 있기 때문에 '육서六書'라고 이른다. 예서는 전서의 둥글고 매끄러운 자형을 사각형의 형태로 바꾸면서 전서의 구조와 규칙을 완전히 변화시켜 전서의 조자造字 방법에 어긋나므로 육서에 함축된 조자 규칙이 예서부터 완전히 단절되었다.

隸書生於篆書, 而實是篆之不肖子, 何也?篆書一畫, 一直, 一鉤, 一點, 皆有義理, 所謂指事, 象

形, 諧聲, 會意, 轉注, 假借是也, 故謂之"六書". 隸旣變圓爲方, 改弦易轍, 全違父法, 是六書之道由隸而絕. (전영錢泳, 『이원총화履園叢話 · 서학書學』)

서恕

서의 기본적인 뜻은 자기를 미루어 남에게 미치는, 즉 자기 마음으로 남의 마음을 헤아리는 것이다. 사람은 자신이 싫어하는 일에 대한 느낌에 근거해 남이 원하는 바를 이해하고 돌볼 수 있다. 이러한 남에 대한 이해를 바탕으로 자기가 싫어하는 일을 다른 사람에게 강요해서는 안 된다는 것이 '서'이다. 법을 집행하는…….

예)

자공이 물었다. "평생 실천할 만한 한마디 말이 있습니까?" 공자가 말했다. "그건 '서'라는 말일 것이다. 자기가 하고 싶지 않은 일을 남에게도 시키지 않는 것이다."

子貢問曰, "有一言而可以終身行之者乎?" 子曰, "其恕乎! 己所不欲, 勿施於人." (『논어論語 · 위령공衛靈公』)

자신의 마음을 미루어 남의 마음을 이해하는 것을 서라고 한다.

推己之謂恕. (주희朱熹, 『논어집주論語集注』)

서성書聖

동진東晉 시기 저명한 서예가 왕희지王羲之(303~361 또는 307~365 또는 321~379)의 별칭. '성聖'은 신성하다는 뜻으로 고대 중국에서 종종 어떤 기예에 정통하거나 조예가 깊은 사람을 '성'이라고 존칭함으로써 그 사람의 탁월한 성취와 걸출한 지위 그리고 깊은 영향력을 인정했다. 서성이라는 단어는 왕희지의 서예가 우수함을 강조하면서 그의 도덕 인격의 고상함을 칭찬하기도 한다. 왕희지는 자체를 정밀하게 연구하고 좋은 서예를 힘껏 본받고 여러 서예가의 장점을 널리 받아들여 예서, 초서, 해서, 행서 각 서체에 모두 뛰어나고 한 · 위漢魏의 서풍에서 벗어나 스스로 일가를 이루었다. 그의 대표작인 「난정집서蘭亭集序」는 '천하제일 행서天下第一行書'라고 찬양받는다. 양 무제梁武帝 소연蕭衍(464~549), 당 태종唐太宗 이세민李世民(599~649), 송 태종宋太宗 조광의趙光義(939~997) 등 제왕들의 강력한 추앙으로 역사적으로 세 차례 왕희지의 서법을 대규모로 학습하는 전성기가 있었으며 이로 인해 왕희지에 대한 '서성'이라는 천고의 미명이 확립되었다.

예)

왕희지의 서예는 자체가 웅장하고 표일하여 마치 교룡이 천궁의 대문으로 뛰어들고 맹호가 황궁의 누각에 누워있는 것 같다. 그래서 역대 왕조에서 모두 그의 작품을 진귀하게 여겨 영원한 모범으로 삼았다.

王羲之書字勢雄逸, 如龍跳天門, 虎臥鳳閣, 故曆代寶之, 永以爲訓. (진사陳思, 『서원청화書苑菁華』 권5에 인용된 『양무제평서梁武帝評書』)

고금의 서예를 자세히 고찰하고 선인들의 작품을 깊이 연구하며 모든 서예 작품이 지극히 훌륭하고 아름다운 자는 고금을 통틀어 오직 왕희지 한 사람뿐이구나!

詳察古今, 研精篆素, 盡善盡美, 其惟王逸少乎! (『진서晉書 · 왕희지전론王羲之傳論』)

서원書院

당, 송부터 명, 청까지 존재했던 일종의 문화교육 기관. 개인이나 관청이 개설해 학문을 연구하고 전수했던 장소로서 교육, 연구, 장서 보관 등 여러 가지 기능을 했다. 서원은 불교 사원과 개인 장서각에서 연원하여 당나라 때 생겨났으며 송나라 때 홍성했다. 남송 초기에 주희, 장식張栻, 여조겸呂祖謙, 육구연陸九淵 같은 학자들은 서원을 세우고 강의와 학파 활동을 수행하는 본거지로 삼았다. 당시 서원은 관학官學 밖에서 독립성을 유지했고 환경이 아름답고 조용한 곳에 위치했으며 유명한 학자가 주도하여 학술의 자유와 창조성을 추구하는 한편, 말과 행동으로 가르침을 구현하고 인격을 배양하는 것을 중시할 뿐, 과거를 통한 공명은 도모하지 않았다. 그러나 남송 말엽부터 서원은 점차 관학으로 기울어져 과거제와 연결되었다. 서원의 성쇠와 송명 이학의 성쇠는 서로 밀접한 관계를 유지했다. 그리고 1901년, 청나라 정부는 서원을 전부 학당學堂으로 바꾸라는 명을 내렸다. 서원은 천 년 넘게 존재하며 중국 고대 교육과 문화의 발전에 큰 영향을 끼쳤다.

예)

다른 선대의 유학자들이 백성을 교화하고 유명한 현인들이 생활하며 사적을 남긴 곳이었으며, 아울러 부유한 이들이 기꺼이 돈과 곡식을 쾌척해 학자들을 봉양했으니, 이것이 서원을 창설한 원인이 되었다.

其他先儒過化之地, 名賢經行之所, 與好事之家出錢粟贍學者, 并立爲書院. (『원사元史 · 선거지일選擧志一』)

서자書者, 산야散也

서예를 잘 쓰려면 먼저 마음을 편안하게 하고 모든 잡념을 제거해야 한다. 동한의 저명한 서예가 채옹蔡邕(133~192)이 『필론筆論』 중에 제기한 서예 관념이다. 이것은 서예 예술이 주체의 감정을 표출하는 창작의 심리 상태를 묘사했다. 서예가가 창작할 때 먼저 마음을 편안하게 하고 모든 얽매임과 실리를 추구하는 마음을 없애야 한다고 강조했으며 이것을 서예 작품의 성공 여부를 결정짓는 결정적인 요소라고 보았다.

예)

서예 활동에 종사하면 먼저 마음을 편안하게 하고 모든 잡념을 제거해야 한다. 붓을 잡기 전에 반드시 마음을 넓게 가지고 감정에 따라 제멋대로 휘두르고 그 다음에 다시 붓을 가다듬고 글을 쓴다. 만약 억지로 하려 하면 중산에서 생산된 토끼털로 만든 좋은 붓을 쓴다 해도 아름다운 서예 작품을 써낼 수 없다.

書者, 散也. 欲書先散懷抱, 任情恣性, 然後書之, 若迫於事, 雖中山兎豪不能佳也. (채옹,『필론』, 진사陳思,의『서원정화書苑菁華』1권 수록)

글을 쓰려고 할 때는 먼저 외부 세계의 일에 대해 보지 않고 듣지 않으며 생각을 끊고 정신을 모아 마음을 바르게 하고 호흡을 부드럽게 해야 비로소 현묘한 작품을 써낼 수 있다. 만약 정신이 단정하지 못하면 쓰는 글자가 비뚤어지게 된다. 호흡이 부드럽지 않으면 반드시 작품을 망치게 된다.

夫欲攻書之時, 當收視反聽, 絶慮凝神, 心正氣和, 則契於玄妙. 心神不正, 字則攲斜; 志氣不和, 書必顚覆. (이세민李世民,『필법결筆法訣』, 진사의『서원정화』19권 수록)

선거選擧

덕과 재능을 겸비한 사람을 선발하고 천거하는 것이다. 위에서 아래로 행해지는 것을 '선'이라 하고 아래에서 위로 행해지는 것을 '거'라 한다. 관리 임용 제도로서 국가는 인재 선발의 기준을 정하고 덕과 재능이 출중한 사람을 '선거'하여 관직을 주고 나라를 다스리게 함으로써 이상적인 통치를 달성하려 했다. 이 제도는 왕조와 시대의 변천에 따라 달라졌지만 대체로 덕망, 재능, 출신 등의 조건을 중시했고 기본적으로 정권 체계와 사회 엘리트 사이의 종적 소통을 보장했다. 이것은 '인치'와 '덕정'의 이념 구현과 밀접한 관계가 있었다.

예)

관리를 선거하는 방법에는 대략 4가지가 있다. 관립 학교에서 추천하고, 과거시험으로 뽑고, 천거를 받고, 인재를 선정해 관직을 주는 것이다. 관립 학교에서 인재를 키우고, 과거로 인재를 뽑고, 천거를 보조 수단으로 삼아 인재를 모으고, 이부에서 인재를 선정해 관직을 줌으로써 곳곳에 두루 인재를 배치하면 천하의 인재를 전부 거둬들일 수 있다.

選擧之法, 大略有四: 曰學校, 曰科目, 曰薦擧, 曰銓選. 學校以敎育之, 科目以登進之, 薦擧以旁招之, 銓選以布列之, 天下人才盡於是矣. (『명사明史 · 선거지일選擧志一』)

선위국자불기기민善爲國者不欺其民

좋은 위정자는 백성을 속이지 않는다. 백성의 신임은 국가 정권의 건립과 공고함의 기초이자 보증이다. 이는 결코 국가가 백성에게 비밀이 없다는 것이 아니라 위정자가 신용을 지키고 법에 의거해 정책을 시행하고 공명정대하며 백성을 신뢰해야 함을 의미한다. 또한 공권력을 남용하고 허위로 날조하여 민중의 신임을 잃어 마음이 어그러지는 일이 없도록 해야 함을 뜻한다. 이는 민무신불립民無信不立(신용이 없으면 설 곳이 없다)과 같은 이치이며 민본民本 사상의 확장이다.

예)

소위 중복되지 말아야 할 일을 하지 않는다는 것은 자신의 백성을 속이지 않는 것이다. 국가의 군주가 자신의 백성을 속이지 않으면 백성은 군주를 지지할 것이다. 신용을 지키는 것은 자신의 백성을 속이지 않기 위함이다.

不行不可複者, 不欺其民也.......不欺其民, 則下親其上. (『관자管子 · 목민牧民』)

신뢰할만하다는 것은 자기 백성을 속이지 않는다는 것을 뜻한다.

信, 所以不欺其民也. (『한비자韓非子 · 난일難一』)

치국에 능한 자는 백성을 속이지 않으며 자신의 가족을 속이지 않는다. 나쁜 위정자는 이와 반대이다. 다스리는 자와 다스림 받는 자가 서로 신뢰하지 않으면 서로 마음이 멀어지고 결국에는 패망에 이른다.

善為國者不欺其民, 善為家者不欺其親.不善者反之......上不信下, 下不信上, 上下離心, 以至於敗. (『자치통감資治通鑑 · 주기이周紀二 · 현왕십년顯王十年』)

선체選體

주로 남조 소명태자의 『문선文選』에 수록된 한위漢魏 이후로의 오언고시를 가리킨다. 그러나 이 개념은 나중에 단순한 시가 문체를 뛰어넘어 시대 특징과 시가 풍격 등의 함의를 겸비하게 되었다. 문체상으로는 '선체'는 악부, 가행, 율절律絶과 나란히 하는 개념이다. 옛사람이 볼 때 이것은 거의 오언고시의 대명사였으며 시인이 오언고시를 창작하는 공식이 되었다. 풍격상으로 '선체'는 전아하고 화려하며 창의적인 세 가지 주요한 특징이 있었다. 시대로 볼 때는 '선체'는 풍소風騷를 계승하며 한위, 진송晉宋, 제량齊梁을 거쳤고 당대 이후에 문학 이론가들은 '선체'라는 용어로 시를 비평하고 논했다. 그러나 '선체'파는 옛사람들을 모방하기를 강조했고 이 때문에 후대에 창조성을 중시하는 문인들에게 비판을 받았다.

예)

오언시는 『시경詩經』에서는 간혹 나오지만 한위에 이르러 소무蘇武, 이릉李陵, 조조曹操, 유정劉楨 등의 창작으로 정형화되었고, 『문선文選』에 수록되어 '『문선』체'로 불렸다.

五言詩, 三百五篇中間有之, 逮漢魏蘇, 李 · 曹 · 劉之作, 號爲"『選』體." (유극장劉克莊, 『서림자현序林子顯』)

소명태자가 고시를 선별했다. 그래서 후세 사람들은 그가 선별한 시들을 고시라고 불렀고, 이로 인해 고시를 '선체'라고 부른다. 당대 사람들이 지은 고시는 '당선'이라고 부른다. 안타깝다! 고시가 사라졌을 뿐만 아니라 '고시'라는 명칭 또한 사라졌구나.

昭明選古詩, 人遂以其所選者爲"古詩", 因而名古詩曰"選體." 唐人之古詩曰"唐選." 嗚呼! 非惟古詩亡, 幾並古詩之名而亡之矣. (종성鍾惺, 『시귀서詩歸序』)

선패자불망善敗者不亡

패국을 대처하는 것에 능한 자는 멸망하지 않는다. 용병하여 싸울 때 어느 쪽도 이기기만 하며 패하지 않는다고 보장할 수 없다. 출중한 통솔자는 우세와 승리의 국면을 파악하는 데 능해야 할뿐 아니라 열세와 패배의 국면에 대처하는 데에도 능해야 한다. 패배의 국면을 만회할 수 없을 때, 가능한 한 주관적으로 능동성을 발휘해 아군의 손실을 최소화하고 총체적이고 근본적인 동요와 붕괴 그리고 전멸하게 되는 대패를 막아야 한다. 이 전문용어術語는 피동에서 주동을 구하는 변증법을 드러내며 현대사회에서 더욱 널리 응용된다.

예)
용병에 능한 자는 쉽사리 진을 배치하지 않으며 진 배치에 능한 자는 쉽게 공격하지 않고 공격에 능한 자는 쉽게 패하지 않으며 패국 응대에 능한 자는 쉽게 멸망하지 않는다.
善師者不陳(zhèn), 善陳者不戰, 善戰者不敗, 善敗者不亡. (『한서漢書 · 형법지刑法志』)

따라서 군대는 비록 겉으로 보기에는 패전하였더라도 국가의 근본이 흔들리지 않는다면 패국에 잘 대처하는 것이다.
故師覆於外而本根不搖者, 善敗也. (『송사宋史 · 윤수전尹洙傳』)

설지說知

추리를 통해 얻는 지식. '설지'는 묵가墨家가 제시한 지식의 한 유형이자 일종의 인지 방식을 나타내기도 한다. 묵가에 따르면 지식의 획득에는 세 종류의 방식, 즉 '친지親知', '문지聞知', '설지'가 있다. '설지'는 이미 가지고 있는 지식이나 정보를 활용해 추리함으로써 사물을 인지하는 것이다.

예)
앎은 문지聞知, 설지說知, 친지親知로 나뉜다.
知, 聞, 說, 親. (『묵자墨子 · 경상經上』)

공간의 제한을 받지 않고 얻는 지식이 '설지'이다.
方不障, 說也. (『묵자 · 경설 상經說上』)

설화說話

설창說唱의 방식으로 이야기를 하는 기예. '화話'는 이야기이다. '설화'는 선진 시대에 배우가 재담의 형식으로 이야기를 한 데서 유래한다. 한대 말기와 위진시대에 불교와 도교 인사들이 통속적인 언어와 생동감 있는 이야기를 통해 종교의 교리를 강설했는데 이것이 당대唐代의 '속강俗講'으로 발전했다. 이전 시기의 기예를 바탕으로 송대의 설화 기예는 전성기에 접어든다. 사원의 속강이 구란 와사勾欄瓦舍(역자주: 송원 시대에 무대가 구비된 공연장 겸 음식점)의 대중오락으로 변하였다. 그 내용은 강사講史, 소설小說, 설원화說諢話, 설삼분說三分, 오대사五代史 등으로 다양했다. 남송 시기의 설화는 크게 소설小說(은자아銀字兒), 철기아鐵騎兒, 강사講史, 설경說經과 설참청說參請 네 가지로 유형으로 나뉜다. 설화를 하는 예인은 말도 하고 노래도 하고 농담도 잘한다. 공연을 할 때 나鑼, 고鼓 등의 악기로 반주를 하며 공연을 시작할 때 먼저 시詩나 사詞를 몇 수 낭독하고 속칭 '득승두회得勝頭回'라고 불리는 짧은 이야기를 하면서 관객이 모일 때까지 시간을 끈다. 관객이 거의 다 모이면 '언귀정사言歸正傳'(역자주: 이야기가 본론으로 들어간다는 의미)하고 본 이야기가 끝나면 보통 시나 사로 마무리한다. 설화는 송대에 가장 인기가 많았던 시정 기예라고 할 수 있다. 설화에서 파생되어 발전한 화본소설話本小說은 고대 중국의 통속 백화소설에서 중요한 위치를 차지한다.

예)
설화에는 네 가지 유형이 있다. 첫째는 소설로 '은자아銀字兒'라고 불리기도 한다. 그 내용으로는 기녀의 애정고사, 신령과 요괴에 대한 이야기, 남녀 간 애정을 다룬 전기 등이 있다. 공안公案에 대한 설화는 모두 강호의 협객이나 어떤 사람이 입신출세하는 이야기를 다룬다. 철기아鐵騎兒는 전투, 전쟁에 대한 이야기이다. 설경說經은 불경의 이야기를 강설하는 것이고 설참청說參請은 주인과 손님 사이의 참선하고 도를 깨닫는 이야기이다. 강사서講史書는 전대의 역사서, 문장, 전기傳記에 기록된 왕조의 흥망성쇠와 전쟁에 대한 내용을 다룬다.

說話有四家. 一者小說, 謂之銀字兒, 如煙粉, 靈怪, 傳奇. 說公案皆是搏刀趕棒及發跡變泰之事, 說鐵騎兒謂士馬金鼓之事. 說經謂演說佛書, 說參請謂賓主參禪悟道等事. 講史書講說前代書史文傳興廢爭戰之事. (관포내득옹灌圃耐得翁, 『도성기승都城紀勝 · 와사중기瓦舍眾伎』)

설화란 '설변舌辯'(능란한 말솜씨로 성공에 이르고자 함)이라 할 수 있다.

說話者謂之"舌辯". (오자목吳自牧, 『몽량록夢粱錄』 권20)

성당지음盛唐之音

당현종 개원開元(서기 713~741년)과 천보天寶(기원 742~756년) 연간의 시 창작과 예술 성취를 가리킨다. 초당, 중당, 만당시기의 시와 대응된다. 이 시기는 '안사의 난' 이전으로 당 제국의 황금시대이다. 당시에는 사회가 안정되고 정치가 맑고 바르며 경제는 번영하고 남북의 문화가 융합되고 국내외 교통이 발달하여 이 모든 것이 '성당지음'을 위한 좋은 사회 분위기와 문화적 기초를 조성했다. 당시의 초, 성, 중, 만 4단계 중에 성당은 가장 짧지만 예술 성취는 가장 빛나서 후대 사람들에게 '성당기상'이라고 불리는 명예를 얻었다. 이 시기에는 시선 이백, 시성 두보가 등장했을 뿐만 아니라, 장열張說, 장약허張若虛, 장구령張九齡, 맹호연孟浩然, 왕유王維, 고적高適, 잠삼岑參, 왕창령王昌齡, 왕지환王之渙, 최호崔顥, 이기李頎, 왕한王翰 등 큰 무리의 성취가 탁월한 시인들도 등장했다. 그들은 자연을 찬미하고 공훈을 세우길 바라면서 개인의 감정과 의지를 토로하고 사회 현실을 기술했다. 시풍은 호탕하며 웅혼하고 의경은 웅대하고 심원했으며 언어는 참신하면서 자연스러웠고 생명력과 활력 및 진취적인 정신이 넘쳐서 중국 고전 시가의 최고 성취를 이루었다. 시의 유파로 말하자면 이 시기에는 산수 전원시파, 변새시파 등이 있었다.

예)
성당의 여러 시인들의 시작품은 안진경의 서예작품과 같아서 필력이 웅장하고 감동적이며 기상이 소박하고 중후하다.
盛唐諸公之詩, 如顔魯公書, 既筆力雄壯, 又氣象渾厚. (엄우嚴羽, 『答出繼叔臨安吳景仙書』)

성당시기의 시는 기운와 형상이 하나같이 합쳐졌으며 자연스럽게 생성되어, 그 정신과 기운도 저절로 드높이 날아오른다.
盛唐氣象渾成, 神韻軒擧. (호응린胡應麟, 『시수詩藪』)

성령性靈

본래는 객관적 외부 사물에 상대되는 인간의 심령 세계를 가리키며 성정과 재능, 두 측면을 포괄한다. 남북조 시기에 '성령'은 문학 창작과 문학 비평의 용어가 되었으며 주로 사회적 윤리, 정치적 교화, 전통적 창작 관념과 대립되는 개인의 고유한 정신과 재능 그리고 성정과 기질을 뜻함으로써 문예가 사람의 성령에서 비롯되고 또 그것을 표현해야 한다고 강조했다. 명청 시기에는 개성의 신장과 사상의 해방에 힘입어 원굉도, 원매袁枚 같은 저명한 문사들이 '성령'을 이용하여, 작가는 품고 있는 생각을 직접적으로 토로하고 마음속의 진실한 사상, 감정, 흥취, 견해를 표현해야 한다고 주장했다. 그럼으로써 창작의 정신적, 예술적 개성을 강조하고 송명 이학과 전통적인 창작 관념, 인성과 문학에 대한 복고復古 사조의 속박에 반대했다. 이들은 결국 창작상의 중요한 유파로 발전했다.

예)

오직 사람에게 성정과 재능이 모이며 천지와 더불어 이를 '삼재三才'라 부른다. 사람은 천지 만물 중 가장 뛰어난 종류로서 실제로 천지의 핵심이자 영혼이다. 심령의 활동이 말을 낳고 말로 표현된 것이 글을 이루는 것이 자연의 법칙이다.

惟人參之, 性靈所鐘, 是謂三才. 爲五行之秀, 實天地之心. 心生而言立, 言立而文明, 自然之道也. (『문심조룡 · 원도原道』)

내 동생 소수小修의 시는 대부분 자신의 고유한 성정을 토로하여 옛날 사람의 고정된 틀에 구애받지 않으니, 본심에서 나온 것이 아니면 절대 글로 쓰지 않는다.

(吾弟小修所作之詩)大都獨抒性靈, 不拘格套, 非從自己胸臆流出, 不肯下筆. (원굉도, 「서소수시叙小修詩」)

『시경』부터 오늘날에 이르기까지 무릇 널리 전해지는 시는 모두 자신의 성령을 표현한 것이어서 미사여구나 전고와는 관계가 없다.

自三百篇至今日, 凡詩之傳者, 都是性靈, 不關堆垛. (원매, 『수원시화隨園詩話』 5권)

성률聲律

시문에서 중국어의 소리, 리듬, 높낮이가 서로 조합되어 음운미를 형성하는 일반적인 법칙을 말한다. 남조 제량 시기의 문사 주옹周顒은 중국어의 자연 발음을 평성平聲, 상성上聲, 거성去聲, 입성入聲으로 나누었고, 심약沈約(441~513)은 이를 기초로 성조의 고저를 서로 조절하고 평성과 측성을 앞뒤로 조합한 시 창작의 규칙을 만들었다. 또한 성조, 성모, 운모의 조합에 존재하는 8가지 폐단을 지적했다. 유협(465?~520)의 『문심조룡』은 시에서 앞뒤 문장의 성조가 올라갔다가 내려오면서(평성과 측성에 해당) 어우러져 리듬감이 만들어지고, 운모가 동일한 글자로 끝을 맺으며 압운함으로써 운율감이 나타남을 기술했다. 유협은 음운 조화의 필요성을 모든 종류의 글로 확장했는데, 성률미 자체가 얼마나 중요한지 표현하는 동시에 이를 전파하고 보급하기 쉽게 하기 위한 것이기도 했다. 이는 남조 문인들이 형식미를 추구하던 경향을 반영하는 한편 당대唐代 사람들이 형식이 단정하고 우아한 율시를 써내는 데 영감을 주었다. 초기의 성률 이론은 음악적 개념을 많이 빌려왔으나, 이후에는 전문적인 중국어 음운학으로 발전하였다.

예)

다섯 가지 색이 서로 어울리고, 여덟 가지 악기가 소리를 내어 조화롭고 유창하니, 색채와 소리가 각자 적절하게 자리를 잡는다. 평성과 측성이 서로 상응하며 변화하게 하려면, 높고 낮은 소리가 서로 조절되어야 한다. 만약 앞의 소리가 가볍게 뜬다면, 뒤의 소리는 짧게 울려야 한다.

夫五色相宣, 八音協暢, 由乎玄黃律呂, 各適物宜. 欲使宮羽相變, 低昂互節, 若前有浮聲, 則後須切響. (『송서宋書 · 사령운전론謝靈運傳論』)

음률은 사람의 소리에 따라 만들어진다. 사람의 소리에는 오음의 변화가 있고 이는 선천적인 혈기에서 유래한다. 고대의 제왕은 사람의 소리에 따라 음악과 시를 만들었다. 악기가 사람의 소리를 모방한 것이지 사람이 악기 소리를 따라한 것이 아님을 알 수 있다. 그러므로 언어는 글에서 생각과 정신을 표현하는 관건이며, 음률에 맞게 말하고 소리 내는 것은 사람의 입술로 조절한 것일 뿐이다.

夫音律所始, 本於人聲者也. 聲含宮商, 肇自血氣, 先王因之, 以制樂歌. 故知器寫人聲, 聲非學器者也. 故言語者, 文章神明樞机, 吐納律呂, 唇吻而已. (유협『문심조룡 · 성률』)

성무선무악性無善無惡

사람의 성품은 선하고 악한 것이 없다. '성무선무악'의 개념은 고대의 인생론 관점의 하나로, 고자告子가 주장했다. 여기서 말하는 사람의 성품이란 사람이 천생적으로 가진 속성을 가리킨다. 고자가 볼 때, 사람이 천생적으로 가진 것은 단지 외부 사물에 대한 생리적 요구일 뿐으로 예를 들면, 식욕과 색욕 등이다. 이런 본성은 도덕적 의미를 지니지 않으며 선악이라는 것이 없다. 사람의 선악은 후천적으로 인위적인 학습과 영향으로 형성된다. 좋은 영향을 받으면 선하게 되고 안 좋은 환경에서는 악하게 된다.

예)

고자가 말했다. 성품은 소용돌이치며 급하게 흐르는 물 같아서 동쪽으로 언덕을 파내면 동쪽으로 흐르고 서쪽으로 언덕을 파내면 서쪽으로 흐른다. 인성은 본래 선한지 선하지 않은지 구분하여 확정할 수 없으며, 물과 같이 동쪽으로 흐를지 서쪽으로 흐를지 구분하여 확정 지을 수 없는 것이다.

告子曰: "性猶湍水也, 決諸東方則東流, 決諸西方則西流. 人性之無分於善不善也, 猶水之無分於東西也." (『맹자 · 고자상』)

성무애락聲無哀樂

음악 자체는 애락哀樂의 정서가 없으며 감정을 깃들게 하거나 일으킬 뿐이다. 삼국三國 시기의 혜강嵇康(223~262 혹은 224~263)이 처음 제시한 표현이다. 혜강은 마음과 의지를 음악과 구분하였고 감정은 마음이 주재하는 것이며 다양한 음악 형식으로 표현될 수 있다고 생각했다. 또한 지은이가 음악으로 표현하는 감정은 듣는 사람 안에서 음악으로 인해 일어나는 감정과는 다른 것이며 음악을 한 나라의 정치와 결부시키는 것의 본질은 집정자가 먼저 사회 상황과 백성의 정서를 이해한 후에 음악의 도움을 받아 교화하는 것이라고 여겼다. 악사樂師는 정확한 이치, 건강한 정서, 아름다운 이상을 조화롭고 아름다운 음악으로 표현하여 음악과 특정 함의를 결합해 많은 청중의 공인을 받음으로써 사람의 마음에 영향을 주고 사회 풍속을 바꿔나가며 음악의 특정 함의를 강화한다. 성무애락聲無哀樂은 후세의 문예 비평가들이 역사적 변화, 사회 풍속, 작가의 정신세계를 청중의 심리적 수용과 같은 다양한 요소와 결합하여 고찰하게 하였고 문예의 본질과 기능을 더욱 합리적으로 인식하도록 해주었다.

예)

음악은 듣기 좋음과 그렇지 아니함을 표준으로 삼아야 하며 사람의 슬픔과 쾌락과는 관련이 없다. 사람의 슬픔과 쾌락은 본래 감정이 촉발되어 생겨나는 것으로 음악과 직접적인 관련이 없다.

聲音自當以善惡為主, 則無關於哀樂; 哀樂自當以情感, 則無係於聲音. (혜강嵇康『성무애락론聲無哀樂論』)

슬픈 감정은 비참하고 고통스러운 마음 속에 묻혀 있으며 음악의 선율을 만나는 순간 표출된다. 음악의 선율에 고정된 형상은 없지만 슬픈 감정은 마음의 지배를 받는다.

夫哀心藏於苦心內, 遇和聲而後發; 和聲無象, 而哀心有主. (혜강嵇康『성무애락론聲無哀樂論』)

성분性分

만물의 본성이 규정하는 내용과 한계. 곽상郭象(252~312)이 제시한 개념이다. 각 사람 혹은 각 사물은 모두 각자의 본성이 있으며, 본성은 구체적인 내용과 한계가 있다. 예를 들면 사물의 대소, 형태, 사람의 수명, 지혜로움과 우둔함 등이다. 사람과 사물의 본성은 타고난 것, 어쩔 수 없는 것이며 그렇기에 바꿀 수 없다. 만물은 자신의 성분性分에 맞추어야 하고, 사람과 사물이 만약 본성의 요구에 따라 성분의 범위 내에서 활동한다면 곧 자유롭고 구속 없는 상태가 된다.

예)

사람과 사물이 받은 천성은 각자의 본분이 있어, 도망갈 수 없고 바꿀 수도 없다.

天性所受, 各有本分, 不可逃, 亦不可加. (곽상『장자주莊子注』)

성삼품性三品

인성은 세 가지 등급으로 나뉜다. '성삼품' 이론은 고대의 한 가지 인성론 개념이다. 이 이론은 사람의 본성은 서로 다르다고 여기며 상중하의 세 개 등급으로 나누었다. 상품의 사람은 성품이 선하고 하품의 사람은 성품이 악하다. 중간인 사람의 본성은 선하지도 악하지도 않거나 선악이 서로 섞여 있다. 어떤 사람들은 사람이 천성적으로 인성의 등급을 가지며, 특히 상하 2품은 고칠 수 없다고 생각했다. 또 어떤 사람들은 후천적인 교화로 인성이 달라질 수 있으며 심지어는 고유의 등급을 뛰어넘을 수 있다고 여겼다.

예)

나는 맹자가 말한 사람의 성품이 선하다는 것은 중등 이상의 사람을 가리키며, 순자가 말한 사람의 인성이 악하다는 것은 중등 이하의 사람을 가리키며, 양웅揚雄이 말한 사람의 인성은 선악이 섞여 있다는 것은 중등인 사람을 가리킨다고 생각한다.

餘固以孟軻言人性善者, 中人以上者也; 孫卿言人性惡者, 中人以下者也; 揚雄言人性善惡混者, 中人也. (왕충王充, 『논형論衡 · 본성本性』)

인성의 등급은 상중하 3등급이 있다. 상등의 사람은 성품이 본래 선할 뿐이고, 중등의 사람은 지도하여 선하거나 악하게 할 수 있으며, 하등의 사람은 성품이 본래 악할 따름이다.

性之品有上中下三. 上焉者, 善焉而已矣; 中焉者, 可導而上下也; 下焉者, 惡焉而已矣. (한유韓愈, 『원성原性』)

성선性善

맹자가 제시한 일종의 인성론적 관점. 맹자가 말한 인성이란, 사람이 태어나면서부터 갖는 인간이 인간일 수밖에 없는 본질적 속성이고 인간이 금수와 구별되는 도덕적인 본성이다. 이 의미상에서의 인성은 인

仁 · 의義 · 예禮 · 지智 등의 덕성의 내재적인 기초와 근거를 구성한다. 그러나 인성 안에 있는 것은 덕행의 실마리뿐으로, 덕행의 실현 혹은 완성과 같지 않다. 사람은 지속적으로 인성 중의 선단(善端. 인의예지)을 늘려야만 훌륭한 덕행을 세울 수 있다.

예)
맹자는 성선설을 주장했고, 말할 때는 반드시 요순의 사적을 언급했다.
孟子道性善, 言必稱堯, 舜. (『맹자孟子 · 등문공상滕文公上』)

맹자는 세상에 탁월한 공적이 있으니 그가 성선설을 제시한 것이다.
孟子有大功於世, 以其言性善也. (주희朱熹, 『맹자서설孟子序說』 정자程子의 말 인용)

성선악혼性善惡混

인성은 선악이 뒤섞여 있다. '성선악혼'의 이론은 고대의 한 가지 인성론 개념이다. 이 이론은 인성은 전부 선하지도 전부 악하지도 않다고 여겼다. 사람이 선하거나 악한 것은 후천적인 수양으로 결정된다. 그러므로 '성선악혼' 관념에서는 학습과 교화로 양호한 덕행을 길러내는 것을 중요하게 여겼다.

예)
주나라 사람 세석世碩은 인성에 선함과 악함이 있으며, 사람의 선한 성품을 발휘하고 끊임없이 그것을 기르고 그것을 얻으면 선행이 확대되고, 사람의 악한 성품을 발휘하여 끊임없이 그것을 기르고 그것을 얻으면 악행이 확대된다고 여겼다.
周人世碩以爲, 人性有善有惡, 擧人之善性, 養而致之則善長; 惡性, 養而致之則惡長. (왕충, 『논형 · 본성』)

사람의 성품은 선악이 섞여 있다. 그 중의 선한 부분을 수양하면 선한 사람이 되고 그 중의 악한 부분이 누적되면 악한 사람이 된다.

人之性也善惡混. 修其善則爲善人, 修其惡則爲惡人. (양웅揚雄, 『법언法言 · 수신修身』)

성城

사면이 성벽으로 둘러싸인 도시와 읍. '성'은 본래 흙으로 쌓은 성벽과 성곽을 뜻하는데 군사적 방어 기능과 홍수 방지 기능을 가진 시설로 성 밖에는 일반적으로 해자를 판다. 고대 왕조의 수도나 제후의 봉지, 경과 대부의 봉읍은 모두 성벽을 쌓아 만들어진 촌락을 중심으로 했으므로 '성'이라 불렀다. '성'의 독음은 '성盛(chéng)'과 같은데 '백성을 수용한다'는 뜻이다. '성'의 기본적인 기능은 민중을 보호하는 것으로 '백성이 나라의 유일한 근본이다民惟邦本'라는 정치 이념을 구체적으로 나타낸 것이다.

예)
성은 스스로 지킬 수 있는 시설이다.
城者, 可以自守也. (『묵자墨子 · 칠환七患』)

성의 용도는 백성들을 수용하는 것이다.
城, 以盛民也. (허신許愼 『설문해자說文解字 · 토부土部』)

성은 백성들을 보호하기 위해 짓는 것이다.
城爲保民爲之也. (『곡량전穀梁傳 · 은공 칠년隱公七年』)

성性

옛날 사람이 얘기한 '성'은 주로 '인성'을 가리킨다. '성'의 개념은 두 가지 요점을 포함한다. 첫째, 사물이 본래 갖고 있는 속성으로 후천적이거나 인위적인 것이 아니다. 둘째, 어떤 부류의 사물이 보편적으로 갖고 있는 속성으로 일부 개체만 갖고 있는 것이 아니다. 이를 바탕으로 말하면 '인성' 관념도 두 가지 서로 다른 함의를 갖고 있다. 첫째, 인간이 본래 갖고 있는 보편적인 속성으로 신체적인 갖가지 생명의 특징과 욕망, 지각 등을 가리킨다. 둘째, 인간이 본래 갖고 있는, 인간을 인간이게 하는 본질적 속성으로 동물과 구별되는 도덕적 본성을 가리킨다. 역대의 학자들은 인성의 선악 문제에 관해 서로 다른 견해를 갖고 있었다. 누구는 인성이 선하다고 했고, 누구는 인성이 악하다고 했고, 누구는 인성에 선악이 없다고 했고, 누구는 인성에 선한 면과 선하지 않은 면이 있다고 했고, 누구는 인성이 선한 사람과 인성이 선하지 않은 사람이 있다고 했다.

예)
음식과 미색에 대한 추구가 인간의 본성이다.
食, 色, 性也. (『맹자 · 고자상』)

성은 곧 리이다.
性卽理也. (『이정유서』 22권 상)

성聖

사람이 다다를 수 있는 최고의 덕성이며 그런 덕성을 갖춘 사람, 즉 '성인'을 가리키기도 한다. 그리고 '성'은 일반적으로 '지智'와 짝지어져 이야기되는데, '지'는 '인도人道'에 대한 파악이고 '성'은 '천도天道'에 대한 파악이다. 천도를 파악한 성인은 일상생활에서 거리낌 없이 잘 살아간다.

예)
군자의 도를 듣는 것을 '총聽'이라 하며 그것을 듣고 뜻을 이해하는 것을 '성'이라 한다. 성인은 '천도'를 안다.

聞君子道, 聰也. 聞而知之, 聖也. 聖人知天道也. (곽점초간郭店楚簡, 『오행五行』)

공자는 성인 중에서 시운을 파악한 사람이다.

孔子, 聖之時者也. (『맹자 · 만장하萬章下』)

성誠

'성'은 유가 사상의 핵심 개념 중 하나이며 그 기본 함의는 진실하고 거짓이 없는 것이다. 유가에서는 '성'이 '천도天道'나 '천리天理'의 본질이며 만물이 존재할 수 있는 근거라고 말한다. 동시에 '성'은 도덕의 근원이자 기초이기도 해서 모든 도덕적 행위는 반드시 진실하고 거짓 없는 마음을 기초로 행해져야 한다. 그렇지 않으면 허망해지며 『중용』에서는 그것을 "진실하지 못하면 아무것도 없다"(不誠無物)고 말한다. 성인은 '성'이 본성이어서 자연히 그 언행이 '천도'와 '천리'에 부합한다. 그리고 군자는 '성'을 도덕적 수양의 목표이자, '천도'와 '천리'에 도달하는 경로로 삼는다.

예)

'성'은 하늘의 법칙이고 '성'에 이르는 것은 사람의 수양의 길이다.

誠者, 天之道也; 誠之者, 人之道也. (『예기禮記 · 중용中庸』)

'성'은 진실하고 거짓이 없는 것이며 '천리' 본연의 상태이다.

誠者, 眞實無妄之謂, 天理之本然也. (주희朱熹, 『중용장구中庸章句』)

성악性惡

순자가 제시한 일종의 인성론적 관점. 순자가 말한 인성이란, 사람이 태어나면서부터 갖는 속성으로 신체의 생명 특징 및 각종 욕망과 지각

등을 포함한다. 만약 단순히 인성 안에 있는 외부 사물에 대한 욕구만을 따른다면 사람들 사이에 분쟁이 일어나서 사회는 혼란에 빠지고 말 것이다. 사회 질서를 유지하는 데 필수적인 도덕은 사람의 본성에서 나오는 것이 결코 아니라 후천적이고 인위적으로 빚어낸 결과이다.

예)

사람의 본성 중에는 악적인 요소만 있고 사람의 선행은 모두 후천적이고 인위적인 것이다.

人之性惡, 其善者僞也. (『순자荀子 · 성악性惡』)

오늘날 사람의 본성 중에는 악함만 있을 뿐으로, 반드시 스승과 윗사람의 교화에 따른 후에야 단정하게 될 수 있으며, 예의의 구속이 있은 다음에야 안정될 수 있다.

今人之性惡, 必將待師法然後正, 得禮義然後治. (『순자荀子 · 성악性惡』)

성의誠意

일상에서 지켜야 하는 도리를 추구하고자 하는 뜻(바람)을 진실하게 하는 것이다. '성의'는 『대학大學』에서 나온 말로 격물格物, 치지致知, 정심正心, 수신修身, 제가齊家, 치국治國, 평천하平天下와 함께 '팔조목八條目'으로 불리며 유가에서 제창한 도덕 수양의 주요 단계 중 하나이다. '성의'는 '치지'를 전제로 한다. 일상에서 지켜야 하는 도리를 알고 있는 상태에서 마음속에서 그 도리를 인정하고 추구한다. 그러면 마음속의 진실한 바람이 자연스럽게 언어와 행동에서 드러나게 된다. 개인의 도덕 행위는 진실한 바람에서 나와야 하며 진실한 바람 없이 겉으로 드러나는 언어나 행위만 도덕 규범에 부합해서는 안 된다.

예)

자신의 뜻을 진실하게 한다는 것은 자신을 속이지 않는 것이다. 나쁜 냄새를 싫어하고 아름다운 형색을 좋아하는 것과 같으므로 이를 자겸(스스로 만족함)이라 이른다.

所謂誠其意者, 毋自欺也. 如惡惡臭, 如好好色, 此之謂自謙. (『예기禮記 · 대학大學』)

자신의 뜻을 진실하게 하는 것은 자기 수양의 첫 번째 일이다.

誠其意者, 自修之首也. (주희朱熹, 『대학장구大學章句』)

성인成人

훌륭한 덕성과 다방면의 능력을 구비한 사람. 옛 사람이 생각하는 '성인'의 지표는 나이의 증가에 다른 신체의 성숙이 아니라 학습과 수련을 통해 얻은 훌륭한 덕성과 여러 방면의 재주였다. '성인'은 지혜와 용기가 있으며 자기의 욕망을 절제할 수 있고 각종 기술에 능숙하여 삶의 각종 일에 적절하게 대응하고 처리하여 자기의 언행을 언제나 도의에 맞게 해야 했다.

예)

자로가 '성인'은 어떠해야 하는지 질문했다. 공자가 대답했다. "장무중臧武仲처럼 지혜롭고 맹공작孟公綽처럼 욕심이 적으며 변장자卞莊子처럼 용감하고 염구冉求처럼 재주가 있으며 예악으로 꾸밈을 더하면 '성인'이라 부를 수 있다". 또 말했다. "요즘 말하는 '성인'은 꼭 이러할 필요가 있겠는가? 이익 앞에서는 정당한지 생각하고, 위험을 당하면 목숨을 기꺼이 내놓고, 빈곤에 오래 처하여도 평상시의 약속을 잊지 않는다면 '성인'이라 할 수 있다".

子路問成人. 子曰: "若臧武仲之知, 公綽之不欲, 卞莊子之勇, 冉求之藝, 文之以禮樂, 亦可以爲成人矣." 曰: "今之成人者何必然? 見利思義, 見危授命, 久要不忘平生之言, 亦可以爲成人矣." (『논어論語 · 헌문憲問』)

도덕적인 성품이 있어야 의지와 품행을 확고히 할 수 있다. 의지와 품행을 확고히 한 후에야 바깥 사물의 변화에 대응할 수 있다. 확고히 할 수 있고 변화에 대응할 수 있으면 '성인'으로 칭할 수 있다.

德操然後能定, 能定然後能應, 能定能應, 夫是之謂成人. (『순자荀子 · 권학勸學』)

성인聖人

성스러운 덕을 갖춘 사람. '성인'은 고대인이 숭상하던 가장 높은 인격의 소유자이다. 성인은 천도와 인심에 대한 이해를 기반으로 인륜 생활의 질서와 법칙을 제정하고 규범화할 수 있으며, 그 언행은 인륜 세계의 지고한 본보기가 된다. 그러나 서로 다른 학파에서는 '성인'의 덕이 내포하는 구체적인 의미에 대해 달리 이해한다. 유가의 '성인'은 인의 등의 도덕을 완벽하게 실천하며 세인에게 도덕의 교화를 베풀 수 있는 사람이다. 반면 도가의 '성인'은 '무위'의 방식으로 백성의 자연스러운 상태에 순응하며 그들의 자주성을 불러일으킨다.

예)

맹자가 말했다. "걸음쇠와 곱자는 사각형과 원형의 표준이고, 성인은 인륜 생활의 본보기이다.

孟子曰, "規矩, 方員之至也. 聖人, 人倫之至也." (『맹자 · 이루상離婁上』)

그래서 성인은 무위의 방식으로 세상일을 처리하고, 말하지 않음으로 백성을 가르친다. 만물이 일어나도 간섭하지 않고, 만물을 길러내도 자기 것으로 하지 않고, 만물을 돕더라도 내세우지 않고, 공을 이루어도 거기에 머물지 않는다. 거기 머물지 않기에 그 공적은 사라지지 않는다.

是以聖人處無爲之事, 行不言之教, 萬物作焉而不辭, 生而不有, 爲而不恃, 功成而弗居. 夫唯弗居, 是以不去. (『노자 · 2장』)

성일무청聲一無聽, 물일무문物一無文

단일한 소리로는 듣기 좋은 선율을 구성하지 못하고 단일한 색깔로는 아름다운 꽃무늬를 구성하지 못한다는 뜻이다. 문예는 오직 다양성의 통일과 조화 속에서만 아름다움을 창조할 수 있음을 강조한다. 이 명제는 훗날 중국 고대 문예이론의 중요한 원칙이 되었다.

예)

하나의 소리로는 좋은 화음을, 하나의 색깔로는 아름다운 무늬를 못 만들고 하나의 맛은 맛있는 음식이, 하나의 사물은 이야기가 되지 못한다.

聲一無聽, 物一無文, 味一無果, 物一無講. (『국어國語 · 정어鄭語』)

여러 색깔의 실이 있어야 아름다운 꽃무늬를 수놓을 수 있고 여러 가지 소리가 합쳐져야 듣기 좋은 음악이 되며 여러 가지 감정을 적어야 미묘한 글이 되니 이것이 자연의 이치다.

五色雜而成黼黻, 五音比而成韶夏, 五性發而爲辭章, 神理之數也. (유협, 『문심조룡 · 정채情采』)

성죽어흉成竹於胸

문예 창작이 시작되기 전에 예술 형상을 이미 머릿속에 그리다. 이 술어는 문예 창작에서 이미지적 사유가 운용된다는 특징을 드러낸다. 문예 창작뿐 아니라 공예 창작에 대한 요구이기도 하다. 문예 창작자에게 있어 사상 관념, 감정, 의도는 사물의 형태와 결합하여 마음속에서 심미적인 형상을 이룬다. 예술적 구상이 완성되고 나서야 기교를 발휘하고 소재의 힘을 빌려 구체적인 느낌을 주는 작품으로 표현할 수 있다. 공예 창작자의 경우 좀 더 이성적으로 사고하며 수정하는 것이 허용된다. 성죽어흉은 일종의 이상적인 상태이다.

예)

그러므로 대나무를 그릴 때는 반드시 먼저 마음속에 대나무의 전체적인 형상을 그려야 한다. 붓을 잡고 자세히 관찰하면 비로소 그 그리고자 하는 바가 보이니, 토끼가 뛰면 매가 내려앉듯이 빠르게 그 형상을 따라 붓을 휘둘러 보았던 것을 포착해내야 한다. 잠시 방심하면 그 형상은 이미 사라지고 만다.

故畫竹必先得成竹於胸中, 執筆熟視, 乃見其所欲畫者, 急起從之, 振筆直遂, 以追其所見, 如兎起鶻落, 少縱則逝矣. (소식蘇軾『문여가화운당곡언죽기文與可畫筼簹谷偃竹記』)

문여가가 대나무를 그릴 때는 마음속에 먼저 대나무의 완전한 형상이 있었고, 정판교가 대나무를 그릴 때는 마음속에 대나무의 완전한 형상이 없었다. 색깔의 짙고 옅음과 댓잎의 듬성듬성하고 빽빽함, 줄기의 길고 짧음과 가늘고 두꺼움이 손 가는 대로 그려져 자연스럽게 형태를 이뤘고, 그러면서도 대나무의 질감과 운치가 충분히 표현되었다.

文與可畵竹, 胸有成竹; 鄭板橋畵竹, 胸無成竹. 濃淡疏密, 短長肥瘦, 隨手寫去, 自爾成局, 其神理具足也.(정판교鄭板橋『수죽도脩竹圖』)

세련洗練

문장을 간결히 하고 요지를 다듬다. 세련洗練되다는 것은 글이 깔끔하고 뜻하는 바가 명료한 문학 품격이다. 세洗는 광석鑛石을 깨끗이 씻고 불순물을 없애는 것을 뜻하는데, 난잡하여 조리가 없는 표현을 삭제하는 것을 비유하여 가리킨다. 련練은 금속을 제련하고 정련하는 것을 가리키며 문장의 깊고 오묘한 이치 혹은 본래 참된 성정을 정련하는 것을 비유하여 가리킨다. 일종의 작문 방식으로써 이는 뜻을 다듬고 말을 다듬는다는 두 측면을 포함하며 남조南朝의 유협劉勰(465?~520)의 용재熔裁가 더욱 명확한 요구사항을 지녔던 것과 비교할 수 있다. 일종의 문학 품격으로서 용재는 문장의 어구가 반드시 마음 속 생각과 고도로 균형을 이루며 간명하고 요점을 짚을 요구한다.

예)

영혼을 말끔히 씻어내고 정신을 수련하며 도에 의거해 심지를 길러내고 덕에 의거해 문제를 사고하며 행적이 곤궁하나 도의가 통달하고 몸이 편안하며 사리가 모두 통한다는 것이 훨씬 나을 것인데, 이것이 좋은 것이 아니고 무엇이겠는가?

豈若澡雪靈府, 洗練神宅, 據道為心, 依德為慮, 使跡窮則義斯暢, 身泰則理兼通, 豈不美哉!(『송서宋書 · 고기지전顧覬之傳』)

광석에서 황금을 제련해 내거나 납에서 은을 취하는 것과 같다. 집중하여 반복해서 제련하면 순수의 지경에 다다른다. 이와 같이 투명한 봄의 물이 심원 속으로 매우 빠르게 흐르고 마찬가지로 또렷한 오래된 거울이 사물의 매력을 비춰낸다. 소박함의 진리를 깨닫고 순결한 천성을 모으고 기르며 휘영청 밝은 달빛에 올라타고 천궁의 선경仙境으로 돌아간다. 하늘 위의 별을 바라보고 은거지사들을 소리 높여 읊어본다. 오늘과 같이 맑은 봄의 물은, 그 순수하고 맑음이 밝은 달의 화신과도 같다.

猶礦出金, 如鉛出銀. 超心煉冶, 絕愛淄磷(lìn). 空潭瀉春, 古鏡照神.體素儲潔, 乘月返真. 載瞻星辰, 載歌幽人.流水今日, 明月前身. (『이십사시품二十四詩品 · 세련洗練』)

씻어내지 않으면 깨끗하지 않으며 제련하지 않으면 불순물이 있게 마련이다. 진부하고 상투적인 논조를 제거해야 독특한 신선미가 생겨난다.

不洗不淨, 不煉不純.惟陳言之務去, 獨戛戛乎生新. (손연규孫聯奎『시품억설詩品臆說』)

세勢

사물이 존재하고 발전하는 태세, 경향. '세'의 형성, 존재, 변화는 사물 사이의 구성, 힘, 상호관계에 의해 결정된다. '세'는 공간적으로 높은 위치에서 낮은 곳으로 내려오는 세와 같이 자연의 형세를 가리킬 수 있으며, 또 인류 사회에서 신분이나 행동이 만드는 태세나 경향을 가리킬 수도 있다. 문예 창작의 영역에서 '세'는 작품의 구조나 풍격이 만들어내는 작품에 내재한 흐름으로 표현되기도 한다. '세'가 사람과 사물에 미치는 영향은 자연과 사회의 운행 법칙을 보여준다. 사람은 외적인 세에 순응하거나 그것을 파악함으로써 성과를 낼 수 있고 일정한 조건에서는 나아가 '세'를 만들어 사물의 발전 경향을 바꿀 수도 있다.

예)

물은 지형에 따라 물살의 흐름이 정해지며 군대는 적군의 상황에 따라 승리를 얻을 방법을 세운다. 그러므로 군대를 부릴 때는 불변의 형식이 없으며 물살의 흐름은 고정된 형태가 없다. 적군의 변화에 근거해 승리를 취할 수 있는 자를 신묘하다고 말한다.

水因地而制流, 兵因敵而制勝. 故兵無常勢, 水無常形, 能因敵變化而取勝者, 謂之神. (『손자孫子 · 허실虛實』)

군주가 권력을 장악하고 권세를 차지함으로 인해 명령이 있으면 행해지고 금지하면 멈추게 된다. 권력은 살생 권력에 대한 통제이고 권세는 백성을 부리는 기반이다.

君執柄以處勢, 故令行禁止. 柄者, 殺生之制也, 勢者, 勝眾之資也. (『한비자韓非子 · 팔경八經』)

작가의 취향이 제각각인 만큼 문장의 기법도 다양하지만 표현하려는 구체적인 내용에 따라 표현 양식을 정하며 표현 양식은 특정한 풍격의 문장 기세로써 형성된다.

夫情致異區, 文變殊術, 莫不因情立體, 即體成勢也. (유협劉勰, 『문심조룡文心雕龍 · 정세定勢』)

세외도원世外桃園

진晋의 도원명陶淵明(365?~427)이 『도화원기桃花源記』에서 묘사한 평안하고 아름다운 곳. 이곳은 경치가 아름답고, 속세를 벗어나 전란과 동떨어져 있으며 정치의 압박도 없다. 이곳에서 사람들은 평등하고 자유롭고 안락하며 조화로운, 즐겁고 아름다운 삶을 산다. 후에는 사람들이 바라는 아름다운 세계, 이상적인 사회를 비유하는 말이 되었다. 세속을 벗어나 유유자적하며 살 수 있는 은거지를 뜻하기도 한다.

예)

토지는 평탄하고 넓으며, 가옥은 반듯하다. 비옥한 밭과 아름다운 연못, 뽕나무와 대나무숲 등이 있다. 밭 사잇길이 사방으로 뚫렸고 닭과 개 소리가 들려온다. 밭에서 오가며 농사를 짓는 남자와 여자는 복장이 외인과 꼭같으며, 어린아이와 노인이 모두 편안해하고 즐거워한다.

土地平曠, 屋舍儼然, 有良田美池桑竹之屬. 阡陌交通, 鷄犬相聞. 其中往來種作, 男女衣着, 悉如外人. 黃髮垂髫, 幷怡然自樂. (도연명 『도화원기』)

세이사이世異事異

시대가 다르면 처세술도 다르다. '세이사이世異事異'란 말은 『한비자韓非子 · 오두五蠹』에서 유래되었다. 한비자(BC280?~BC233)는 시간의 흐름에 따라 사회 정황에도 여러 변화가 생기므로 처세술도 마땅히 새로운 상황에 따라 조정을 해야지 단순하게 역사 속의 방법을 모방해선 안 된다고 여겼다. 법가의 학자들은 대부분 이와 유사한 사상과 관념을 지니고 있었다. '세이사이'의 견해는 법을 개정하고 정치를 쇄신할 때 중요한 근거가 되었다.

예)
세상사에 변화가 생기면 처세의 원칙도 과거와 달라진다.
世事變而行道異也. (『상군서 · 개색開塞』)

옛날, 주나라 문왕이 풍豐과 호鎬 땅 사이에 살았는데 토지가 사방 백 리뿐이었으나 인의仁義의 정치를 베풀어 서융西戎 부족을 달래 천하를 통일했다. 서언왕徐偃王은 한수漢水의 동쪽에 살았는데 토지가 사방 오백 리였고 인의의 정치를 베풀어 토지를 나누어 주니 조회하러 온 제후들이 36개 나라였다. 형荊나라 문왕은 자기가 손해를 입을까 염려하여 군대를 일으켜 서국徐國을 토벌하여 멸망시켰다. 이로 보아, 주나라 문왕은 인의의 정치를 베풀어 천하를 통일했으나 서언왕은 인의의 정치를 베풀어 나라가 망했으니 인의의 정치는 고대에는 사용하기 적합했으나 요즘에는 맞지 않는다. 그래서 시대가 다르면 처세술도 각각 다르다고 한다.

古者文王處豐, 鎬之間, 地方百里, 行仁義而懷西戎, 遂王天下. 徐偃王處漢東, 地方五百里, 行仁義, 割地而朝者三十有六國, 荊文王恐其害己也, 舉兵伐徐, 遂滅之. 故文王行仁義而王天下, 偃王行仁義而 喪其國, 是仁義用於古不用於今也. 故曰: 世異則事異. (『한비자 · 오두五蠹』)

세한삼우歲寒三友

추운 겨울의 세 친구, 구체적으로는 소나무, 대나무, 매화의 3가지 식물이다. 중국 전통문화에서 일부 식물은 그 자연적 속성으로 인해 인문적 의미를 내포하게 되었다. 소나무와 대나무는 늘푸른나무로 겨울에도 시들지 않고, 매화는 눈과 서리를 견디고 아름답게 피어난다. 세 가지 모두 추위에 강하고, 혹한에도 자신의 생명력과 자연미를 보여준다.

마치 어려운 시기를 함께 견뎌준 친구 같아서 사람들로부터 '세한삼우' 라고 불린다. 이 용어는 종종 변치 않는 우정을 비유할 때 쓰이며, 고고하고 절개 있는 인격에 대해 동경과 존중을 나타내기도 한다.

예)
매해 가장 추운 시기가 되면, 소나무와 대나무가 가장 나중에 시드는 것을 알게 된다.
歲寒, 然後知松柏之後凋也.(『논어 · 자한』)

늦가을 이후에는 각종 꽃이 다 시드는데, 오직 소나무, 대나무, 매화는 생기가 여전하니 겨울을 함께 이겨내는 세 친구이다.
到深秋之後, 百花皆謝, 維有松竹梅花, 歲寒三友.(무명씨無名氏『어초한화魚樵閑話』 제4절)

소강小康

일반적인 고전 어휘로써 생활이 비교적 안락하고 부요함을 뜻한다. 유가에서 중시하는 정치개념으로써의 소강은 우왕, 탕왕, 주문왕, 주무왕, 주성왕과 주공단과 같은 걸출한 인물이 노력을 통해 달성한, 비교적 훌륭한 치세를 가리킨다. 국가는 점차 안정되고 사회질서가 양호한 상태로, 사람들은 예를 따르고 법을 지키며 백성의 생활이 안락한, '대동'의 이상사회 바로 아래 단계에 해당한다. 오늘날 말하는 '소강'은 기본적으로 많은 국민이 편안히 생활하며 가정 경제생활이 비교적 부유한 상태를 일컫는다. '소강 사회의 전면 건설'이란 경제, 정치, 문화, 사회, 생태문명 등 5개 측면의 건설 목표를 포함한다. 중국식 현대화 건설의 목표로써 '소강사회'는 깊은 역사문화적 기원을 가진 새로운 개념이다.

예)
백성이 너무나 고달프니 조금이라도 안락함을 누렸으면 한다.
民亦勞止, 汔可小康. (『시경 · 대아 · 민로民勞』)

오늘날 큰 도는 이미 사라졌고, 천하는 일가의 사유가 되었다......그래서 음모와 궤계가 일어나고 그로 인해 전쟁이 일어났다. 우왕, 탕왕, 문왕, 무왕, 성왕, 주공이 이 때문에 걸출한 인물이 되었다. 그들 여섯 군자는 예를 삼가 행하지 않는 사람이 없었다. 예를 통해 의를 드러내고, 믿음을 얻고, 허물을 드러내고, 인을 본받고 예로써 사양하기를 가르쳤으며, 백성에게 따를 법이 있음을 보였다. 만약 예에 따르지 않는 자가 있으면, 권세 있는 자라도 파면되므로 백성들이 모두 예를 따르지 않는 것을 재앙으로 여겼다. 이러한 사회를 소강이라 한다.

今大道旣隱, 天下爲家......故謀用是作, 而兵由此起. 禹, 湯, 文, 武, 成王, 周公, 由此其選也. 此六君子者, 未有不謹於禮者也, 以著其義, 以考其信, 著有過, 刑人講讓, 示民有常. 如有不由此者, 在勢者去, 衆以爲殃. 是謂小康. (『예기 · 예운禮運』)

소밀疏密

소疏와 밀密, 뜻이 상반되는 두 글자로 이루어졌으며 희소함과 조밀함, 간략함과 상세함, 세심하지 않음과 정밀함, 느슨함과 엄밀함, 소원함과 친밀함 등의 뜻을 지니고 있다. 서예와 회화 등의 예술을 비평할 때 소밀疏密은 주로 구조 혹은 구성 부문에서의 배치 및 필묵을 사용하는 농담의 굵기를 가리킨다. 문예 비평에서는 소疏와 밀密은 자주 연이어 쓰이며 소疏는 소탕함, 정밀하지 않음, 대충 등을 뜻하며 시문 창작 속에서는 임의로 함, 꼼꼼하지 않음, 엄밀하지 않음을 가리킨다. 밀密은 정밀함, 엄밀함, 치밀함 등을 뜻하며 시문 창작에서는 구상, 논리, 용어 등에서 빈틈없고 주도면밀함을 가리킨다. 때로는 밀집하여 산적해 있는 문제를 가리키기도 한다. 옛 중국인들은 疏와 密밀이 대립하고 통일되어 좋은 작품이 구조, 구성상 반드시 소밀함이 서로 뒤섞여 있어야 한다고 생각했다.

예)

왕희지王羲之는 붓을 들어 글을 쓰면 연적에 먹을 묻히고 붓을 휘두를 때, 탁 트이게 쓰든지 정밀하게 쓰든지 모두 기묘했으며 해서와 초서에 모두 마음을 기울여 썼으며 정처靜處에서 바라보면 성문城門을 멀리서 바라보는 것과도 같고 동처動處에서 바라보면 하늘 위의 별똥별을 보는 것과도 같다.

試筆成文, 臨池染墨, 疏密俱巧, 真草皆得, 似望城扉, 如瞻星石. (소강蕭綱『답상동왕상왕희지서答湘東王上王羲之書』)

고대에는 진정한 해서楷書가 없었다. 명明나라에 이르러 문정명文征明 선생이 서체 구조에 애쓰기 시작했고, 그의 작품은 탁 트이든 엄밀하든 모두 균형이 잡혀 있었고 위치가 적당하였다.

古無真正楷書……至國朝, 文徵仲先生始極意結構, 疏密勻稱, 位置適宜. (사조절謝肇淛『오잡조五雜粗』권칠卷七)

소산간원蕭散簡遠

서법, 시, 글 등 예술작품의 분위기가 매우 자연스럽고 담백하며, 품은 뜻이 간결하면서도 심오함을 뜻한다. '소산'은 자연스럽고 편안한 것, 공들여 수식하지 않고 법도와 규칙에 얽매이지 않은 상태이다. 송대 소식(1037~1101)이 제시한 문예 비평 용어로 명, 청 시기 문예창작과 비평에 비교적 큰 영향을 미쳤다. 이 용어는 장자의 사상을 기초로 선종 사상도 일부 융합되어 있다. 유유자적하며 마음에 집착을 버리고 일체의 질서와 법도의 굴레를 벗은 채 어디서나 편안한 상태를 강조하며, 작품의 시원하고 한적함, 자연스러운 아름다움과 천연적인 홍취를 추구한다.

예)

내가 전에 서법에 대해 논할 때 종요鍾繇와 왕희지王羲之의 서법이 소산간원하며, 그 정묘함은 필획 밖에 있다고 여겼다. 당대唐代의 안진경顔眞卿, 유공권柳公權에 이르면 고금의 운필 방법을 집대성하고 능력을 최대한 발휘하여 서법의 변화를 다했다고 할 수 있다. 천하의 사람들이 모두 그들을 종사宗師로 받드는데, 종요와 왕희지의 서법은 영향력이 갈수록 적어진다. 시의 창작도 역시 그러하다.

予嘗論書, 以爲鍾, 王之迹, 蕭散簡遠, 妙在筆畵之外. 至唐顔柳, 始集古今筆法而盡發之, 極書之變, 天下翕然以爲宗師, 而鍾王之法益微. 至於詩亦然.(소식蘇軾『서황자사시집후書黃子思詩集後』)

소설小說

인물의 형상화를 중심으로 완전한 이야기 줄거리와 배경 묘사를 통해 사회상을 반영하는 문학 형식이다. 인물, 줄거리, 배경은 소설을 이루는 세 가지 요소이다. 분량에 따라 소설은 장편, 중편, 단편으로 나뉜다. 중국 고전 소설은 내용에 따라 신괴소설, 역사연의소설, 영웅전기傳奇소설, 세정世情소설 등의 몇 가지 큰 유형으로 나뉜다. 형식에 따라서는 필기체, 전기傳奇체, 화본체, 장회체 등으로 나뉜다. 언어 형식에 따라서는 문언소설과 백화소설로 나눌 수 있다. 중국 고전 소설은 여러 발전 단계를 거치면서 선명한 시대적 특징을 보인다. 선진 양한 시기의 신화전설, 역사전기傳記문학 그리고 제자백가의 산문에 나오는 우언고사 등은 중국 고대 소설의 기원이다. 위진남북조 시기에 문인 필기소설이 등장하며 고전 소설이 정립되기 전 최초의 형식이라고 할 수 있다. 당대唐代의 전기傳奇에서 고전 소설이 정식으로 형성되었다. 송, 원에서 화본소설이 등장하여 소설이 성숙해지기 위한 단단한 기초를 마련하였다. 명 · 청 소설에서 고전 소설의 발전은 절정에 이르러 『삼국연의』, 『수호전』, 『서유기』, 『홍루몽』 등 4대 고전 명작이 등장한다. 5 · 4 신문화운동 이후에 현대적 백화소설의 창작이 급증하여 현대 과학과 민주 정신을 전파했다.

예)

만약 소설가가 흩어져 있는 말들을 모아서 주변에서 일어나는 일로 비유를 들어가며 짧은 글을 쓴다면 스스로 수양하고 집안을 다스리는 내용 중에 읽을만한 부분이 있다.

若其小說家合殘叢小語, 近取譬喩, 以作短書, 治身理家, 有可觀之辭.
(환담桓譚, 『신론新論』)

소설은 정사를 제외한 나머지이다.
小說, 正史之餘也. (소화주인笑花主人, 『「금고기관今古奇觀」 서序』

소수살小收煞

희극 전반부의 가장 마지막 결론 장. 이어가 제시한 이 용어는 희극 전반부를 갈무리 지어야 한다는 요구와 기교를 포함한다. 즉 전반부 구조를 온전하게 하고 기본 인물, 사건의 진술을 완성하며 하나의 연속된 사건이 중단되지 않게 한다. 또한, 주요한 갈등을 전개하며 후반부의 복선을 깔아서 관중이 궁금증을 갖게 해야 한다. 장이 여럿인 연극, 장편 소설도 이런 마무리 기교를 자주 사용하여 관중 또는 청중을 잠시 만족하게 하거나 이어지는 이야기에 대한 기대를 품게 해야 한다.

예)

전반부의 가장 마지막 장이 끝날 때 잠시 이야기를 갈무리하려 징과 북을 점차 멈추는데 이것을 소수살이라 부른다. 줄거리는 치밀하고 늘어지지 말아야 하고 장면은 떠들썩해야 하고 썰렁해선 안 된다.

半部之末出, 暫攝情形, 略收鑼鼓, 名爲小收煞. 宜緊, 忌寬, 宜熱, 忌冷. (이어, 『한정우기 · 사곡부』)

주인공 자유의 첩은 옥승 말고도 네다섯이 더 있었는데 이 첩들을 극 중에서 전부 다룰 수도 없고 이번 장면 뒤에라도 이야기들을 전부 정리하기는 어렵다. 그래서 줄거리 배치 중에 갑자기 어떤 첩들이 두드러지기도 하고 다른 첩들은 내버려 두는 않는 상황이 발생하기도 한다.

但爲子輶妾者, 玉勝而下, 尚四五人, 不特場上不可演, 即此記之後, 亦收煞不盡, 不能不擧此遺彼矣. (기표가祁彪佳, 『원산당곡품遠山堂曲品』)

소식消息

사물의 감소·쇠망과 성장·생성은 사물의 두 가지 변화 방식이다. 이 두 가지 변화 방식은 서로 대립하지만 서로 교대하여 전환되기도 한다. 사물이 일정한 한도까지 증가하면 감소하기 시작하고, 감소하면 증가하기 시작한다. 천지만물은 항상 '소식'의 변화 속에 있으며 내재된 법칙을 따른다. 사람은 만물의 '소식'의 규칙을 파악하고 '소식'의 변화에 순응해야 한다.

예)
군자는 소식과 영허盈虛의 변화를 숭상하니, 이것이 하늘이 운행하는 법칙이다.
君子尚消息盈虛, 天行也. (『주역周易 · 단상彖上』)

해는 정오가 지나면 지기 시작하고 달은 차면 기울고 천지는 채워지고 나면 비워지니, 모두 시간의 흐름에 따라 흥했다가 쇠한다[소식消息]. 하물며 사람은 어떠하겠는가? 하물며 귀신은 어떠하겠는가?
日中則昃, 月盈則食, 天地盈虛, 與時消息, 而況於人乎?況於鬼神乎?(『주역 · 단하彖下』)

소요逍遙

사람의 정신이 어떠한 구속도 받지 않고 자유로운 상태를 말한다. 장자가 최초로 이 술어를 제시하였으며 책의 편명으로 삼았다. 장자는 사람의 마음은 형체가 도피할 수 없으며 어찌할 도리가 없는 상황을 초월하여 사물에 대한 의존을 소멸시키고 나아가 정신이 자유롭고 방해받지 않는 상태에 도달할 수 있다고 보았다. 서진 때의 곽상은 '소요'의 뜻을 새롭게 해석하여 의존하고 제약을 받는 사물이라 해도 각자의 성정에 만족하면 '소요'의 상태에 이를 수 있다고 보았다.

예)

마음이 구속받지 않고 편안하고 한가롭게 티끌세상 밖을 떠돌고, 자연무위의 경지에서 자유롭게 소요한다.

芒然彷徨乎塵垢之外, 逍遙乎無爲之業. (『장자 · 대종사大宗師』)

사물은 비록 크고 작음의 차이가 있으나 스스로 만족하는 범위에 두면 모든 사물이 그 본성에 따라 발전하고 본성에 맞게 쓰임새를 얻어 각자의 직분을 담당하니 이들이 도달한 '소요'는 모두 같은 것이다.

夫小大雖殊, 而放於自得之場, 則物任其性, 事稱其能, 各當其分, 逍遙一也. (곽상 『장자주』)

소위이행素位而行

자신이 처한 지위 또는 처지에 따라 행동한다. '소위이행' 이론은 『중용中庸』에서 유래되었다. 사람은 서로 다른 지위 또는 경우에 있고 특정한 직무 책임과 준수해야 할 행동 법칙이 있다. 사람들은 자기의 직책을 수행함으로써 천부적인 덕성德性을 빛어낼 수 있다. 그러므로 사람은 어떤 외재적인 실리적 목적으로 다른 사람의 지위 또는 경우를 부러워하거나 추구해서는 안 되며 자기의 생활에 만족하여 자기의 지위 또는 환경 중에서 자아를 실현해야 한다.

예)

군자는 자신이 처한 지위 또는 처지에 따라 행동해야 한다. 자신의 지위 또는 처지를 넘어서는 생활을 부러워하지 않는다. 부귀에 처할 때는 부귀한 자가 마땅히 해야 할 일을 하고 빈천함에 처했다면 빈천한 자가 해야 할 일을 한다. 변방 민족이 되었다면 변방 민족의 사람이 해야 할 일을 하고 어렵고 곤란한 중에 있다면 어렵고 곤란한 사람이 해야 할 일을 해야 한다. 군자는 어떤 지위나 처지에 있던지 모두 평온하고 만족할 수 있다.

君子素其位而行, 不願乎其外. 素富貴, 行乎富貴; 素貧賤, 行乎貧賤; 素夷狄, 行乎夷狄; 素患難行乎患難: 君子無入而不自得焉. (『예기 · 중용』)

소인小人

'소인'은 처음에는 사람의 사회적 신분과 지위를 나타내는 데 쓰였는데 일반적으로 피통치자 혹은 지위가 낮은 사람을 가리켰다. 후대에는 덕행의 높고 낮음으로 '소인'을 규정하게 되었는데 덕행이 낮은 이를 '소인'이라 부르게 되었다('군자'와 상대되는 개념). '소인'은 개인의 권력 혹은 이익에만 관심을 가지고 이를 추구하며 사리를 취하기 위해 도의를 위배하는 것도 주저하지 않는다. 이들은 '도'에 대한 이해와 존중이 결여되어 있다.

예)
군자는 의義를 알고 따르며 소인은 이익을 알고 좇는다.
君子喻於義, 小人喻於利. (『논어 · 이인』)

눈앞의 안일만을 탐내며 애써 이익을 좇으므로 소인이라 한다.
苟安務得, 所以爲小人. (주희 『논어집주』)

소전小篆

대전大篆을 개조하여 만든 글자체. 진시황秦始皇(기원전259~기원전210)이 중국을 통일한 후, 승상 이사李斯(?~기원전208) 등이 대전을 간소화하여 소전을 관에서 정한 표준 글자체로 반포했다. 소전은 둥글고 가지런한 선을 사용하고 이체자를 줄여서 쓰고 읽기에 편했고, 한대漢代에 이르러 예서隸書로 교체되었다. 소전의 글자체는 길고 가늘며 대칭을 중시하고 처음 붓을 들어 글자를 쓸 때는 붓 끝의 털을 드러내지 않으며 붓을 들어올릴 때는 자연스럽게 아래로 끌고 필획의 굽은 정도는 마음대로 바꿀 수 있어 여러 종료의 예스럽고 소박하며 아름다운 형태를 조성하여 줄곧 서예가들에게 사랑 받아 왔고 중국 서예 예술의 독특한 형태가 되었다.

예)

이사가 쓴 『창힐편倉頡篇』, 중거부령 조고趙高가 쓴 『원력편爰歷篇』, 태사령 호무경胡毋敬의 『박학편博學篇』은 모두 가장 오래된 대전 글자체로 쓰인 『사주편史籀篇』을 참고하였고, 어떤 글자는 점차 간소화되고 개조되었는데 이것이 바로 '소전'이다.

斯作『倉頡篇』, 中車府令趙高作『爰歷篇』, 太史令胡毋敬作『博學篇』, 皆取史籀大篆, 或頗省改, 所謂小篆者也. (허신, 『설문해자 · 서敍』)

당 대력大曆 년간에 이양빙李陽冰의 전서가 특히 기묘했는데 고금의 전서체 서예의 으뜸이었다. 그는 허신의 『설문해자說文解字』를 교정하여 간행하며 전서체 글자의 필법을 수정했다. 전서를 배우는 사람들은 그를 앙모하고 스승으로 모셔 전서체 서예가 다시 부흥했다.

唐大曆中, 李陽冰篆跡殊絕, 獨冠古今, 於是刊定『說文』, 修正筆法, 學者師慕, 篆籀中興. (『송사宋史 · 서현전徐鉉傳』)

소절小節

일상생활에서의 행동 규범과 분수이다. '대절大節'과 대응된다. '소절'은 서로 다른 신분의 사람들이 일상생활 중에 마땅히 짊어져야 할 직책 및 상응하는 행동 법칙을 규정한다. '소절'은 사람들이 일상생활에서 지켜야 할 분수이다. '소절'은 비록 근본적인 원칙과는 관련이 없지만 '소절'을 소홀히 여기거나 방임한다면 덕성의 훼손을 불러들인다. 그러나 만약 '대절'을 계속 지킬 수 있다면 사사건건 '소절'에 구속되지 않아도 된다.

예)

그래서 사람이 만일 큰 미덕을 갖고 있다면 소절을 추구할 필요가 없다. 만약 숭고한 명성이 있다면 작은 실수를 트집 잡지 않아도 된다.

故人有厚德, 無問其小節; 而有大譽, 無疵其小故. (『회남자淮南子 · 범론훈氾論訓』)

대절을 지키고 소절도 지키는 것은 상위 등급의 군주이다. 대절을 지키고 소절은 어떤 때는 지키고 어떤 때는 지키지 않는다면 중간 등급의 군주이다. 대절을 지키지 않으면 비록 소절을 지키더라도 나는 그의 다른 행위는 보지도 않을 것이다.

大節是也, 小節是也, 上君也. 大節是也, 小節一出焉, 一入焉, 中君也. 大節非也, 小節雖是也, 吾無觀其餘矣. (『순자 · 왕제王制』)

손巽

'손'은 팔괘八卦 중 하나로 ☴로 표기한다. 또한 육십사괘六十四卦 중 하나로 삼획의 '손' 두 개로 구성되며 ䷸로 표기한다. '팔괘'라는 체계 안에서 '손'괘가 기본적으로 상징하는 의미는 바람[風]이다. 바람은 만물을 스치고 부드러운 방식으로 만물에 영향을 주며 들어가는 의義도 있고 발산하는 의義도 있다. '손'괘는 하나의 음효陰爻와 두 개의 양효陽爻로 이루어지고 음괘陰卦에 속하며 인륜의 영역에서 여성을 상징한다. 또한 '손'괘에서 음효가 아래에 위치하기 때문에 음괘의 장長이므로 가족 중 장녀를 상징한다.

예)

손巽은 '들어가다'라는 뜻이다.

巽, 入也. (『주역周易 · 설괘說卦』)

뒤따라 오는 부드러운 바람이 손巽이다. 군자는 부드러운 방식으로 명령을 내리고 정사를 행한다.

隨風, 巽. 君子以申命行事. (『주역 · 상하象下』)

솔성率性

인간의 도덕 본성을 따르고 발휘한다. '솔率'은 '따르다'이다. '솔성'이라는 말은 『예기禮記 · 중용中庸』에서 나온다. 『중용』에 따르면 인간은 도덕 본성을 갖고 있으며 도덕 본성은 하늘에서 비롯된 것이다. 인간은 이 천부적인 덕성을 따르고 발휘해야 하며 그것을 겉으로 드러나는 언행으로 실현해야 한다. 천부적인 덕성에 부합하는 언행은 인륜 생활 속의 도덕을 구성한다. 후세의 유학자들은 인간의 도덕 본성을 천리天理가 인간 본성 속에 체현된 것으로 보았다. 따라서 '솔성' 또한 천리에 대한 순응으로 보았다.

예)

하늘이 인간 본성에 부여한 것을 성性이라고 이른다. 도덕 본성을 따라 행동하는 것[솔성率性]을 도道라고 이른다. 도덕을 수양하는 것을 교敎라고 이른다.

天命之謂性, 率性之謂道, 修道之謂教. (『예기 · 중용』)

송잡극宋雜劇

송대의 골계 공연, 가무, 잡희로 구성되어 종합적인 성격을 띤 희곡 형식으로, 당대唐代 참군희參軍戲를 기초로 송대 당시의 가무, 곡예 등을 흡수하여 발전한 조기 희극 형식이다. 내용은 골계와 풍자 주를 이루며 공연 형식은 주로 '일장양단一場兩段'을 취하며 어떤 때는 '잡분雜扮'을 늘리기도 한다. 송잡극의 배역은 4~5명으로 한 명이 주창主唱으로 대곡大曲 서사를 노래하고 다른 배역이 빈백賓白(역자주: 대사), 삽과다원插科打諢(역자주: 익살), 가무 등을 담당했다. 북송 시기에는 희극 공연이 매우 보편적이었으며 특히 개봉開封과 낙양洛陽 두 지역에서 흥행했다. 남북송 시기 동안 잡극도 끊임없이 변화 발전하면서 배역이 더욱 세밀하게 나뉘고 조형 기법도 더욱 다양해졌으며 희극의 줄거리도 더욱 복잡해졌다. 송잡극은 원대 북잡극北雜劇의 전신으로 예술 형태와 예술 기법 등이 후세의 다른 희극 형식에 직접적인 영향을 미쳤다.

예)

잡극에서 말니末泥는 주요 배역으로 네 명 또는 다섯 명이 각자 한 차례[장場]씩 연기한다. 먼저 일상생활 속에서 관객들에게 익숙한 소재로 공연을 시작하는데 이를 '염단豔段'이라고 한다. 그 다음에 정식 잡극을 하는데 보통 '양단兩段'이라고 부른다. 말니가 주로 무대를 이끌고 인희引戲가 분부를 이끌어 내는 담당이고 부정副淨이 어수룩한 역할을 맡으며 부말副末이 삽과다원을 담당한다. 여기에 장고裝孤라는 역할이 더해지기도 한다.

雜劇中, 末泥爲長, 每四人或五人爲一場, 先做尋常熟事一段, 名曰豔段, 次做正雜劇, 通名爲兩段. 末泥色主張, 引戲色分付, 副淨色發喬, 副末色打諢, 又或添一人裝孤. (관포내득옹灌圃耐得翁, 『도성기승都城紀勝 · 와사중기瓦舍眾伎』)

황정견黃庭堅이 말했다. "시를 쓰는 것은 잡극을 쓰는 일과 비슷하다. 처음에 배치를 계획하고 마지막에는 익살을 넣어야만 비로소 결말이 완정해진다." 아마도 그가 진관秦觀의 작품을 읽었는데 그 작품의 마지막까지 읽어도 목적이 없는 것이 마음에 들지 않았던 듯하다.

山穀云, "作詩正如作雜劇, 初時布置, 臨了須打諢, 方是出場. "蓋是讀秦少遊詩, 惡其終篇無所歸也. (곽소우郭紹虞 편찬, 『송시화집일宋詩話輯佚』에 인용된 왕직방王直方, 『왕직방시화王直方詩話』)

송찬頌讚

아름다운 인물, 사물, 공덕, 품행 등을 노래하고 찬양하며, 그 긍정적인 뜻과 가치를 드높이는 문체. '송'의 본뜻은 '의용(풍채)'로, 문체의 명칭으로써 '풍채를 묘사하다', '찬미하다'의 이중적 의미를 지니고 있다. 외양의 묘사를 통해 그 사람의 덕행을 찬양한다는 뜻이다. '찬'은 찬미의 뜻으로, 사람의 공덕 또는 아름다운 사물에 대해 칭찬하고 평가할 때 쓰인다. 이 둘의 공통점은 모두 노래를 통한 찬미를 종지宗支로 하며 편폭이 간단하고 형식이 가지런하며 운문을 많이 사용한다는 점이다. 남조 유협(465?~520)은 송찬 문학의 사상성과 교화 작용에 높은 가치를 두었다. 그는 '송'의 대상이 이미 신명, 제왕으로부터 보통 사람에게

까지 확대됐고, '송'의 범위는 국가 대사부터 일체의 아름다운 사물에까지 미쳤다고 여겼다. 또한 '찬'은 평가의 기능이 있으며, 발전적이고 긍정적인 평가를 통해 찬미의 의의를 더욱 높일 수 있다고 생각했다. 중국 문학에서 '송'과 '찬'은 독립적인 작품이 될 수 있을 뿐 아니라, 종종 여러 문예작품 및 신문에까지 덧붙여지기도 한다. 이러한 작품은 대상을 칭송하거나 호의적으로 평가하는 방식을 통해 중국 사상문화의 체계에 긍정의 힘을 불어넣고 있다.

예)

『풍』, 『소아』, 『대아』, 『송』의 사시四始는 시의 가장 높은 경지를 대표하는데, 송은 그중에서도 가장 높은 위치에 있다. '송'은 용모의 뜻으로, 성대한 덕을 찬미하여 용모를 묘사한 것이다.

四始之至, 頌居其極. 頌者, 容也, 所以美盛德而述形容也. (유협『문심조룡 · 송찬』)

송의 창작은 전아하면서도 언어가 맑고 아름다워야 한다. 서술과 묘사가 부賦와 유사하나, 지나치게 화려하고 과장되지 않아야 한다. 명銘과 같이 장중하고 엄숙하면서도, 명이 가진 권고와 경계의 기능과는 다르다. 찬양을 통해 문장의 재주를 드러내고, 웅장한 기세로 뜻을 세운다.

原夫頌惟典雅, 辭必清鑠. 敷寫似賦, 而不入華侈之區. 敬愼如銘, 而異乎規戒之域. 揄揚以發藻, 汪洋以樹義. (유협『문심조룡 · 송찬』)

그러나 '찬'의 본뜻은 사람이나 사물에 대한 찬미와 감탄에서 생겨난다. 그래서 자고로 찬의 편폭은 매우 짧고 반드시 사언 시구로 쓰며 몇몇 운의 글자 사이에 머문다. 간단명료하게 내용을 다하고 확실하고 깔끔하게 문장을 끝맺는 것, 이것이 '찬'을 짓는 요점이다.

然本其爲義, 事生奬嘆, 所以古來篇體, 促而不廣, 必結言於四字之句, 盤桓乎數韻之辭. 約舉以盡情, 昭灼以送文, 此其體也. (유협『문심조룡 · 송찬』)

수경瘦硬

말랐지만 강건함. 전통 중국 문예에 사용되는 개념으로. 수瘦는 마름, 풍만하지 않음 이라는 뜻을 지니며 경硬과 연용되어 작품의 강한 구조적 힘을 특별히 가리킨다. 시가 창작에 쓰이며 자세히 말을 늘어놓지 않으며 수려한 사조詞藻를 쌓지 않으며 세밀하고도 부드럽고 아름다운 묘사를 하지 않는다. 도리어 웅장하고 신기한 성률聲律과 굳세고 강하며 간결한 문장으로 수경瘦硬의 예술 품격을 달성한다. 서예書法과 회화繪畫에 쓰이며 주로 필치가 가늘고 강건함을 가리키고 굳세고 힘이 있으나 웅장하고 힘찬 풍격을 위주로 하는 강건剛健과는 다르다.

예)
서예書法에서 가늘고도 강건한 것을 중요시 하면 비범한 경지에 이를 수 있다.
書貴瘦硬方通神. (두보杜甫『이조팔분소전가李潮八分小篆歌』)

송기宋祁의 시작詩作은 송나라 초의 양상을 반영하며 장선張先은 가늘고도 굳세고 강건한 사풍詞風을 처음으로 만들어 내었다. 비록 이 둘이 서로의 아름다운 글귀를 칭찬하였으나 사실 두 사람은 기호와 추구하는 바가 달랐다.
宋子京詞是宋初體, 張子野始創瘦硬之體, 雖以佳句互相稱美, 其實趣尚不同. (유희재劉熙載『예개藝概 · 사곡개詞曲概』)

수기안인修己安人

자신을 수양하여 다른 사람을 편안하게 한다. '수기修己'는 자기의 재능과 덕성 등 각 방면을 열심히 끊임없이 끓어 올려 완만한 경지를 실현하여 '내적으로는 성인 같은 경지內聖'에 도달하는 것이며, '안인安人'은 자기의 재능과 덕성을 발휘하여 공훈을 세우고 타인에게 혜택이 미치게 하여 '외적으로는 왕 같은 경지外王'에 도달하는 것이다. 이는 공자의 '군자君子' 개념에 대한 정의이며 유가 도덕 정치 이론의 간략한 표현이기도 하다.

예)

자로가 군자가 무엇인지 물었다. 공자가 말했다. "자기를 수양하여 엄숙하고 공경스러운 태도를 유지하는 것이다." 자로가 말했다. "이렇게만 하면 됩니까?" 공자가 말했다. "자기를 수양하여 주변 사람들이 편안하게 한다." 자로가 말했다. "이렇게만 하면 됩니까?" 공자가 말했다. "자기를 수양하고 모든 백성을 평안하게 한다. 자기를 수양하여 모든 백성을 안락하게 하는 것은 아마 요와 순이라도 어려울 것이다!"

子路問君子. 子曰: "修己以敬." 曰: "如斯而已乎?" 曰: "修己以安人." 曰: "如斯而已乎?" 曰: "修己以安百姓. 修己以安百姓, 堯, 舜其猶病諸!" (『논어 · 헌문』)

수덕진병修德振兵

덕행을 쌓고 군대를 정돈하다. '수덕'은 통치자가 자신의 덕을 수양하고, 도덕적 원칙에 따라 정사를 처리하여 백성을 안정시킴을 뜻한다. '진병'은 군대를 정돈하고 군사력을 증강하는 것이다. 그러나 '진병'의 목적은 강한 힘으로 타인을 위협하거나 이익을 획책하는 데 있지 않으며, 도덕의 규범 아래에서 필요한 만큼 무력을 유지함으로써 사회의 질서와 백성의 이익을 보호하기 위해서이다. 수덕의 기초 위에 합리적으로 무력을 운용하는 것이라 할 수 있다.

예)

헌원황제는 덕을 수양하고 군대를 정돈하여, 오행의 변화를 연구하고 오곡을 심었으며 백성을 위로하고 사방의 토지를 계측하고 구획을 지었다.

軒轅乃修德振兵, 治五氣, 藝五種, 撫萬民, 度四方. (『사기 · 오제본기五帝本紀』)

수묵화水墨畫

중국화 중에 물과 먹만 쓰고 색채를 쓰지 않는 회화 형식을 가리킨다. 국화國畫, 중국화中國畫라고도 부른다. 물, 먹, 붓과 선지를 주요 재료로 하고 맑은 물의 많고 적음을 조절하며 농묵濃墨, 담묵淡墨, 간묵幹墨, 습묵溼墨, 초묵焦墨 등으로 나뉘며 농담의 단계를 달리한 작품을 그려낸다. 일반적인 수묵화는 물과 먹만 있으며 검은 색과 흰색이다. 응용한 수묵화는 공필工筆(세밀) 화조화花鳥畫도 있는데 색채가 화려하며 채묵화彩墨畫 라고도 부른다. 중국의 수묵화는 멀리 있는 것은 추상적이고, 가까운 것은 사실적일 것을 강조하며 색채를 과장하고 의경을 조성하며 '기운생동(氣韻生動, 글씨나 그림 등의 기품 · 품격 · 정취가 생생하게 약동함의 뜻)을 숭상한다.

예)

회화 기법 중에서 수묵 화법은 가장 높게 여겨지는 기법의 하나이다. 물과 먹의 자연적인 특징에서 연유하여 천지조화의 신묘한 기운을 얻어낸다. 수척 길이의 화폭에 천리에 달하는 긴 경관을 그려낼 수 있다. 천하 사방의 경치를 보는 사람 눈앞에 모두 펼쳐내며, 사계절의 물질적 형상을 붓으로 전부 표현해낸다.

夫畫道之中, 水墨最爲上. 肇自然之性, 成造化之功. 或咫尺之圖, 寫千裏之景. 東西南北, 宛爾目前; 春夏秋冬, 生於筆下. (왕유王維의 『화학비결畫學祕訣』의 서문)

나는 왕유가 파묵 기법을 써서 그린 산수화를 본 적이 있는데 그 필선이 힘차고 과감했다.

餘曾見破墨山水, 筆跡勁爽. (장언원, 『역대명화기歷代名畫記』 10권)

수물부형隨物賦形

원래는 물의 흐름에 정해진 형태가 없어 지리적 환경이나 자연물에 따라 천만 가지 형태로 변화하는 형태를 가리키는 말이다. 송대 문학가 소식蘇軾(1037~1101)은 수물부형이라는 말로 문예 창작이 물의 흐름처럼 자연스럽고 유연하게 변화가 다양해야 함을 표현했다. 문예 창작은 객관적인 사물의 법칙을 따르면서도 작가의 자유로운 창작 의지를 보여줌으로써 구상과 표현 기교가 원만히 어울어지고 정情, 경景, 사事, 이理가 절묘하게 뒤섞여 구분이 없는 심미적 경계에 다다라야 한다. 이 용어는 도가의 '상선약수上善若水', 수水'기어도幾於道'와 불교의 '수연자적隨緣自適'에 영향을 받은 것일 수 있다. 예술가의 인격, 학문 수양, 기예가 종합적으로 구현된 것이기도 하다.

예)

세상에서 가장 믿을 만한 것은 물밖에 없다. 강물의 크기와 바다의 깊이는 모두 상상으로 짐작할 수 있다. 다만 물은 스스로 고정된 형태가 아니라 자연물에 의해 형태를 얻기 때문에 물이 비록 변화무쌍하지만 필연적으로 그럴 수밖에 없는 이치가 있다.

天下之至信者, 唯水而已. 江河之大與海之深, 而可以意揣. 唯其不自爲形, 而因物以賦形, 是故千變萬化而有必然之理. (소식, 『염여퇴부灩澦堆賦』)

내가 글을 쓰는 것은 마치 만 곡의 샘물과 같아서 지형을 택하지 않고 어디서든지 솟아날 수 있고 평지에서는 끊임없이 흐르니 하루에 천 리를 흘러도 무리가 없다. 그러나 산돌에 따라 굴곡이 심해지고 지리적 형상에 따라 여러 형태로 나타나니 이러한 상황은 미리 알 수 없다. 알 수 있는 것은 앞으로 나아가야 할 때와 어쩔 수 없이 멈추어야 할 때로 그렇게 할 뿐이다.

吾文如萬斛泉源, 不擇地皆可出, 在平地滔滔汩汩, 雖一日千裏無難. 及其與山石曲折, 隨物賦形而不可知也. 所可知者, 常行於所當行, 常止於不可不止, 如是而已矣. (소식, 『논문論文』)

수사입성修辭立誠

다듬어진 말로 신뢰를 쌓다. '수'는 다듬다, 꾸민다는 뜻이다. 속마음의 수양과 성찰을 의미한다고 보는 사람도 있다. '사'는 언사言辭, 문사文辭, 입으로 하는 말을 뜻한다. 문치와 교화를 가리킨다는 의견도 있다.

'입'은 건립, 확립의 뜻이며, '성'은 신뢰가 가다, 글이 진실하다, 내용이 믿을 만하다, 감정이 진솔하다, 공손하고 믿음직스럽다 등 많은 의미가 있다. 문자 훈고의 차이와 '수사', '입성' 의 관계에 대한 인식 차이로 인해 '수사입성'의 뜻은 주로 두 가지 해석이 있다. 첫째, 예악법도를 정돈하여 신뢰를 확립하다. 통치자는 치국의 원칙과 규범을 신뢰성 있는 문서로 표현하고 널리 알림으로써, 이 원칙과 규범이 백성들에게 확실히 인식되고 성실한 품성으로 내면화되도록 해야 한다. '입성'은 '수사'의 출발점이자, '수사'의 최종 도착지이기도 한 것이다. 둘째, 작가는 글 속에서 진실한 사상과 감정을 표현해야 하며, 내용 없는 겉치레로 글을 써서는 안 된다. 유가에서 글은 생각과 감정을 전달하는 것으로, 사상과 감정, 도덕적 수준의 차이는 결국 글의 우열을 가름한다. 어떤 식으로 해석하더라도 '수사입성'은 명실상부名實相符, 언행일치言行一致, 표리여일表裏如一과 같은 성실과 신뢰의 가치에 대한 숭상을 내포하고 있다.

예)

군자는 끊임없이 덕에 정진하며 업을 닦고자 한다. 충성스럽고 신용이 있으면 덕에 정진할 수 있다. 말을 다듬어 신뢰를 쌓으면 업에 거할 수 있다.

君子進德修業. 忠信, 所以進德也. 修辭立其誠, 所以居業也. (『주역周易 · 문언文言』)

수양생식修養生息

휴식과 회복, 인구의 번식을 뜻한다. 전쟁이나 사회의 대혼란 이후 통치자가 부역과 세수를 감경하고 농업 발전을 중시하여, 백성의 부담을 줄여주고 생활을 안정시키며 사회적으로 기운을 회복하는 것을 가리킨다. '수양생식'은 치국 방안으로써 한나라 초에 생겨났고, 진말秦末 전란을 겪은 후 민생이 도탄에 빠져 회복이 필요할 때 효과적으로 국가와 사회의 원기를 회복하는 기능을 했다. 이후 '수양생식'은 중요한 치국이념이자 정책으로 중국 역사의 여러 시기에 등장했다. 통치자가 사회현실에 어쩔 수 없이 실시하기도 했고, 백성에게 쉼을 주고자 인정仁政을 실천하는 과정에서 나타나기도 했으며, 두 가지가 결합된 경우도 있었다. 이 정책은 민유방본民惟邦本 (백성이 나라의 근본) 이념의 구체적인 실현이라 할 수 있다.

예)

곽광霍光은 당면한 국가 중대사의 관건이 부역을 줄이고 조세를 감해주어 백성을 쉬게 하는 것임을 알았다.

(霍)光知時務之要, 輕傜薄賦, 與民休息. (『한서漢書 · 소제기昭帝紀』)

한실이 건립된 후, 진나라 때 제정된 복잡하고 엄격한 법령들을 폐했고 백성을 쉬게 하였다. 한 문제에 이르러 공손하고 검소한 정책을 행하니 경제가 이 방법을 계승하여 5, 60년 간 사회의 풍속이 많이 개선되었고, 백성은 순박하고 돈후해졌다.

漢興, 掃除煩苛, 與民休息. 至於孝文, 加之以恭儉, 孝景遵業, 五六十載之間, 至於移風易俗, 與民醇厚. (『한서 · 경제기찬景帝紀贊』)

수인이어授人以漁

물고기 잡는 법을 가르친다. '수'는 준다, 전수한다는 뜻이다. '어'는 물고기를 잡는다는 뜻이다. 원말은 '수인이어授人以魚, 불여수인이어, 不如授人而漁'로 어떤 사람에게 물고기를 주는 것은 그 사람에게 물고기 잡는 방법을 가르쳐주는 것보다 못한다는 의미이다. 어떤 물건을 직접 주는 것은 사람을 가르쳐서 그것을 얻는 방법을 배우게 하는 것만 못하다는 사실에 대한 비유이다. 여기에 두 가지 이치가 함축되어 있다. 첫째, 목표가 정해진 상황에서 목표에 이르는 방법이 더 중요하다. 둘째, 다른 사람을 돕고 장기적으로 관리할 수 있는 유효한 방법을 그 사람이 자립하게끔 하는 일이다.

예)

물고기를 잡아 주면 한 끼 식사를 마련해줄 뿐이지만 물고기 잡는 법을 가르쳐주면 평생 그 덕을 볼 수 있다.

授人以魚, 只供一餐, 授人以漁, 可享一生. (민간 속담)

수제치평修齊治平

'수신修身', '제가齊家', '치국治國', '평천하平天下'의 준말. 개인이 자신의 수양을 기초로 점차 밖으로 확장하여, 우선은 가정을 잘 꾸리고 나아가 방국邦國을 잘 다스린 뒤, 더 나아가 천하 백성들을 위로하고 다스리는 것이다. 이것은 중국 고대 유가의 윤리철학과 정치적 포부의 중요한 명제로서 개인에서 가정, 나라, 천하로 차례차례 나아가는 유가의 도덕적 정치관을 나타낸다. 이처럼 점차 밖으로 확장하는 과정에서 개인의 덕행과 수양은 각기 다른 층위의 정치적 포부와 긴밀하게 연관된다.

예)

옛날에 미덕을 온 천하에 확대하려던 사람은 먼저 자신의 방국을 잘 다스렸다. 자신의 방국을 잘 다스리려면 먼저 자신의 가家(주나라 때는 대부의 봉토를 의미했다)을 잘 다스려야 했다. 자신의 가를 잘 다스리려면 먼저 자신의 수양에 힘써야 했다.

古之欲明明德於天下者, 先治其國. 欲治其國者, 先齊其家. 欲齊其家者, 先修其身. (『예기 · 대학』)

수지청즉무어水至清則無魚

물이 너무 맑으면 물고기가 살 수 없다. 물이 너무 깨끗해서 부유 생물이 없으면 물고기가 먹을 것이 없어 생존할 수 없다. 이것은 정상적인 자연 현상이다. 이에 착안해 고대 중국인은 사람과 사물에 대해 지나치게 높은 요구를 하거나 완전무결함을 강요하거나 가혹하게 대해서는 안 되며 너그럽게 포용해야 한다고 생각했다. 이는 '후덕재물厚德載物'(역자주: 후덕한 사람은 능히 중대한 임무를 담당할 수 있다는 뜻)이라는 관점과도 상통한다.

예)
물이 너무 맑으면 물고기가 살 수 없고, 사람이 너무 똑똑히 살피면 동료가 없다.
水至淸則無魚, 人至察則無徒. (『한서漢書 · 동방삭전東方朔傳』)

순망치한脣亡齒寒

입술이 없어지면 이가 시리게 된다는 뜻. 밀접한 관계를 가지고 서로 의지하며 공통의 이해관계가 있는 사이를 비유한다. 『좌전左傳 · 희공오년僖公五年』에 따르면 진晉나라는 우虞나라의 이웃 나라인 괵虢나라를 공격하기 위해 우나라에 길을 빌려줄 것을 요청했다. 우나라의 대부인 궁지기宮之奇가 군주에게 간언하기를 괵나라는 우나라의 장벽이니 괵나라가 망하면 우나라도 반드시 그에 따라 망할 것이라며 우나라와 괵나라는 순망치한의 관계라고 하였다. 이것은 중화민족이 자고이래로 가지고 있는 이웃 나라를 중시하는 사상 및 이웃 나라와의 친선 도모에 힘쓰는 지연적 정치사상을 실제로 반영한 것이다.

예)
또한 조나라는 제와 초 두 나라에게 있어 장벽이므로 이는 마치 이에 입술이 있는 것과 같다. 입술이 없어지면 이가 시리게 마련이다. 오늘 [진나라가] 조나라를 멸하면 내일이면 환난이 제나라와 초나라에까지 미칠 것이다.
且趙之於齊楚, 扞蔽也, 猶齒之有脣也, 脣亡則齒寒. 今日亡趙, 明日患及齊楚. (『사기 · 전경중완세가田敬仲完世家』)

순명책실循名責實

명칭에 따라 그것이 가리키는 실상을 따져본다. '순명책실'은 고대에 나라를 다스리는 중요한 수단이었다. 현실의 인간관계에서 각각의 역할 혹은 신분에는 모두 이름이 있고 이름은 이 역할 혹은 신분이 갖추어야 하는 성질이나 책임을 규정한다. 어떤 이름(관직, 직위 등)을 가진 사람을 임용하거나 고용할 때는 그 이름에 근거해 선발해야 하며 그 사람의 실제 언행이 그 이름이 규정하는 성질 혹은 직무에 부합하는지를 봐야 한다.

예)

술은 군주가 신하의 능력에 따라 관직을 수여하고 그 관직명에 따라 실적을 평가하여 생살의 권력을 장악하여 신하 중에 능력이 뛰어난 자를 가려내는 것입니다.

術者, 因任而授官, 循名而責實, 操殺生之柄, 課群臣之能者也. (『한비자韓非子 · 정법定法』)

이름에 따라 실상을 따지는 것은 실상을 가장 중시한 경우이고 실상에 따라 이름을 정하는 것은 이름을 가장 중시한 경우이다.

循名責實, 實之極也, 按實定名, 名之極也. 『등석자鄧析子 · 전사轉辭』)

순무불행順無不行, 과무불철果無不徹

합리적이고 정당하면 통하지 않을 수 없고, 결단력 있고 과감하게 행동하면 성공하지 못할 수가 없다. '순順'은 정당하고 도의에 맞거나 사리에 순응하는 것을 가리킨다. '과果'는 즉 결단력이 있고 주저하지 않는 것이고, '철徹'은 통달하여 막힘이 없는 것이다. 이 말의 오묘한 이치는 관점이 정당하고 도리에 맞거나 사리에 순응하는 것, 결단력 있게 일을 진행하는 것이 목표의 최종 달성에 대해 갖는 의의를 강조하는 데 있다. 이것은 객관적인 규율을 존중하고 주관적인 능동성을 발휘해야 한다는 요즘 사람들의 견해와 일치한다.

예)

[언사가] 합리적이고 정당하면 통하지 못함이 없고 [일을] 과감하게 행하면 성공하지 못함이 없다. 합리적이고 정당한 것을 거스르는 사람은 상서롭지 못한 것이고 과감하게 행하는 사람을 공격하면 성공하지 못한다.

順無不行, 果無不徹. 犯順不祥, 伐果不克. (『국어 · 진어晉語 6』)

순소純素

순수하고 소박하다. 단순하고 꾸밈이 없는, 인위적인 치장이 없는 본래의 아름다움을 가리킨다. '순'은 순연함, 순수함으로 어떤 불순물도 섞이지 않았음을 의미한다. '소'는 원래 염색하지 않은 생실을 뜻하는데, 흰색, 본색, 소박함, 수식하지 않음 등의 의미로 확장되었다. 노자와 장자를 대표로 하는 도가는 '도'가 만물의 아름다움의 총 근원이라고 여겼다. '도'는 자연스럽고 무위하며, 가장 소박하고 화려하지 않은 것이다. 그래서 도가의 미학은 자연의 본색, 소박함과 수수함을 심미의 최고 경지로 삼는다. 고대인의 눈에 '순소'는 사물과 서로 섞이지 않은 본래의 진실한 상태였다. 설사 사물 가운데 섞이더라도, 자연적이고 천성적인 본질을 유지하고 있으며 그 내재된 신기神氣는 한 올도 손상되지 않는다. 이러한 사상은 중국 고대 문학예술의 창작 경향과 심미적 추구에 광범위한 영향을 주었다. 중국의 고대시는 수수하며 그 뜻이 높은 것을 중시하고, 회화는 평담하고 자연스러움을 숭상했는데, 모두 '순소'에 대한 심미적 추구를 보여주고 있다.

예)

순수하고 소박한 도는 정신을 지키는 것이다. 지키되 잃지 않고 정신과 하나가 된다. '하나'에 정묘하고 통달하면 자연의 천도에 합해진다. …그래서 '소'는 그와 섞인 다른 무언가가 없음을 말한다. '순'은 본래의 정신이 손상되지 않았음을 말한다. '순'과 '소'를 체득한 사람을 진인이라 부른다.

純素之道, 惟神是守. 守而勿失, 與神爲一. 一之精通, 合于天倫……故素也者, 謂其無所與雜也, 純也者, 謂其不虧其神也. 能體純素, 謂之眞人. (『장자 · 각의刻意』)

순천응인順天應人

하늘의 뜻에 따라 백성의 바람에 응한다는 뜻이다. '천'은 곧 '천명'으로 하늘의 뜻을 가리킨다. 옛날 사람들은 덕 있는 사람이 하늘의 의지를 받들어 정권을 세우고 군주가 되는 것이 '천명'이라고 생각했다. 그리고 '인'은 민심, 민의를 가리킨다. 이것은 "군주의 권력은 하늘이 부여한다"는 서양 사상과 맞닿아 있지만 한편으로 민심과 민의도 강조하여 민본사상을 구현하였다. 고대에 이 말은 새로운 왕조의 수립과 중대한 변혁의 실시를 찬양할 때 주로 쓰여 그 정당성과 합법성을 표명하였다.

예)

천지는 음양의 변화로 사계절이 형성된다. 상나라 탕왕과 주나라 무왕은 하늘의 뜻과 백성의 바람에 따라 구정권을 무너뜨리고 새 정권을 수립하였다.

天地革而四時成. 湯武革命, 順乎天而應乎人. (『주역 · 혁革』)

숭본거말崇本擧末

'본'을 존숭함으로서 '말'을 이루고 보전함. '본'과 '말'의 관계를 다루는 방식이다. 왕필이 노자사상을 해석할 때 '숭본거말' 사상을 주장했으며 '숭본식말崇本息末'과 대조된다. 여기서의 '본'은 형태도 없고 이름도 없는 것, 즉 '도'를 가리키며 '말'은 자연적인 형태와 이름을 가리킨다. '숭본거말'은 '도'와 '무'의 작용을 충분히 발휘하여 만물이 자연적으로 생성되고 유지되게 한다는 의미이다. 정치 영역에서 '숭본'은 특히 군주가 '도'에 의거하여 무위無爲의 정치를 시행함을 가리킨다. 군주는 '숭본'을 통해 백성이 자연적인 본성에 따라 생활하게 한다.

예)

'도'를 지켜 만물을 보존하고 기르며 '본'을 숭상하여 '말'을 이루고 유지시킨다. 그러면 갖가지 형체가 있는 사물과 그 이름이 모두 유지되어 옳지 못한 일이 일어나지 않게 되고, 지극히 아름다운 사물이 하늘과 짝을 이루게 되어 실속없이 겉만 화려한 일이 없게 된다.

守母以存其子, 崇本以擧其末, 則形名俱有而邪不生, 大美配天而華不作. (왕필王弼, 『노자주老子注』)

숭본식말崇本息末

'본'을 숭상하여 '말'을 그치게 함. '본'과 '말'의 관계를 다루는 방식이다. 왕필이 노자사상을 설명할 때 '숭본식말'의 사상을 제기했으며 '숭본거말崇本擧末'과 대조된다. 여기서의 '본'은 형태가 없고 이름도 없는 것, 즉 '도'를 가리키며 '말'은 인위적으로 만든 갖가지 형태와 이름을 가리킨다. '숭본식말'은 '도'나 '무'의 작용을 발휘함으로써 만물의 본성을 실현하고 인위적으로 만든 각종 형명지물에 대한 추구를 멈춘다는 의미이다. 정치 영역에서 '숭본'은 특히 군주가 '도'에 의거하여 무위無爲의 정치를 시행하는 것을 가리킨다. 군주는 '숭본'함으로써 도덕과 예법에 관련된 교화 및 각종 겉치레와 거짓된 언행을 그치게 한다.

예)

소박한 언행을 드러냄으로써 성지聖智의 운용을 근절하며, 사욕에 대한 추구를 줄여서 이익의 유혹을 차단한다. 이것이 이른바 "본을 숭상하고 말을 그치게 한다"이다.

故見素樸以絕聖智, 寡私慾以棄巧利, 皆崇本以息末之謂也. (왕필王弼, 『노자지략老子指略』)

습習

연습과 숙달 및 이로써 형성한 습관. '습習'은 학습 과정 중의 한 가지 중요한 단계이다. 일반적인 의미에서의 '습'은 주로 지식, 기술에 대한 반복적인 연습을 가리킨다. 그러나 유가에서 말하는 '습'은 주로 도덕 생명의 수양을 가리킨다. 개인은 배운 도덕, 예법의 요구에 따라 반복적으로 실천해야 한다. 끊임없이 숙달하는 과정 중에 도덕과 예법의 요구에 맞는 언행이 자신의 습관이 되게 한다.

예)
배우고 일정한 시간에 따라 배운 것을 복습하니 즐겁지 않은가?
學而時習之, 不亦說乎? (『논어 · 학이學而』)

공자가 말했다. "사람의 본성은 비슷하다. 환경의 영향으로 차이가 생긴 것이다."
子曰: "性相近也, 習相遠也." (『논어 · 양화陽貨』)

시가삼매詩家三昧

시가 창작의 비결을 가리킨다. 삼매三昧라는 단어는 범문梵文의 의역으로 잡념을 멈추고 마음을 평정케 한다는 뜻이며 불교의 중요한 수행 방법으로 이후 사물의 요령과 진리를 비유하여 이르게 되었고 시가, 회화, 서예 등의 각 영역에서 차용되었으며 각 영역의 요령, 기교, 비결의 대명사가 되었다. 시가삼매詩家三昧는 남송南宋 시대의 저명한 시인 육유陸游(1125~1210)가 구월일일야독시고유감주필작가九月一日夜讀詩稿有感走筆作歌에서 사용된 것에서 처음 발견되는데, 이후 시가 창작 과정 중 나타나는 영감의 갑작스러운 발생, 작문의 구상이 샘솟는 생명의 상태를 대신 지칭하게 되었다. 육유는 이 시에서 젊을 때 시를 배우는 것은 아직 심득이 없었고 이후 종군하고 남정南鄭에 주둔하며 치열하고 긴장감 넘치며 자극이 되는 군영 생활을 겪으면서 시품이 크게 변하였고 영감이 끊임 없이 솟았다고 이야기한다. 육유의 창작 과정을 보면 시가는 생활에서 나오는 것이며 시가삼매는 생활을 표현하고 현실을 반영하는 창작 활동 속에서 비로소 얻을 수 있는 것임을 알 수 있다.

예)

장사長沙의 승려 회소懷素는 초서草書를 좋아했으며 자신이 초서의 대가 장욱張旭의 서예書法 속의 비결을 깨달았다고 언급하고 있다.

長沙僧懷素, 好草書, 自言得草聖三昧. (이조李肇『당국사보唐國史補 · 권중卷中』)

나는 문득 시작詩作의 비결을 깨달았다. 굴원屈原, 가의賈誼의 글의 심오함이 눈 앞에 선하다. 천부적인 영감과 고급 비단과도 같은 문장은 모두 스스로 원활히 쓰이고 있으며 소재의 선택과 글의 구성은 결코 아무렇게나 재고 자른 것이 아니다.

詩家三昧忽見前, 屈賈在眼元歷歷.天機雲錦用在我, 剪裁妙處非刀尺. (육유陸游『구월일일야독시고유감주필작가九月一日夜讀詩稿有感走筆作歌』)

나는 형호荊浩의 산수화에서 시를 쓰는 것의 비결을 깨달았다. 그는 다음과 같이 말했다. 그림에서 먼 곳에 있는 사람은 눈을 그려 넣을 수 없고, 그림에서 먼 곳에 있는 강은 물거품을 그릴 수 없으며, 그림에서 먼 곳에 있는 산은 습곡을 그려낼 수 없다.

余嘗觀荊浩論山水而悟詩家三昧, 曰: 遠人無目, 遠水無波, 遠山無皴(cūn). (왕사진王士禛『향조필기香祖筆記』권육卷六)

시계혁명詩界革命

근대 중국에서 발생한 시가 혁신을 내세운 문화 운동으로 '문계혁명文界革命'의 일부이다. 양계초梁啓超(1873~1929)가 처음으로 '시계혁명'을 제창하였다. 그는 『하와이 유람기[夏威夷遊記]』에서 시를 쓰려면 옛 사람의 풍격과 법식을 흡수해야하나 반드시 새로운 의경意境과 어구가 있어야 한다고 말했다. 그는 구체시舊體詩의 난해한 언어와 격률의 속박을 반대했으며, 시계혁명을 일으키지 않으면 시풍이 단절될 것이라고 생각했다. 그리고 새로운 시의 언어는 통속적이어야 하며 새로운 사상을 담고 선진적인 관념을 전파해 국민을 교화해야 한다고 주장했다. 황준헌黃遵憲(1848~1905), 엄복嚴復(1854~1921), 하증우夏曾佑(1863~1924), 담사동譚嗣同(1865~1898), 구위훤邱煒萲(1874~1941) 등이 모두 신체시를 쓴 작가로, 신문 · 잡지 등에 작품이 게재되었다. 시계혁명 중에 나타난 시 작품은 전반적으로 예술적 성취가 크지 않고 왕왕 구체시에 새로운 명사를 나열해 표현이 생경하고 이것도 저것도 아닌 결과물이 나왔지만, 그 혁신 정신은 백화白話 신체시의 등장에 직접적인 영향을 미쳤다.

예)

과도기적 시기에는 반드시 혁명이 필요하다. 혁명은 그 정신을 제거해야지 그 형식을 제거하는 것이 아니다. 요즘 우리는 시계혁명에 대해 논의하는 걸 좋아한다. 이것이 맞기는 하지만 만일 작품 가득히 새로운 명사를 쌓아놓는 것을 혁명이라고 여긴다면 이 역시 청나라의 변법 유신과 같은 류의 방법이다. 옛 풍격을 사용하면서 새로운 의경을 함축하는 것이야말로 혁명의 본질을 제창하는 것이다. 이렇게 할 수 있다면 새로운 명사가 한두 개 섞이더라도 병폐가 아니다. 이렇게 못 한다면 내용의 빈약함을 남에게 드러내 보인 것일 뿐이다.

過渡時代, 必有革命. 然革命者, 當革其精神, 非革其形式. 吾黨近好言詩界革命. 雖然, 若以堆積滿紙新名詞爲革命, 是又滿洲政府變法維新之類也. 能以舊風格含新意境, 斯可以擧革命之實矣. 苟能爾爾, 則雖間雜一二新名詞, 亦不爲病. 不爾, 則徒示人以儉而已. (양계초, 『음빙실시화飮冰室詩話』)

요즘의 시인들 가운데 옛 풍격 속에 새로운 사상을 녹여낼 수 있는 자라고 하면 황준헌을 들 수 있다.

近世詩人能鎔鑄新理想以入舊風格者, 當推黃公度. (양계초, 『음빙실시화』)

시궁이후공詩窮而後工

시인은 어려운 환경 속에서 울분이 쌓여야만 뛰어난 시 작품을 쓸 수 있다. 여기서 '궁窮'은 물질적인 빈곤함을 가리키는 것이 아니라 넓은 의미로서 인생의 역경을 가리킨다. '공工'은 정교하고 아름답다는 뜻이다. 이 명제는 북송 시기 문단의 영수인 구양수歐陽脩(1007~1072)가 제시하였다. 그에 따르면 시인이 인생의 역경으로 인해 현실의 이익을 초탈하면 그러한 상황이 보편적인 세태와 인정을 치밀하게 표현해내는 데 도움을 준다. 구양수의 '시궁이후공'은 사마천司馬遷(B.C. 145 혹은 B.C. 135?~?)의 '발분저서發憤著書'와 한유韓愈(768~824)의 '불평즉명不平則鳴'을 계승하지만, 시인 개인이 울분을 푸는 것을 강조하지 않고 뛰어난 시가 작품이 만들어지는 법칙을 제시한다. 구양수 이후에 이 주장은 문학 비평 이론에서 뛰어난 문학 작품이 만들어지는 법칙에 관한 보편적인 견해가 되었다.

예)

세간의 사람들이 말하기로 시인은 벼슬길에 올라 성공한 경우가 적고 대부분 인생이 순조롭지 못하다고 한다. 과연 그러한가? 대개 세상에 떠도는 시들은 대부분 고대에 뜻을 이루지 못한 시인들이 창작한 것일 테다. …… 시인의 운명이 순조롭지 못할수록 그들의 시는 더욱 정교하고 아름답다. 이를 볼 때 시를 쓰는 일이 사람의 운명을 순조롭지 못하게 만드는 것이 아니라 시인의 운명이 손조롭지 못한 다음에 아름다운 시가 나오는 것 같다.

予聞世謂詩人少達而多窮, 夫豈然哉! 蓋世所傳詩者, 多出於古窮人之辭也. ……蓋愈窮則愈工. 然則非詩之能窮人, 殆窮者而後工也. (구양수歐陽修, 「매성유시집 서梅聖俞詩集序」)

시덕자창恃德者昌, 시력자망恃力者亡

도의에 의지하는 사람은 번영하고 폭력을 의지하는 사람은 망한다.

『사기史記 상군열전商君列傳』에서 인용된 『상서尙書』에 보인다. '덕德'은 도의, 은덕, 덕행이며, '력力'은 강한 힘, 폭력, 무력이다. 유가의 정치 윤리사상에 영향을 받아 중국인들은 예로부터 '왕도王道'(덕으로 사람을 따르게 하다)를 주장하고 '패도覇道'(강압적으로 남을 복종시키다)를 반대했다. 덕으로 사람을 따르게 해야 기쁘게 심복하며, 힘으로 남을 누르면 강요에 못 이겨 굴복하는 것으로 진실되고 오래가는 조화와 단결을 이룰 수 없다. 한 집단을 관리하는 것이 이러하며 한 나라를 통치하는 것이 이러하고 국가 간의 관계 역시 마찬가지다. 국가 간의 관계를 처리하는 원칙으로 삼으면 그 함의는 해석될 수 있다. 무력남용과 약육강식은 문명의 발전을 저해한다. 굳건히 도의를 지키고 서로 믿고 이해해야 세계의 지속적인 평화와 안전을 이룩할 수 있다.

예)

덕이란 나라와 가정이 존재하는 토대이다. 토대가 있어야 나라와 가정이 무너지지 않는다.

德, 國家之基也, 有基無壞. (『좌전左傳 · 양공24년襄公二十四年』)

맹자가 말했다. "무력을 의지하고 인의를 가장하는 사람은 제후들을 제패할 수 있으나 패권을 잡으려면 반드시 대국이어야 한다. 도의를 의지하여 인의를 실행하여 천하를 따르게 하는 사람은 국가 실력의 강대함을 의지할 필요가 없다. …… 무력으로 남을 복종시키면 사람들은 진심으로 굴복하는 것이 아니라 힘이 없어 반항하지 못할 뿐이다. 도덕으로 남을 따르게 해야 사람들이 충심으로 기쁘게 따른다."

孟子曰: "以力假仁者霸, 霸必有大國; 以德行仁者王, 王不待大. …… 以力服人者, 非心服也, 力不贍也; 以德服人者, 中心悅而誠服也." (『맹자孟子 · 공손추상公孫丑上』)

천하의 사람들과 나라를 다스릴 때는 덕정에 비할 만한 게 없으며 도의 만한 것이 없다. 덕정과 도의를 적용하면 상을 주지 않아도 백성이 권면을 받고 처벌하지 않아도 사악함이 제지된다.

爲天下及國, 莫如以德, 莫如行義. 以德以義, 不賞而民勸, 不罰而邪止. (『여씨춘추呂氏春秋 · 상덕上德』)

시무달고詩無達詁

원래 『시경詩經』에 고정불변의 훈고나 해석이 없음을 가리키는 말이었다. 이후 문학 감상과 비평 용어로 사용되면서 시대의 변화와 감상자의 사상, 독해력, 수양 등 개별적 차이로 인해 같은 작품에 대해 다양한 해석이나 독해가 생길 수 있음을 가리키게 되었다. 문학 이론의 하나로서 '시무달고'는 감상론에 속한다. 독자의 감상에 중점을 두며 독자들의 원문에 대한 독해와 예술적 감상이 서로 다름을 나타낸다. 동시에 시가 언어는 암시와 함축이라는 특징을 가지기 때문에 글자 그대로 의미를 해석할 수 없으며 반드시 독자가 자신의 이해, 상상, 지식을 바탕으로 시에 함축된 의미를 깨달아야 한다. '시무달고'의 가치는 작품 자체의 모호성과 해석의 다양성을 제시한다는 데 있으나, 작품의 의미를 마음대로 해석할 수 있는 것은 아니다..

예)

『시경』에는 고정불변의 해석이 없고 『주역周易』에는 고정불변의 점복이 없고 『춘추春秋』에는 고정불변의 문장이 없다고 한다. 변화하는 원칙과 경전의 본래 의미, 이 두 가지를 동시에 따라야 하늘의 도리와 성인의 사상을 위배하지 않을 수 있다.

所聞『詩』無達詁, 『易』無達占, 『春秋』無達辭. 從變從義, 而一以奉人[天]. (동중서董仲舒, 『춘추번로春秋繁露 · 정화精華』)

나는 일찍이 『시경』이 다른 유가 경전과 다르다고 말한 적이 있다. 그래서 『시경』을 읽는 것도 다른 경전과 다르게 읽어야 한다. 대개 시인이 어떤 사물을 빌려와 비유한 것인데 그 언어의 사용이 오묘하고 의미가 심오하다. 그러므로 글자 그대로의 의미가 실제 의미와 다를 수 있으니 『시경』의 문구에 구애되어서는 안 된다.

餘嘗謂『詩經』與諸經不同. 故讀『詩』者亦當與讀諸經不同. 蓋詩人托物引喩, 其辭微, 其旨遠. 故有言在於此而意屬於彼者, 不可以文句泥也. (하양준何良俊, 『사우재총설四友齋叢說』 권1)

시사詩史

시의 내용이 특정 역사 시기의 광범위한 사회 현실과 중대한 역사적 사건을 진실하게 반영하여 '사'적 가치를 지니게 되는 것을 말한다. 『시경』의 몇몇 편이 당시 역사를 반영하였기에 공자는 이에 대해 『시경』이 "가이관可以觀"하다고 하였는데 이 말은 즉 시경이 시로써 사史를 증명함을 긍정한다는 뜻을 내포하고 있다. 한나라 때의 학자들은 시의 역사적 내용을 담는 기능을 매우 중시하였다. 이후의 시론가들은 대부분 우수한 시는 반드시 심미성과 현실에 대한 반영을 결합시켜야 함을 강조하였으며 이를 통해 시의 심미성과 인식 및 교육 기능의 통일을 나타내야 한다고 보았다. 당나라 때의 시인인 두보의 시는 '시사'라 불렸는데 이는 그의 시가 '안 · 사의 난安史之亂' 당시 사회의 실제 모습을 반영했으며 우국우민의 깊은 정을 표현하였기 때문이다.

예)

두보는 안록산의 난이 불러온 재난을 맞아 간쑤성과 쓰촨성 일대를 떠돌아다니며 경험한 일을 모두 시로 썼다. 후대 사람들이 이 시를 읽고 [당시의 역사적 사건의] 분명치 않았던 자세한 상황들을 발견하고 미루어 알게 되어 빠뜨린 부분이 거의 없을 정도이므로 당시 사람들은 그의 시를 '시사'라 칭했다.

杜逢祿山之難, 流離隴蜀, 畢陳於詩, 推見至隱, 殆無遺事, 故當時號爲"詩史". (맹계孟棨『본사시本事詩 · 고일高逸 제삼』)

옛사람들이 두보의 시를 '시사'라 평한 것은 대체로 그가 시의 형식을 빌려 사실적인 사건을 기재하는 동시에 비판하고 풍자하는 뜻과 칭찬하고 찬양하는 뜻을 모두 그 속에 담았기 때문이니 그의 시를 '시사'라 칭하는 것은 완전히 적절하다.

昔人評杜詩爲詩史, 蓋其以詠歌之辭, 寓紀載之實, 而抑揚褒貶之意, 粲然於其中, 雖謂之史可也. (문천상文天祥『집두시자서集杜詩自序』)

시서時序

시세時世와 시대변화. 이 용어는 문학창작과 시대변화의 관계를 드러내고 있다. 유협은 문학 발전이 고립된 현상이 아니며, 사회정치적 상황, 통치자의 개인적 취향, 학술적 경향 등 다양한 시대적 요인의 영향을 받는다고 말했다.

예)

그러므로 시의 형식과 의미는 시대의 변화에 따라 달라짐을 알 수 있고, 이는 바람이 수면 위에서 불면 아래에서 파도가 치는 것과 같다.

故知歌謠文理, 與世推移, 風動於上, 而波震於下者. (유협『문심조룡 · 시서』)

글의 변화는 당세 여러 상황의 영향을 받으며, 그 흥하고 폐함은 시대의 변화에 따라 결정된다.

文變染乎世情, 興廢系乎時序. (유협『문심조룡 · 시서』)

시時

'시'는 세 가지 다른 의미를 내포한다. 첫째, 자연의 운행에 따른 시간적 순서 및 규칙, 춘하추동 사계절이나 주야로 교차하는 시간 등을 의미한다. 둘째, 어떤 일에 합당한 날씨 혹은 기후조건, 즉 농시農時, 천시天時 등을 가리킨다. 셋째, 인간사의 발전과정에서 나타나는 시기, 시운 등을 가리킨다. '시'의 출현과 소실은 천도天道 혹은 인사人事가 운행되는 규칙을 보여준다. 사람은 '시'와 '시'가 나타내는 규칙을 파악하고, 그에 맞는 행동을 취해야 한다.

예)

하늘이 언제 말을 하였는가? 사계절이 순환하고 만물이 살아나도, 하늘이 언제 말을 한 적이 있었는가?

天何言哉, 四時行焉, 百物生焉, 天何言哉?(『논어 · 양화陽貨』)

멈춰야 할 때 멈추고, 행해야 할 때 행하면, 움직이고 잠잠함에 시기를 놓치지 않는다.
時止則止, 時行則行, 動靜不失其時. (『주역 · 단彖 하』

시詩

중국 고대 문학의 주요 형식이고 중국 고대에 가장 일찍 발생한 문학 형식이기도 하다. 일정한 리듬, 운율, 글자 수, 구절 형식이 요구되며 응축한 언어와 풍부한 상상으로 사회상을 반영하고 사상과 감정을 표현한다. '시'와 '문文'은 중국 고대 문학의 주요 형태로 고대의 '시'는 주로 고체시와 근체시로 나뉜다. 일반적으로 당 이후에 등장한 사곡詞曲은 여기에 포함되지 않는다. 고체시는 고풍古風이라고도 하며 근체시가 나타나기 이전에 초사체楚辭體를 제외한 다양한 시체의 통칭이다. 격률은 비교적 자유로우며 대장, 평측의 제약을 받지 않고 압운도 느슨한 편이다. 길이에도 제한이 없고 구절은 사언, 오언, 육언, 칠언, 잡언 등이 있다. 근체시는 격률시라고도 불리며 오언절구, 칠언절구, 오언율시, 칠언율시, 배율排律 등이 있다. 시와 사곡의 구별은 다음과 같다. 시는 음악과 결합되지 않지만 사곡은 음악과 결합할 수 있다. 중국에서 시는 이천 년이 넘는 역사를 가진다. 고대에는 시가 사람과 자연을 연결하고 자신의 뜻을 밝히고 감정을 표현할 수 있다고 여겼다는 점에서 중국 문학 예술의 정신적 특성과 심미적인 지향을 잘 보여준다. 서양에서 시를 문학의 하위 유형으로 보는 시각과 상당한 차이가 있다. 고대 중국에서 유가 사상이 시 창작의 방향에 주로 영향을 미쳤으며 도가와 불교 사상은 시의 의경과 이론에 심대한 영향을 미쳤다.

예) 시는 마음속에 있는 뜻을 말한 것이며 가는 말을 길게 읊은 것이다. 성은 길게 읊는 것에 의지하는 것이고 율은 읊는 소리를 조화롭게 하는 것이다.

詩言志, 歌永言, 聲依永, 律和聲. (『상서尚書 · 요전堯典』)

시는 자신의 뜻을 말한 것이고 가는 그 소리를 길게 읊은 것이고 무는 형체를 움직이는 것이니, 세 가지가 마음에 근본하여 나타난 이후에 악기가 뒤따른다.

詩, 言其志也. 歌, 詠其聲也. 舞, 動其容也. 三者本於心, 然後樂器從之. (『예기禮記 · 악기樂記』)

기는 만물을 움직이게 하고 만물은 사람의 감수성을 일깨워 사람의 성정이 동요되고 춤과 노래를 통해 구체적으로 드러나게 된다. 천, 지, 인 삼재를 비추며 만물이 밝게 빛나게 만든다. 천신과 지신이 이를 빌어 흠향을 받고 그윽하고 은미한 신령도 이를 통해 인간에게 일러주는 바가 있다. 천지를 동하고 귀신을 감동시키는 일에 시보다 적합한 것이 없다.

氣之動物, 物之感人, 故搖蕩性情, 行諸舞詠. 照燭三才, 暉麗萬有, 靈祇待之以致饗, 幽微藉之以昭告. 動天地, 感鬼神, 莫近於詩. (종영鍾嶸, 『시품서詩品序』)

시언지詩言志

시는 작가의 마음속 뜻을 표현한다는 뜻이다. '지'는 시에 표현된 작가의 마음속 지향, 생각, 감정적 요소를 가리킨다. 유가 경전인 『상서 · 요전』에서 제일 먼저 출현한 '시언지'는 중국 시론의 '최초의 강령'(주쯔칭朱自清)으로서 역대 시론가들의 해석을 거치며 내포 의미가 계속 풍부해졌고 그럼으로써 문학의 특징에 관한 중국 비평의 기본 관념을 확립했다.

예)

시는 마음속 뜻을 표현하는 것이고 가歌는 말로 노래 부르는 것이다.

詩言志, 歌永言. (『상서 · 요전堯典』)

시는 마음속 뜻에서 생겨나는데 마음속 뜻에서 형성된 말이 시이다.

詩者, 志之所之也, 在心爲志, 發言爲詩. (『시대서』)

시연정詩緣情

시는 시인의 마음속 감정에서 연유한다는 뜻이다. 서진의 육기陸機는 시인이 마음속에서 감정이 일어나야 시를 쓴다고 말했다. '시연정'설은 '시언지'설과 상호보충을 이루며 문학의 서정성과 심미적 특징을 강조하고 위진시대 문학 관념의 변천을 나타낸다. 그래서 '시연정'도 시와 문학의 본질에 관한 중국 고대의 또 다른 대표 관점이 되었다.

예)
시는 감정에서 연유하여 형식이 화려하고 아름답다.
詩緣情而綺靡. (육기陸機, 『문부文賦』)

사람은 칠정七情을 갖고 태어나서 외부 사물의 자극을 받으면 마음속에 느끼는 바가 있고, 마음속에 느끼는 바가 있으면 생각과 감정을 말로 읊는다. 모든 시는 자연스러운 감정에서 나온다.
人禀七情, 應物斯感, 感物吟志, 莫非自然. (유협, 『문심조룡 · 명시明詩』)

시인여기視人如己

자신을 대하는 것과 같이 타인을 대하다. 중국은 예부터 사상과 유파에 관계없이 '애愛'라는 기본 원칙에서 벗어나지 않았으며, 사람과 사람 간에는 친소와 귀천을 막론하고 기본적인 선의와 동정심을 가져야 한다고 여겼다. 이는 인간관계를 처리하는 중요한 원칙일 뿐 아니라 폭력과 강요에 반대하는 국제원칙으로까지 확대될 수 있다. 공자(B.C. 551~B.C. 479)의 '서도恕道'(자신의 마음으로부터 타인을 헤아림)와 같이, 그 기본 정신은 인애와 평등 및 관용이다.

예)

인애한 사람은 자신을 보듯 타인을 대하며, 관계가 먼 사람도 친밀한 이를 대하듯 한다.

仁人之視人也如己, 待疏也猶密. (갈홍『포박자 · 외편 · 광비廣譬』)

적국에 국상, 기아, 온역이 있을 때에는 병사를 늘리지 않고, 내 백성인 것처럼 그 백성을 아낀다.

敵有喪, 飢, 疫, 不加兵, 愛彼民如己民. (『태평어람太平御覽 · 병부兵部 1 · 서병叙兵』)

마땅히 타인의 불행을 동정하고, 타인의 행복을 즐거워하며, 타인을 곤경에서 도와주고, 위험에서 구해 주어야 한다. 다른 사람이 얻은 것을 보면 마치 자신이 얻은 것처럼 여기고, 그가 잃은 것을 보고 자신이 잃은 것과 같이 여긴다.

宜憫人之凶, 樂人之善, 濟人之急, 救人之危. 見人之得, 如己之得, 見人之失, 如己之失. (이창령李昌齡『태상감응편太上感應篇』)

시중時中

언제든 중용의 도에 부합하다. '시중'이란 말은『예기 · 중용』에서 나왔다. 유가는 '중용'을 행위의 가장 높은 준칙으로 삼고, 과하지도 부족하지도 않게 처신하는 것을 강조한다. 그러나 과함도 부족함도 없다는 기준은 고정불변하는 교조가 아니며 시시때때로 변화한다. 사람들은 구체적인 삶의 상황 하나하나마다 도덕과 예법의 기준을 생각하며, 각 때와 장소마다 '중용'의 준칙, 곧 '시중'의 원칙을 실천해야 한다.

예)

공자가 말하였다. "군자는 중용을 지키며, 소인은 중용을 어긴다. 군자가 중용을 지킴은 언제든 중용의 도에 맞게 행동한다는 것이다. 소인이 중용을 어김은 어떤 거리낌도 없이 행동한다는 것이다."

仲尼曰, "君子中庸, 小人反中庸. 君子之中庸也, 君子而時中. 小人之中庸也, 小人而無忌憚也." (『예기 · 중용中庸』)

시중유화詩中有畵, 화중유시畵中有詩

시 속에 그림의 뜻이 있고 그림 속에 시의 정취가 있다는 뜻. 시와 회화 작품이 표현하는 심미적 의경이 융합되어 상통하는 미학적 효과를 말한다. 이 말은 소식의 『서마힐書摩詰 · 「남관연우도藍關煙雨圖」』에서 처음 등장했다. 회화는 조형예술로 여러 사물의 형상을 통해 화면을 구성해 사람에게 심미적인 느낌을 주며, 시는 언어예술로 문자를 통해 의경을 조성해 사람에게 심미적 느낌을 준다. 전자는 '무성유형無聲有形'의 예술이며 후자는 '유성무형有聲無形'의 예술이다. 이 술어의 목적은 '시'와 '회화'가 서로 스며들고 융합되어 자연스럽고 참신하며 '시정화의詩情畵意'를 지닌 심미적 경계를 창조하는 데 있다. 소식의 이 사상은 후세 문학과 회화 예술의 발전에 깊은 영향을 끼쳤다.

예)

왕유의 시를 음미하면 시 속에 그림의 의경이 있으며, 왕유의 그림을 보면 그림 속에 시의 정취가 있다.

味摩詰之詩, 詩中有畵; 觀摩詰之畵, 畵中有詩. (소식 『동파제발東坡題跋 · 서마힐 「남관연우도」』)

시 속에 그림이 있다 함은 시인의 본래 성정에서 나오는 것이니 시 속의 그림이란 남의 그림을 멋대로 묘사하여 시를 쓴다고 얻을 수 있는 것이 아니다. 그림 속에 시가 있다 함은 당시의 특정한 의경과 정취에서 생겨나는 것으로 그림 속의 시란 어떤 시를 기계적으로 모방해 그림을 그린다고 되는 것이 아니다. 마음속의 식견이 자연과 만나 서로 융화되어 마치 거울이 사물의 모습을 비추어 내듯이 진짜와 같은 것이니, 처음의 뜻이 어찌 여기에 있었겠는가. 지금 사람들은 [이 점을 이해하지 못하므로] 함부로 시화에 범접하려 함을 면치 못하는 것이다.

詩中畵, 性情中來者也, 則畵不是可擬張擬李而後作詩; 畵中詩, 乃境趣時生者也, 則詩不是便生呑活剝而後成畵. 眞識相觸, 如鏡寫影, 初何容心, 今人不免唐突詩畵矣. (석도石濤 『대척자제화시발大滌子題畵詩跋』 권일)

시호諡號

사자에게 추증하는 칭호. 추증의 대상은 보통 황제, 귀족, 대신, 걸출한 관원 등 정치 사회적 지위가 높은 사람이다. 추증하는 칭호는 사자 평생의 사적과 공과를 고도로 개괄하는 말로, 대체로 긍정적인 '미시美諡', 부정적인 '악시惡諡', 동정적인 '평시平諡'의 3종류가 있다. 시호 제도는 중국 전통 정치의 중요한 제도문화로, 사자에 대한 평가를 통해 후세 사람들을 지도하는 역할을 함으로써 정치 및 사회의 질서 유지에 도움을 주었다.

예)
'시'는 지나온 족적에 대한 개괄이고, '호'는 공과에 대한 표현이다.
諡者, 行之迹也. 號者, 功之表也. (『일주서逸周書 · 시법해諡法解』)

시는 존귀함과 비천함을 구별하기 위한 것으로 덕행을 드러낸다.
諡者, 別尊卑, 彰有德也. (『백호통의白虎通義 · 시諡』)

시호의 제도는 악을 벌하고 선을 권하며, 탁함을 몰아내고 맑음을 받아들이기 위한 것이다. 충신과 의사들을 격려하고 난신적자들이 두려움을 알게 한다.
夫諡者, 所以懲惡勸善, 激濁揚清, 使忠臣義士知勸, 亂臣賊子知懼. (『구당서舊唐書 · 우적전于頔傳』)

시화詩話

주로 두 가지 의미를 내포한다. 첫째로 시인詩人, 시작詩作, 시파詩派를 평론하고 시인과 관련된 세상에 드러나지 않은 사실 그리고 고증하여 교정한 관련 저작물을 기록하는 것을 가리키는데, 중국 고대 시학詩學 문헌의 구성요소이다. 시화詩話는 남조南朝 양梁나라 시기 종영鐘嶸(?~518?)의 시품詩品에서 비롯되었는데, 제대로 갖춰진 최초의 시화는 북송

北宋의 구양수歐陽修가 지은 육일시화六一詩話이고 남송南宋의 엄우嚴羽(?~1264)가 지은 창랑시화滄浪詩話가 송나라 시기 최고의 작품으로 후세에 가장 큰 영향을 미친 시화이다. 이후 시화는 시작을 평론하고 시가 창작이론을 발표하는 주요 저작 형식이 되었다. 명청 시기에 시화 작품의 수량이 가장 많은데 그 중 청나라 왕부지王夫之(1619~1692)의 강재시화姜齋詩話와 원매袁枚(1716~1798)의 수원시화隨園詩話가 가장 큰 성과를 거두었다. 명청 시기 역대시화歷代詩話, 역대시화속편歷代詩話續編, 청시화淸詩話 등이 간행되었는데, 이는 역대 중요한 저작의 모음집이다. 시화의 일반적으로 엄밀한 이론 체계를 추구하지 않고 주로 평론가의 세밀한 깨달음을 특징으로 하며 짧은 문구로 시가 창작 속에서의 구체적인 문제 혹은 예술적 규율에 대해 자신이 느낀 바와 의견을 제시한다. 시화는 문학성과 문학감상의 가치가 높다. 중국 시화는 뚜렷한 문화적 특색으로 인해 서양의 사변적인 문학이론 체계 구성 및 과학적으로 엄밀한 언어적 표현과 구별된다. 둘째, 중국 고대의 일종의 설창說唱예술을 가리킨다. 설說과 창唱이 있고 운문과 산문이 병용되며 운문은 칠언七言 시찬詩贊 형식을 많이 띠며 창에 사용된다. 산문은 즉 화話인데 설에 사용된다. 현존하는 가장 오래된 작품은 송원宋元 시기 간인된 대당삼장취경시화大唐三藏取經詩話이다.

예)

시화의 효용은 시가詩歌의 문법을 분석하고 고금古今 간의 변화를 세밀히 서술하며 조정朝廷의 盛德을 기록하고 기문奇聞과 세상에 드러나지 않은 사실을 기록하고 창작에 있어서의 착오를 변증하기 위함이다.

詩話者, 辨句法, 備古今, 紀盛德, 錄異事, 正訛誤也. (허의許顗『언주시화彥周詩話』, 견허문환집見何文煥輯『역대시화歷代詩話』)

시화의 근원은 종영의 시품에서 온 것이다.

詩話之源, 本於鍾嶸≪詩品≫. (장학성章學誠『문사통의文史通義 · 시화詩話』)

식서지도識書之道

서예 예술을 감상하는 비결을 가리킨다. 남조 승건왕王僧虔(426~485)과 당대 장회관張懷瓘 등이 주장했다. 서예를 감상할 때는 정신 기운을 가장 중요한 표준으로 삼으며 서예의 필묵 형식은 그 다음이다. 그들은 풍채와 웅건한 필세를 갖춘 서예를 상품으로 보았고 아름다운 형체와 기능의 목적을 가진 서예를 하품으로 보았다. 이 관념은 중국 고대 서예의 주류적인 감상 표준을 대표한다.

예)

서예를 깊이 통달한 사람이 주로 관찰하는 것은 작품에 내재된 기운이지 외부적인 글자의 형태가 아니다. 만약 서예의 기품과 의도를 통찰한다면 작품의 모든 측면을 다 명확하게 보는 것으로 통달하지 못할 것이 무엇이 있겠는가?

深識書者, 惟觀神彩, 不見字形. 若精意玄鑑, 則物無遺照, 何有不通? (장회관, 『문자론文字論』, 장언원張彦遠의 『법서요록法書要錄』 4권 수록)

지혜는 한계가 없고 법도는 원래 고정할 수 없는 것이다. 서예 작품 중 고상한 운치, 멋, 근골(근육과 뼈), 기세 등의 품격을 갖춘 것을 상품으로 치고, 외형의 화려함을 추구하고 기능적 목적을 가진 것은 하품으로 친다.

智則無涯, 法固不定, 且以風神骨氣者居上, 妍美功用者居下. (장회관, 『서의書議』, 장언원의 『법서요록』 4권 수록)

식識

해당 자字의 표면적인 뜻은 이해, 인식, 식견이며 불교에서 주로 의식의 기능을 가리킨다. 이 단어의 특수한 효용으로 인해 평범한 사람들의 세계에 대한 인식에 편차가 생겨나 고통을 초래했으며, 이러한 상태를 변화시키기 위해서는 의식부터 손을 대야 한다. 유심唯識學(Cittamātra)은 세간의 일체를 의식 자체의 태態로 여겼고 보통 유심주의로 간주된다. 그 의식의 내부는 최소 견분見分과 상분相分으로 나뉘는데, 이는 즉 볼 수 있는 것과 보이는 것이라는 두 부분으로, 외재 세계가 존재하지 않는 전제하에서 인식 활동의 기본 조건을 제공할 수 있다. 그 중 특정 인식대상에 근거해 다시 여덟 가지 인식으로 나눌 수 있다. 눈, 귀, 코, 혀, 몸, 뜻이라는 여섯 가지를 색, 소리, 향, 맛, 감촉, 법을 대상으로 삼는 의식 이외에도 마나스식Manas와 아뢰야식Alaya도 있다. 일곱 번째인 마나스식은 늘 생각하는 기능을 가리키는데 한 편으로는 여섯 번째 의식에 근거를 제공하고 다른 한 편으로는 아뢰야식을 늘 실제로 존재하는 자아로 유지한다. 그리고 여덟 번째 아뢰야식은 업력業力의 씨앗을 내포하고 있어서 모든 의식 기능이 오염에 처해 있는 상태에서 존재할 수 있도록 해 주며, 이와 동시에 그 자체의 정결한 본질은 변하지 않는다. 아뢰야식의 이러한 오염과 정결함이 동체인 문제를 해결하기 위해 섭론종攝論宗은 아홉 번째로 아마라식Amala-vijñāna을 별도로 제시했는데, 이는 청정식淸淨識으로 진眞(참)과 망妄(거짓)으로 나뉜다.

예)

의식은 수없이 다양한 형태로 변할 수 있으나 변화를 일으킬 수 있는 의식의 기능은 세 가지로 한정된다. 첫째는 인과응보로 여덟 번째 의식을 가리키는데 왜냐하면 이는 본질상 대부분이 인연이 다를 때 무르익는 결과이기 때문이다. 두 번째로는 고려함으로 일곱 번째 의식인데 왜냐하면 이는 늘 깊이 생각하고 측정하기 때문이다. 셋째는 객체를 인식하고 분별하는 것이며 앞서 언급된 여섯 가지 의식인데 왜냐하면 이들은 감각 인식의 대상을 구별할 수 있기 때문이며 여섯 가지 상이한 형식을 나타날 수 있다 하더라도 사실은 동일한 하나의 기능이다.

識所變相(xiàng)雖無量種, 而能變識類別唯三: 一謂異熟, 即第八識, 多異熟性故; 二謂思量, 即第七識, 恆審思量故; 三謂了境, 即前六識, 了境相粗故, 及言顯六, 合為一種. (『성유식론成唯識論』권이卷二)

신교身教

행동으로써 타인을 가르침. 말로 가르치는 것과 상대적인 개념이다. 본래 집정자가 간단한 명령으로 시행하고 말로 가르치는 것에 만족해서는 안되며 실천으로써 백성에게 도덕적 본보기가 되어 사회를 다스리는 목표를 달성해야 함을 가리켰다. 인치人治 사상과 서로 통한다. 이후 중요한 교육 이념이 되었다. 교사는 말로 지식을 전하고 학생을 가르칠 뿐 아니라 더욱이 자신의 행동을 통해 학문을 하고 덕을 수양하는 부분에서 학생의 본보기가 되어 더욱 효과적으로 학생을 감화시켜 정해 둔 교육 목표를 실현해야 한다. 이신작칙以身作則(스스로 본보기가 되다) 및 위인사표爲人師表(타인에게 본보기가 되는 선생이 되다)라고도 한다.

예)

공자가 말했다. 집정자는 스스로 행위를 단정히 해야 하며 명령을 내리지 않고도 일을 실행할 수 있어야 한다. 스스로 품행이 단정하지 않으면 아무리 여러 번 명령을 내려도 백성이 청종하지 않는다.

子曰: "其身正, 不令而行; 其不正, 雖令不從." (『논어論語 · 자로子路』)

백성을 교화하는 것이야말로 올바른 풍조를 만드는 것이며 이 때 솔선수범만큼 좋은 방법이 없다.

化民成俗之道, 除卻身教, 再無巧術. (여곤呂坤『신음어呻吟語 · 치도治道』)

말로 가르치는 것은 행동으로 가르치는 것만 못하다.

言教不如身教. (『명사明史 · 탕개원전湯開遠傳』)

신독愼獨

유가의 도덕 수양 방법이다. '신독'에는 두 가지 의미가 있다. 첫째는

'독'을 홀로 지낸다고 해석한 것이다. 사람이 홀로 있으면서 누구의 감시도 받지 않을 때 방종하기 쉽다. '신독'은 홀로 있을 때 자신의 행동에 조심스럽고 스스로 도덕과 예법을 준수해야 한다는 뜻이다. 둘째는 '독'을 마음이 진실한 상태로 이해한다. 사람이 언행으로 드러나는 부분에서는 도덕, 예법에 부합하더라도 마음속으로는 도덕, 예법에 대한 인식과 추구가 없을 수 있다. '신독'은 마음으로 수양하여 마음과 도덕, 예법이 요구하는 언행이 서로 일치하는 것이다.

예)

그러므로 군자는 보기 전부터 경계하고 삼가며 듣기 전부터 두려워하고 조심한다. 어두운 곳보다 더 잘 드러나는 것은 없고 작은 것보다 더 분명하게 보이는 것은 없다. 그러므로 군자는 혼자만 아는 자기 마음속을 신중하게 살핀다.

是故君子戒愼乎其所不睹, 恐懼乎其所不聞. 莫見乎隱, 莫顯乎微, 故君子愼其獨也. (『예기禮記 · 중용中庸』)

이를 두고 안에서 성실하면 밖으로 드러난다고 하니 군자는 반드시 홀로 아는 마음속 생각을 신중하게 살펴야 한다.

此謂誠於中, 形於外, 故君子必愼其獨也. (『예기禮記 · 대학大學』)

신사명변愼思明辯

신중히 생각하고 명확하게 분별한다. 고대에 사람이 성장할 때 다섯 단계를 거친다고 여겼다. 박학, 널리 배우는 단계에서 정보를 수집하고 지식을 체득한다. 심문, 자세하고 빠짐없이 질문하는 단계에서 문제를 제시하고 의문을 해결한다. 신사, 신중하고 주도면밀하게 생각하는 단계에서 지식을 정리하고 이치에 통달한다. 명변, 명확하게 분별하는 단계에서 개념을 형성하고 결론을 내린다. 독행, 착실하게 실행에 옮기는 단계에서 인식한 것을 실행에 옮기며 성품이 형성된다. 다섯 단계는 크게 학습, 사고, 실천 세 가지 측면으로 요약될 수 있다. 여기서 '신사명변'은 사고하는 단계, 학습과 실천의 중간 단계에 속한다. 다시 말해 학습과 사고, 학습과 실천은 서로 영향을 주는 관계이다. 사고는 학습의 심화와 확장이면서 실천의 길잡이로 학습에서 실천으로 넘어갈 수 있게 하는 관건이다.

예)

널리 배우고, 자세히 묻고, 신중히 생각하고, 명확하게 분별하고, 착실하게 실행해야 한다.

博學之, 審問之, 愼思之, 明辨之, 篤行之. (『예기禮記 · 중용中庸』)

신사神思

문예 창작 과정 중의 정신 상태이다. 작가가 충만한 감정의 발동으로 시공의 제약을 뛰어넘어 자유로운 상상이나 특수한 영감의 상태에 진입해 특정한 예술적 형상과 언어로 아름답고 자연스러운 작품을 창작해내는 것을 뜻한다. 이 용어는 위진남북조의 문예이론에서 광범위하게 쓰였으며 남조의 유협은 『문심조룡』에서 이에 대해 따로 전문적으로 서술했다. '신사'는 문예 창작 중의 독특한 심리 활동으로서 다른 인식 활동과 구별된다.

예)

옛날 사람이 말하길, "몸은 민간에 있지만 마음은 조정을 생각하고 있다."라고 했다. 여기서 말하는 것이 바로 '신사'이다. 글을 쓸 때의 상상과 생각을 뜻하며 신기하게도 시공을 초월할 수 있다.

古人云: "形在江海之上, 心存魏闕之下." 神思之謂也. 文之思也, 其神遠矣. (유협, 『문심조룡 · 신사』)

글을 쓰는 원칙은 신사에서 비롯되며 사람의 만물에 대한 느낌은 흔적이 없고 변화가 무궁무진하다.

屬文之道, 事出神思, 感召無象, 變化不窮. (소자현蕭子顯, 『남제서南齊書 · 문학전론文學傳論』

신信

신信의 기본 의미는 약속을 지키고 속이지 않는 것이다. '신'은 사람이 사회의 일원이 되기 위해 지켜야 하는 기본적인 도덕이다. 신용을 지키는 것은 도의의 원칙에 부합해야 하는데, 만약 도의에 어긋나는 일을 약속했다면 맹목적으로 이행할 수만은 없다. 유가는 특별히 '신'의 두 가지 측면을 강조했다. 첫째, 통치자는 백성에 대한 약속을 지켜야 하며, 그래야만 백성들이 법령을 믿고 따를 수 있다. 둘째, 친구 사이에는 신의를 지키고 속임이 없어야 한다.

예)

공자께서 말씀하셨다. 사람이 만약 신용이 없다면 그것이 괜찮은지 모르겠다. 큰 수레에 끌채 걸이가 없고 작은 수레에 멍에가 없다면 그것이 어떻게 갈 수 있겠는가?

子曰: "人而無信, 不知其可也. 大車無輗, 小車無軏, 其何以行之哉?"(『논어 · 위정爲政』)

맹자께서 말씀하셨다. '덕행 있는 자는 자신의 말을 반드시 지키지 못하기도 하고, 행동에 반드시 결과가 있지도 않다. 오직 의에 따라 행할 뿐이다.

孟子曰: "大人者, 言不必信, 行不必果, 惟義所在."(『맹자 · 이루 하』)

신神

'신'은 4가지 서로 다른 함의가 있다. 첫째, 인격을 갖춘 신령으로서 초인적인 능력을 가졌다. 천지, 산천, 해와 달, 별 등 자연 사물에는 모두 신령이 있으며 사람이 죽은 뒤의 영혼도 신령이 될 수 있다. 둘째, 사람의 정신을 가리킨다. 도교에서는 '신'이 사람의 생명을 주재한다고 생각해서 '신'을 보존하고 수련하는 것이 불로장생의 열쇠라고 주장한다. 셋째, 음양의 상호작용으로 발생하는 천지 만물의 미묘하고 예측하기 어려운 변화를 가리킨다. 이런 의미일 때 '신'은 항상 '화化'와 나란히 쓰여 '신화'라고 불린다. 넷째, 사람이 가진 신묘하고 가늠하기 어려운 생명의 경지를 뜻한다.

예)

나라가 장차 흥성할 것 같으면 민의를 따르고 나라가 장차 망할 것 같으면 신령을 따른다.

國將興, 聽於民; 將亡, 聽於神. (『좌전 · 장공莊公 32년』)

기에는 음양이 있는데 음양의 운행이 점차 진전된 것을 '화'라 하고 음양이 합쳐져 가늠할 수 없게 변화된 것을 '신'이라 한다.

氣有陰陽, 推行有漸爲化, 合一不測爲神. (장재張載, 『정몽正蒙 · 신화神化』)

성스러운 덕이 신묘하고 가늠할 수 없는 경지에 이른 것을 '신'이라 한다.

聖而不可知之謂神. (『맹자 · 진심하盡心下』)

신언불미信言不美, 미언불신美言不信

믿음직한 말은 아름답지 않고 아름다운 말은 믿음직하지 않다는 뜻이다. 노자는 당시 사회의 기풍과 문풍이 화려하고 형식적인 것을 감안해 진실하고 소박하며 자연스러운 생활 방식과 문학 풍격을 제창했다. 또 위진 시대의 문인들도 소박함과 자연스러움을 숭상하고 겉만 번드르르한 창작 기풍에 반대하여, 도연명처럼 위대한 시인이 출현하고 문예 창작도 진실하고 자연스러운 사상과 풍격을 중시했다. 그 후로 중국 고대 문예는 소박함과 자연스러움을 최고의 미학적 경지로 삼았다.

예)

믿음직한 말은 아름답지 않고 아름다운 말은 믿음직하지 않다. 선한 사람은 보통 말을 잘 못하고 말 잘하는 사람은 보통 선하지 않다.

信言不美, 美言不信. 善者不辯, 辯者不善. (『노자 · 81장』)

노자는 허위를 싫어해서 "믿음직한 말은 아름다지 않다"고 말했다. 하지만 그가 쓴 『도덕경』 5천 자는 사상이 깊고 문필이 아름다워서 그가 글의 아름다움을 배제하지 않았음을 알 수 있다.

老子疾僞, 故稱"美言不信", 而五千精妙, 則非棄美矣. (유협, 『문심조룡 · 정채』)

신여물유神與物遊

문예창작에서 사람의 정신이 외부의 사물과 융합되며 자유로이 뻗어나가는 구상 활동을 말한다. 이러한 구상 활동에서는 한편으로는 사람의 정신 감각과 상상이 객관적인 사물에 투사되어 객관 사물이 심미적 색채를 가지게 하며, 다른 한편으로는 허무맹랑한 정신 감각과 상상조차도 객관 사물을 빌려 표현되고 나타나게 된다. '신'과 '물'이 자유로이 융합하여 시간과 공간의 한계를 초월해 예술적인 형상을 형성한 후에 언어의 표현을 거쳐 아름답고 오묘한 문예작품을 탄생시키는 것이다. 이 술어는 『장자』의 '승물이유심乘物以遊心'(마음 가는 대로 사물의 흐름에 맡기고 유유히 노닐다)에서 유래했는데 나중에 남조 시대 유협의 『문심조룡』 계통을 거쳐 상세히 설명되고 '신사神思'라는 술어에 대한 개괄적인 논술로서 형성되어 예술 구상 과정에서의 정신과 사물의 융합 및 자유로운 상상이라는 특징을 강조하였다. 이 술어는 예술창작에서의 구상 활동을 설명하였을 뿐만 아니라 문예창작에 있어 심미적 심리와 창작의 자유라는 특징을 심도 있게 개괄하였다.

예)

글을 쓰기 시작할 때는 반드시 듣고 보는 모든 활동을 멈추고 정신을 집중해 널리 탐색하여 정신이 팔방의 지극히 먼 곳까지 내달리게 하고 마음이 만 길 높이까지 비상하도록 해야 한다. 극치에 이르렀을 때 감정은 몽롱한 상태에서 점차 밝게 깨어날 것이며 사물의 모습도 이에 따라 뚜렷해져 눈앞에 번갈아 나타날 것이다.

其始也, 皆收視反聽, 耽思傍訊. 精騖八極, 心遊萬仞. 其致也, 情曈曨而彌鮮, 物昭晰而互進. (육기陸機『문부文賦』)

따라서 글을 구상하는 것의 기묘한 점이란 즉 생각과 상상을 외재 사물과 자유로이 연결하여 융합시킬 수 있다는 것이다. 생각과 상상은 마음속에 잠재되어 사람의 감정과 기질이 이를 주재하며, 외재 사물은 청각과 시각을 통해 인식되나 이를 표현할 때는 언어로써 표현된다.

故思理爲妙, 神與物遊. 神居胸臆, 而志氣統其關鍵; 物沿耳目, 而辭令管其樞機. (유협『문심조룡 · 신사神思』)

신운神韻

문학예술작품의 우아하고 고상한 함의와 여운을 뜻한다. 본래는 인물의 모습과 풍모를 평가하는 말로, 위진 시대 사람들은 한나라 때 사람들이 외형을 중시한 것과는 달리 인격의 아름다움은 내재된 정신과 기운에 있다고 보았기에 이러한 말을 썼다. 이 개념은 나중에 서화 이론에 유입되어 작품에 내재된 정신적 여운을 가리키게 되었다. 명나라 때 사람들은 서화 이론을 시가 이론에 도입하여 '신운'이 시의 풍격에 대한 요소가 되도록 하였다. 청나라 때의 왕사정王士禛은 '신운설'을 확대 발전시킨 인물로 그는 특별히 이상적인 시들을 선택해『당시신운집唐詩神韻集』을 엮음으로써 자신의 심미적 취향을 자세히 밝혔다. 그는 또한 시가 이론 저작에서도 이 사상을 강력히 제창하며 독특한 특색을 가진 자신의 시가 예술의 심미적 체계를 구축하였다. 이로써 '신운설'이 완전히 형태를 갖추어 최종적으로 청나라 시학의 큰 유파 중 하나가 되었다.

예)

좋은 시는 얼굴을 스치는 맑은 바람이나 흘러가는 큰 강물처럼 마치 시구 속에 신운이 흐르는 듯한 시이다.

詩之佳, 拂拂如風, 洋洋如水, 一往神韻, 行乎其間. (육시옹陸時雍『시경·총론 詩鏡·總論』)

내가 당 말기와 오대 때 시인의 작품을 읽어 보았는데 격조가 낮고 용속하며 기세가 왕성하지 못하여 개원開元과 원화元和 연간의 호방한 풍격이 없을 뿐만 아니라 신운과 흥상興象의 절묘함 면에서도 심지어 진陳나라나 수나라가 쇠퇴하던 시기의 시들의 백분지 일에도 미치지 못했다.

予嘗觀唐末五代詩人之作, 卑下鬼瑣, 不復自振, 非惟無開元, 元和作者豪放之格, 至神韻興象之妙以視陳隋之季, 蓋百不及一焉. (왕사정『매씨시략서梅氏詩略序』)

신이전신信以傳信, 의이전의疑以傳疑

믿을만한 것은 믿을만한 대로 전하고, 불확실한 것은 불확실한 대로 전하다. 『곡량전穀梁傳』에 등장한다. 중국 고대사 편찬과 사학 연구의 전통을 보여주고 있으며, 역사방법론의 의미를 지닌다. 그 의미는 다음과 같다. 역사 연구와 저술은 문헌 자료에 의거해야 하고, 문헌 자료와 선인의 말이 서로 다르다면 객관적이고 신중한 태도를 취해야 한다. 사료를 존중하고, 주관적이고 근거 없는 판단은 피해야 한다. 확신할 수 있다면 판단을 내리되, 확신할 수 없거나 논쟁의 여지가 있다면 의문점을 남겨둔다. 이러한 방법론은 중국의 '양사良史' 이념의 구체적인 실천으로, 과학사학의 정신을 내포하고 있다.

예)

『춘추』의 저술 원칙은 믿을만한 것은 믿을만한 대로, 불확실한 것은 불확실한 대로 전하는 것이다.

『春秋』之義, 信以傳信, 疑以傳疑. (『곡량전穀梁傳 · 환공 5년』)

신종여시慎終如始

마무리 지을 때도 시작할 때처럼 신중해야 한다. 일을 할 때 시종일관 조심하고 신중해야 함을 의미한다. 일의 성패를 결정짓는 요소는 매우 많은데 주관적인 부분에서 보면 성공은 많은 경우 사람의 신중함과 꾸준함에 달려 있고 실패는 종종 사람의 경솔함과 포기에서 비롯된다. 일이 곧 완성될 시기에는 더욱이 좋은 방향으로 나아갈 때에는 사람의 마음이 해이해지기 가장 쉽고 이에 누락이 생겨나며 다된 죽에 코가 빠지게 되기 때문에 신慎을 필히 강조해야 한다. 성誠은 열심히 그리고 신중히 자기가 맡은 일을 대함을 뜻한다.

예)

사람이 일을 행할 때 보통 성공에 가까워졌을 때 실패한다. 일을 마무리할 때에는 시작할 때처럼 신중해야 일을 그르치지 않는다.

民之從事, 常於幾成而敗之. 慎終如始, 則無敗事. (『노자老子 · 육십사장六十四章』)

일을 행하기 전에는 반드시 심사숙고하고 반복해서 성실하고 공경해야 한다고 스스로를 일깨워야 하며 마무리할 때에는 시작할 때처럼 신중하며 시종일관해야 하는데, 이것이 성공에 이르는 확실한 방법이다. 어떤 일을 행하든지 성공은 반드시 성실과 겸양에서 비롯되고 실패는 반드시 오만함과 경솔함에서 비롯된다.

慮必先事, 而申之以敬, 慎終如始, 終始如一, 夫是之謂大吉.凡百事之成也, 必在敬之; 其敗也, 必在慢之. (『순자荀子 · 의병議兵』)

신종추원慎終追遠

엄숙하게 장례를 치르고 먼 조상을 추모하다. 증자는 '신종추원'의 태도로 사자를 대해야 한다고 주장했다. 사자의 죽음에 뒤이어 사람들은 그의 존재, 자신에게 주었던 애정과 영향을 쉽게 잊어버리게 된다. '신종'은 사람들로 하여금 상례의 예절을 엄숙히 지켜 사자에게 진심으로 애도를 표하도록 한다. '추원'은 예에 따라 먼 조상에게 제사를 지냄으로써 그 은정과 덕행, 공적을 회고하게 한다. 증자는 '신종추원'의 방법이 사람 사이의 정을 두텁게 한다고 믿었다.

예)

증자가 말했다. "상례를 엄숙히 치르고 먼 조상을 추모하면 백성의 덕이 두터워진다."
曾子曰, "愼終追遠, 民德歸厚矣." (『논어 · 학이學而』)

실사구시實事求是

사물의 실제 상황에 근거해 문제에 정확히 대응하고 처리한다는 뜻. 본래는 옛사람들이 학문을 할 때 사실을 중시하고 이로써 정확한 견해와 결론을 구하여 얻음을 뜻했다. 나중에는 주로 실제 상황에 의거해 사고하고 표현하며 사실적이고 정확한 자세로 문제를 대하고 처리하는 것을 가리키게 되었다. 이는 사유 혹은 인식 방법론에 관한 원칙이자 사람으로서의 기본적 태도 혹은 윤리적 품행이다. 그 기본 이념은 진리를 추구하고 성실함과 효용을 강조하는 것이다.

예)

하간 헌왕 유덕은……학문을 연구하고 옛것을 좋아하며 실증을 중시하여 [사실적 근거를 충분히 파악한 후에] 정확한 견해를 구하여 얻었다.
河間獻王德……修學好古, 實事求是 (『한서 · 경십삼왕전景十三王傳 · 하간헌왕덕河間獻王德』)

실상實相

만물이 실제와 같은 상태를 가리킨다. 불교는 실유론實有論을 반대하면서 진실에 대한 인식을 제공해야 하므로 불교의 참됨은 실제와도 같은 상태이지 실제 존재하는 사물은 아니라고 대략적으로 기술한다. 실상實相이라는 관념은 대승불교에서 중시되는데, 대승불교는 실상을 존재의 공허로 정의 내린다. 존재의 내재적 본성은 이해할 수 없어서 실상으로 삼을 수 있는 내용도 없으며 실상을 지혜자智者가 관찰할 수 있는 실제라고 지칭할 수 있을 뿐이다.

예)

진품 보석을 예로 들어 보자. 노란 물질이 안에 있다면 노란빛을 띨 것이고 청색, 적색, 백색이 안에 들어있다면 모두 그 색에 따라 수정의 빛깔이 변한다. 사람의 의식 또한 이와 같아서 보통 사람의 의식은 망상으로 인해 사물의 각각 다른 형상의 상태만 볼 수 있다. 만약 제법諸法(우주에 있는 모든 유형, 무형의 모든 사물)의 실제와 같은 상태를 이해한다면 절대적인 공空도 아니고 불공不空도 아니며 참된 존재도 참된 존재가 아닌 것도 아니다. 불법佛法의 가르침을 깊이 이해하고 뒤로 물러나지 않으며 어떤 것에도 집착하지 않는다면 해탈로 이끄는 심오한 뜻을 받아들일 능력을 얻게 된다.

譬如真水精, 黃物著中則隨作黃色, 青, 赤, 白色皆隨色變.心亦如是, 凡夫人內心想智力故, 見諸法異相.觀諸法實相, 非空非不空, 不有非不有.是法中深入不轉, 無所罣(guà)礙, 是名度深法忍.(『대지도론大智度論』권오卷五)

심동리동心同理同

'인동차심, 심동차리人同此心, 心同此理'의 줄임말이다. 남송 심학心學의 대가 육구연陸九淵(1139~1193)이 제시한 용어이다. 육왕심학陸王心學은 사람에게 내재된 심령과 외재하는 우주가 동등한 가치를 갖고 있고, 진리는 시공을 초월하며, 심心과 도道는 전 인류에게 공통된 것이라고 주장했다. 사람이라면 동서고금을 막론하고 동일한 가치관과 동일한 진리 및 도덕적 인식을 공유하며, 인류의 정체성은 곧 여기에 기초한다. 명말청초明末清初 이후, 중, 서 문화 간 대규모 교류에 따라 심동리동의 관념은 동서양 학술문화의 공통점과 차이점을 이해하는 데 사용되었다. 이 관념에 기초하여, 서방에서 들어온 신지식은 비록 형식상 중국의 기존 지식체계와 차이가 있지만 근본 사상은 서로 맞닿아 있다고 여겨졌다.

예)

수천 세대 전에 성인이 나왔고, 그 마음과 이치는 현재와 동일하다. 수천 세대 후 성인이 나오더라도 그 마음과 이치는 현재와 동일할 것이다.

千百世之上, 有聖人出焉, 此心同也, 此理同也; 千百世之下, 有聖人出焉, 此心同也, 此理同也. (양간楊簡 『상산선생행장象山先生行狀』)

또한 지혜를 얻기 시작한 뒤 사람의 마음과 이치는 모두 같고, 후에 생겨난 것이 우세해져도 역시 모르는 사이에 옛것과 같은 부분이 있을 것이며, 옛사람을 초월하는 부분도 반드시 있을 것이다.

且智慧旣開以後, 心理同而後起勝, 自亦必有冥合古法之處, 且必有軼過前人之處. (장지동張之洞 『권학편勸學篇 · 회통會通』)

심술心術

마음이 작동하는 규칙. 관자管子, 순자荀子, 예기禮記 등의 전적典籍에서 처음 쓰였다. 옛사람들은 마음의 작용이 발휘하는 것은 일정한 규칙을 준수한다고 생각했으며 이 규칙은 심술心術이라고 불린다. 그러나 각 사상 유파마다 심술의 구체적인 내용에 대한 인식이 다르다. 심술은 마음이 오관을 지시하는 원칙을 가리키기도 하고 마음과 바깥 사물 간의 교제, 외부 사물을 인식하는 방식 혹은 태도 또한 가리킨다.

예)

마음은 인체 속에서 군주처럼 군주의 위치를 점하고 있다. 구혈(눈, 코, 귀, 입, 항문, 요도 등의 인체에 있는 아홉 개의 구멍)은 각자의 직분이 있으며 마찬가지로 모든 벼슬

아치百官가 각자의 직분이 있다. 만약 마음에 욕망이 있다면 사물이 눈앞에 지나가도 보이지 못할 것이고 소리가 귓가에 닿아도 듣지 못할것이므로 다음과 같이 이른다. "신분이 높은 사람이 원칙을 어기면 신분이 낮은 사람은 직분을 등한시한다." 따라서 마음이 작동하는 규칙은, 무엇을 행하지 않으면서도 구혈을 제어하므로 군주라고 부르는 것이다.

"心之在體, 君之位也; 九竅之有職, 官之分(fèn)也." 耳目者, 視聽之官也. 心而無與於視聽之事, 則官得守其分矣. 夫心有欲者, 物過而目不見, 聲至而耳不聞也, 故曰: "上離其道, 下失其事." 故曰心術者, 無為而制竅者也, 故曰君. (『관자管子 · 심술상心術上』)

백성이 혈기가 있어 마음속으로 지각하는 본성이 있다 하더라도 희노애락이라는 정서의 표현이 안정적이지 못하다면 그에 따라서 외부 사물의 자극에 마음이 움직이므로, 이에 마음이 움직이는 경로가 드러난다.

夫民有血氣心知之性, 而無哀樂喜怒之常, 應感起物而動, 然後心術形焉. (『예기禮記 · 악기樂記』)

심心

'심'은 사람의 감정, 인식, 가치의 기초이며 생명의 주재자이다. 눈, 코, 귀, 입 등이 수동적으로 외부 사물을 감지하는 것과 달리, '심'은 사고 능력을 갖고 있어 감관이 얻은 자료를 분별하고 정리해 인식과 도덕적 판단을 수행할 수 있다. 맹자는 '심'이 사단四端, 즉 측은惻隱, 사양辭讓, 수오羞惡, 시비是非라는 4가지 면모를 갖고 있으며 도덕적 실천의 핵심은 인간 고유의 선한 마음을 보존, 확충하는 것이라고 주장했다. 도가는 허정虛靜이 마음의 근본 상태로서 정지된 물과 같으며 여기에서 천지 만물의 본원을 파악할 수 있다고 생각했다.

예)

귀와 눈 같은 기관은 사고를 못하고 외부 사물의 표상에 가려진다. 귀와 눈은 외부 사물과 접촉하면 그것에 이끌릴 뿐이다. '마음'이라는 기관은 사고를 할 수 있으며 사고를 하면 얻는 것이 있고 사고를 안 하면 얻는 것이 없다.

耳目之官不思, 而蔽於物. 物交物, 則引之而已矣. 心之官則思, 思則得之, 不思則不得也. (『맹

자 · 고자상告子上』)

마음은 인체의 주재자다.
心者, 一身之主宰. (『주자어류』 5권)

심열성복心悅誠服

마음으로 기뻐하며 진심으로 따르다. '심열성복'은 덕으로 타인을 감복시킨 결과 혹은 표현이다. 맹자는 타인이 자신을 따르게 하려면 강제적인 수단에 의지해서는 안 되며 자신의 도덕 수양을 높임으로써 이루어야 한다고 주장했다. 만약 누군가 숭고한 인품을 가지고 있다면, 다른 사람은 그의 덕행에 대해 인정하고 기꺼워하면서 자연스럽게 덕 있는 사람의 사상이나 정치적 주장을 따르게 될 것이다.

예)
강제로 타인을 굴복시키면 그들은 진심이 아니라 힘이 모자라서 따르는 것이다. 덕으로 사람을 감복시키면 마음으로 기뻐하며 진심으로 따르니, 칠십여 명 제자가 공자를 따랐던 것과 같다.
以力服人者, 非心服也, 力不贍也; 以德服人者, 中心悅而誠服也, 如七十子之服孔子也.(『맹자 · 공손축 상』)

심음지정審音之政

음악을 주의해 들음으로써 한 국가의 정치 및 교화된 상태를 이해하다. 유가적 문예관을 잘 드러내고 있는 용어이다. 유가에서는 음악이 마음의 소리로 사람의 감정과 느낌을 전달할 수 있으며, 그러므로 국가의 정치가 청렴한지, 백성의 생활은 풍족한지, 사회 풍토가 순박한지 종종 음악을 통해 표현된다고 주장했다. 『좌전左傳』에는 춘추 시기 오나라 공자 계찰季札이 노나라에 사절로 갔을 때, 노나라 사람이 서로 다른 제후국 혹은 지방의 음악을 연주하는 것을 보고 이에 근거하여 음악 가운데 보이는 각국의 치정 상태를 평가하였다고 적고 있다. 아마도 이것이 심음지정의 기원일 것이다. 이 사상은 진한 시기에 생겨나 예술과 정치의 경계를 지웠고, 예술적 심미 활동을 사회 및 현실 생활로 연장하여 정교政教를 근본으로 하는 유가적 문예관의 특징을 구현해냈다. 이 사상으로 인해 중국 고대의 문예이론은 농후한 정치논리적 색채를 띄게 되었다.

예)

그래서 세상이 잘 다스려질 때의 음악은 평안하고 즐거우니, 이는 그 정치가 평화롭기 때문이다. 난세의 음악은 원한과 분노가 서려 있고, 이는 그 정치가 혼란한 까닭이다. 망국 시기의 음악은 애통하며 걱정스러우니, 이는 그 백성이 곤고하기 때문이다. 음악이 반영하는 도리는 그 나라의 정치와 맞닿아 있다.

是故治世之音安以樂, 其政和; 亂世之音怨以怒, 其政乖; 亡國之音哀以思, 其民困. 聲音之道, 與政通矣. (『예기 · 악기』)

심재心齋

마음이 완전히 비고 고요한 상태로 들어감. '심재'는 『장자莊子 · 인간사人間世』에 나오며 책에서는 공자의 입을 빌려 안회에게 '심재'의 의미를 설명한다. 장자는 귀와 마음이 외부의 사물을 감지할 때, 나와 너, 옳고 그름의 구별이 생긴다고 여겼다. 기氣는 텅 비고 고요한 것으로 만물 속에 있으나 만물과 구별되거나 충돌하지 않는 것이다. 그래서 마음을 기와 같이 비워서 바깥의 사물과 접하되 그것과 분별되거나 대립되지 않게 해야 한다. 마음이 사물의 바깥에 동떨어져서 사물의 제한과 영향을 벗어버리는 것이 바로 '심재'이다.

예)

안회가 물었다. "심재란 무엇입니까?" 공자가 대답했다. "뜻이 한결 같은 것으로 귀로 듣지 않고 마음으로 깨달으며, 마음으로 깨닫지 않고 기氣로 느끼는 것이다. 귀의 작용은 외부의 사물을 듣는 데서 그치고 마음의 작용은 사물과 조화되는 데서 그친다. 기란 즉 비어서 외부의 사물을 받아들일 수 있는 것이다. 도는 텅 빈 기에만 모일 수 있으니 비고 고요한 마음이 바로 '심재'이다."

回曰: "敢問心齋." 仲尼曰: "若一志, 無聽之以耳而聽之以心, 無聽之以心而聽之以氣! 聽止於耳, 心止於符. 氣也者, 虛而待物者也. 唯道集虛, 虛者, 心齋也." (『장자莊子 · 인간세人間世』)

심지心知

마음에 바탕을 둔 인식 활동. 마음에 대한 이해, 마음과 외부 사물의 관계에 대한 사람들의 이해가 달랐기 때문에 '심지'에 대한 인식도 다양하다. 어떤 사람은 사람이 마음의 작용을 통해 일상의 윤리 도덕을 인식하고 그것이 마음에 내재한 요구가 되게 해야 한다고 강조한다. '심지'는 인간이 도덕 행위와 윤리적 생활을 실천하기 위한 필수 조건이다. 인간의 마음은 자주 가로막히거나 불안정한 상태에 빠지기 때문에 마음을 잘 배양하고 인도해야만 마음이 원래 해야 하는 역할을 발휘할 수 있다. 그러나 어떤 사람은 또 '심지'가 번잡하게 변화하는 외부 사물에 대해 초조함을 느끼게 해 인생의 불안감을 자아낸다고 여겼다. 따라서 '심지'를 배제하고 마음이 허정한(비어 있고 고요한) 상태를 유지하며 외부 사물의 간섭을 받지 않도록 해야 한다고 했다.

예)

사람은 어떻게 도를 알 수 있는가? 마음으로 알 수 있다. 마음은 어떻게 그것을 알 수 있나? 허일이정(비우고 전일하여 고요해짐)하여 알 수 있다.

人何以知道? 曰, 心. 心何以知? 曰, 虛壹而靜. (『순자荀子 · 해폐解蔽』)

심허실審虛實

희곡을 창작할 때 반드시 인물과 이야기에서 허구와 진실의 관계를 잘 파악해야 한다. 명말 청초의 곡론가曲論家 이어李漁(1611~1680)이 『한정우기閑情偶寄』에서 제시한 내용이다. 이어에 따르면 희곡의 소재에는 옛날 것도 있고 현재의 것도 있고 소문으로 전해지는 허구도 있고 실제 사람과 실제 사건을 재구성한 것도 있다. 대부분 우화처럼 일정한 교화의 효과가 담기면 되며, 반드시 실제 사람과 실제 사건을 다룰 필요는 없다. 그럼에도 작가는 전기傳奇 희극을 창작할 때 허와 실의 정도를 잘 파악하여 전기 속의 인물과 이야기를 실제 세상의 사리에 부합하도록 전개해야 한다. '심허실'은 예술에서 허구의 합리성과 필요성을 인정하고, 세상의 사리에 부합하는가를 예술적 진실의 판단 기준으로 삼으며, 예술적 진실이 현실 세상의 진실과 다르다는 점을 강조한다. 이는 문학 창작의 법칙에 대한 합리적인 인식이라 할 수 있다.

예)

전기传奇를 창작하는 데 사용되는 소재는 옛것도 있고 요즘의 것도 있고 허구도 있고 실제 이야기도 있으며 창작자에 필요에 따라 가져다 쓰인다. …… 전기는 일반적으로 실제 이야기가 아니고 대부분 우화와 같다. 만약 세상 사람들에게 부모에 대한 효심을 권면하고자 한다면 효자 한 명을 내세워 전기의 제목으로 삼으면 된다. 서술할 만한 가치가 있는 덕행 하나만 있다면 굳이 그 일이 실제로 있었는가를 따지지 않아도 된다.

傳奇所用之事, 或古或今, 有虛有實, 隨人拈取. ……傳奇無實, 大半皆寓言耳. 欲勸人爲孝, 則擧一孝子出名, 但有一行可紀, 則不必盡有其事. (이어, 『한정우기 · 사곡부詞曲部』)

소설과 잡극 희문을 쓰고자 한다면 허와 실이 반반이어야 비로소 진실을 쓸 수 있고 또한 정情과 경景의 묘사가 극치에 달한 후에 붓을 멈추어야 한다. 그 내용이 실제로 있는 것인지는 물을 필요가 없다.

凡爲小說及雜劇戲文, 須是虛實相半, 方爲遊戲三昧之筆, 亦要情景造極而止, 不必問其有無也. (사조제謝肇淛, 『오잡조五雜組』 권15)

십년수목十年樹木, 백년수인百年樹人

나무 심기에 비유하여 인재가 되는 것은 긴 시간이 걸리며, 인재를 기르는 것은 더 오랜 시간이 필요함을 이르는 말이다. 이 말에 담긴 뜻은 두 가지로 해석할 수 있다. 첫째, 인재를 기르고 선발하는 것은 국가와 사회의 장기적인 발전과 연관된다. 둘째, 인재의 교육 및 성장은 장기적인 발전을 염두에 두고 이루어져야 하며, 전략적 시선과 총체적인 계획을 갖추고 오랫동안 노력해야 한다.

예)

일 년간 계획을 세우는 데는 곡식 심기만 한 것이 없다. 십 년간 계획을 세우는 데는 나무 심기만 한 것이 없다. 일생의 계획을 세우는 데는 사람 키우는 것이 제일이다. 하나를 심고 하나를 얻는 것이 곡식이고, 하나를 심고 열 배를 얻는 것은 나무이며, 하나를 심되 백 배를 얻는 것은 사람이다.

一年之計, 莫如樹谷, 十年之計, 莫如樹木, 終身之計, 莫如樹人. 一樹一穫者, 谷也, 一樹十穫者, 木也, 一樹百穫者, 人也. (『관자 · 권수』)

편찬위원회 구성

중국 사상문화술어 보급 프로젝트 전문가 그룹

역자소개

김택규 : 인천 태생. 출판번역가, 한국외국어대학교 중국현대문학 박사, 숭실대학교 중문과 겸임교수. 저서로 『번역가 되는 법』, 『번역가 K가 사는 법』이 있고 역서로 『이혼지침서』, 『아큐정전』, 『이중톈 중국사』, 『암호해독자』 등 80여 권이 있다.

박희선 : 번역문학가, 베이징대 중어중문학과 박사. 동국대 중어중문학과에서 강의했다. 역서로 신이우의 『약속의 날』, 상쉐타오의 『형사 톈우의 수기』, 리쉬의 『인간 공자, 난세를 살다』, 이린의 『시간에 갇힌 엄마』, 권순자 시집 『천개의 눈물』 등이 있다.

이새봄 : 서울태생. 숙명여자대학교 중어중문학과, 남경대학 중문과 졸업.

조성윤 : 고려대 중어중문학과를 졸업하고 동 대학원에서 「『사기』의 감생신화 수용과 의의」로 석사학위를 받았다. 고전문학에서 이야기가 다시 쓰이는 양상에 관심이 있으며, 논문으로 「『사기』「고조본기」의 감생고사 연구」가 있다.

허수현 : 대학에서 중문학을 전공하고 중국에서 중국고전문학을 공부했다. 졸업 후 번역일을 하고 있다.

중국사상문화술어사전 上 ㄱ~ㅅ

초판 1쇄 인쇄일	2024년 1월 20일
초판 1쇄 발행일	2024년 1월 30일
편저	중국사상문화술어 편집위원회
역자	김택규 박희선 이새봄 조성윤 허수현
펴낸곳	국학자료원 새미 (주)
	등록일 2005 03 15 제25100-2005-000008호
	경기도 고양시 덕양구 권율대로 656 더클래시아퍼스트 1519, 1520호
	Tel 02-442-4623 Fax 02-6499-3082
	www.kookhak.co.kr
	kookhak2010@hanmail.net
ISBN	979-11-6797-124-1(94140)
	979-11-6797-122-7(세트)
가격	50,000원
	100,000원(세트)

* 저자와의 협의하에 인지는 생략합니다.
잘못된 책은 구입하신 곳에서 교환하여 드립니다.
국학자료원 · 새미 · 북치는마을 · LIE는 국학자료원 새미(주)의 브랜드입니다.